NBA 那些年我们一起追的球星 2

冯逸明 主编

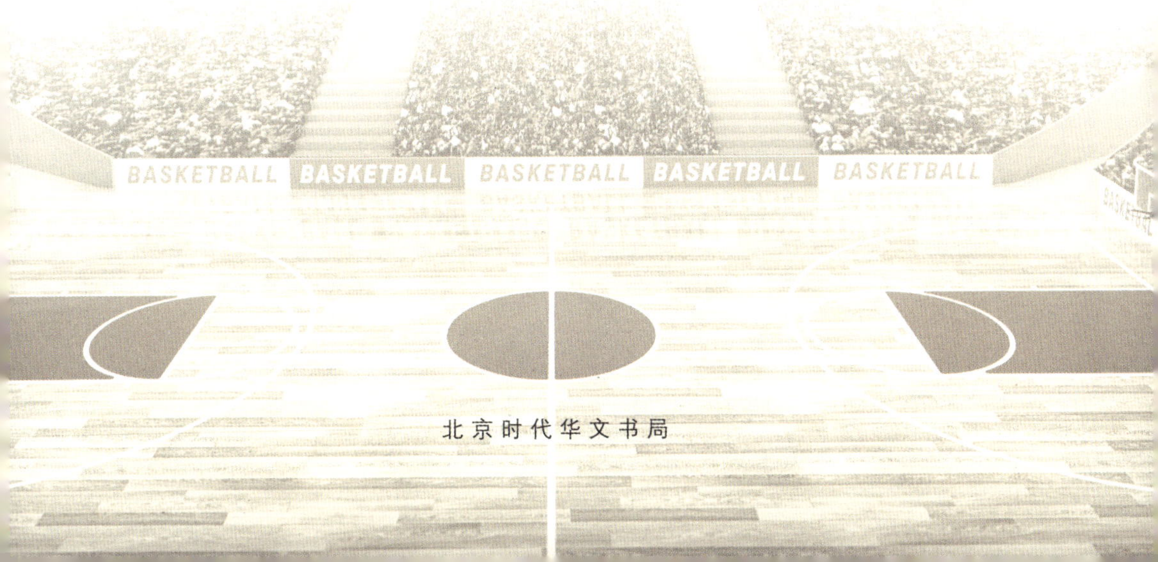

北京时代华文书局

图书在版编目（CIP）数据

NBA ：那些年我们一起追的球星. 2 / 冯逸明主编. -- 北京 ：北京时代华文书局，2019.6
ISBN 978-7-5699-3032-0

Ⅰ. ①N… Ⅱ. ①冯… Ⅲ. ①NBA－优秀运动员－列传－世界 Ⅳ. ①K815.47

中国版本图书馆 CIP 数据核字（2019）第 083812 号

NBA：那些年我们一起追的球星·2
NBA：NA XIE NIAN WO MEN YI QI ZHUI DE QIU XING. 2

主　　编｜冯逸明

出 版 人｜王训海
选题策划｜赵　雷
特约编辑｜陆兆远
责任编辑｜张　科
装帧设计｜牛　涛
责任印制｜刘　银

出版发行｜北京时代华文书局 http://www.bjsdsj.com.cn
北京市东城区安定门外大街 136 号皇城国际大厦 A 座 8 楼
邮编：100011　电话：010－64267955　64267677　57735442
印　　刷｜小森印刷（北京）有限公司　010－80215073
（如发现印装质量问题，请与印刷厂联系调换）
开　　本｜787m×1092mm　1/16　印　　张｜16　字　　数｜322 千字
版　　次｜2019 年 6 月第 1 版　印　　次｜2019 年 6 月第 1 次印刷
书　　号｜ISBN 978-7-5699-3032-0
定　　价｜56.00 元

目录

王朝与巨星 / 文：冯逸明

《钻篮画刊》主编＆设计总监
《钻篮》书系主编＆主创包装设计

NBA 的王朝标准，是至少有一个三连冠。以 NBA 世界的历史节奏衡量，应该说，这个标准是非常客观的。放眼 NBA 七十年历史，在这个标准下，称得上王朝的球队，一共有四支：NBA 草创时期，一次三连冠，一次两连冠的明尼阿波利斯湖人；上世纪六十年代，八连冠、十三年十一冠的波士顿凯尔特人；上世纪九十年代八年里两次三连冠的芝加哥公牛以及 21 世纪初的洛杉矶湖人。

由此可见，王朝的出现频率是非常低的。在 NBA 这个最高级别的篮球世界里，一支球队很难连续三年击败所有对手，即便他们阵中有当时联盟最好的巨星。

所谓时来天地皆同力，运去英雄不自由。

人不可能超越他所处的时代，NBA 球员也不例外。每一个超级球员出现，每一次决定性的战术理念革新，都是诞生王朝的契机——当然了，历史的有趣之处便在于此。

于是我们看到，乔治·麦肯在大中锋完全不可防御的时代，带着明尼阿波利斯湖人建立了第一个王朝。然后拉塞尔用他恐怖的运动能力和防守带来了第二个王朝时代。但各种硬件软件比拉塞尔犹有过之的张伯伦就只能扮演落寞英雄——张伯伦的队友并不差，但那个年代的波士顿凯尔特人是无敌的。

于是我们看到，魔术师约翰逊掌握了那个时代已知的一切篮球技术，球队也足够豪华，但很不幸，东边还有与他等量齐观的拉里·伯德和凯尔特人。于是那支湖人虽然也号称王朝，并被称为八十年代的代表球队，但却没有完成三连冠。

于是我们很多次看到，乔丹、奥尼尔、邓肯、科比、詹姆斯、库里等人的个人能力当世无敌，他们各自展现出了非常迷人的特质和超凡的实力，但需要合适的契机才能一飞冲天。

PS:《NBA：那些年我们一起追的球星》一经面世，便广受读者的认可与好评，但好评之余，也颇有些遗憾，那就是一本书中讲了 54 位巨星，远远没有将 NBA 浩如烟海历史中的那些传奇巨星收录全，于是《NBA：那些年我们一起追的球星·2》应运而生，基本上将上一册未曾收录的巨星全都补上。

这本书登载的巨星，仍然以一副扑克牌的形式呈现。有别于上一册，本书中选择的巨星时期追溯到 NBA 的开始阶段，从远古的“摩天巨兽”到如今的当红球星，我们都披沙拣金、甄选收藏。

“指环王”拉塞尔、“大北斗”张伯伦、“大 O”奥斯卡·罗伯特森、“天勾”贾巴尔、“LOGO 男”杰里·韦斯特、“LOGO 男”杰里·韦斯特、“手枪”马拉维奇……这些 NBA 中口口相传的远古巨星，在本书中不再只是传说，而是拥有呼吸与心跳的现实传奇！而中国的骄傲——姚明，也以巨星身份记入史册。

此外“大猩猩”尤因、“海军上将”罗宾逊、韦伯、“便士”哈达威、“手套”佩顿等、隆多等退役＆现役巨星以及“字母哥”、恩比德、西蒙斯等新生代巨星也系数收藏，一本堪称收藏 NBA 巨星半壁江山的巨作，由此诞生！

54 位全新巨星，按照我们的梳理，安排出座次，这样，次序鲜明、风格独特，也便于我们具象收藏、索引阅读。

除了这 54 位巨星，本书还补录了詹姆斯、伦纳德、罗斯的换队重生篇，以及韦德退役特别纪念部分。

属于自己的那件球衣，早已挂起 / 文：柯凡

●资深篮球评论员
腾讯 NBA 解说员

我最早看球是在 1996 年的 NBA 总决赛，只记住了皮蓬的三分很准（后来知道好像也没那么准），但是在心里结了一个念想，有个比赛叫 NBA，看起来挺过瘾。

半年之后，随着“96 黄金一代”进入 NBA，我也正式开始了看球的岁月。我一直觉得 1996 年左右开始看 NBA 的球迷很幸福，那时候的 NBA 清晰且固定，每一支球队都有一个能叫上名号的“大当家”。同样也是篮球江湖，也有属于那个时期独特的故事情节。

和网络时代不同的是，那时候大家想要得到一点关于 NBA 的知识，那确实是需要通过买报纸、杂志甚至球星卡来了解的。我现在还清楚的记得每个月的十号到十五号之间，会有一本当时很火的篮球杂志上市，十块钱一本，在书报亭总是一天脱销的状态，当时的篮球杂志绝不会像现在这样，躺在书报亭的角落里直到被太阳晒得掉色。

在杂志上市日我们一帮人骑车顺着大街逛书报亭，为的就是买一本新的杂志。从乔丹到马布里，再到艾弗森……感谢那个时候的媒体老师们能够把 NBA 写成充满文艺气息的故事，尽管我们没得选择，但接受到的往往是精华中的精华。

还有就是球星卡，现在的球星卡已经成为了单纯收藏属性的商品，但是在十几年前，一套球星卡就能帮你了解到所有在 NBA 打球的甚至和 NBA 沾边的球员的数据，而凑齐这么一套球星卡花费的不仅仅是金钱，更多的是时间和精力。从登堂入室的球星卡店，到校门口小摊上红纸包包着的山寨福包，得到一张可能是某队从未上过场的球员的球星卡都能让我如获至宝，又多认识了一个人。是解闷儿，也是一种追寻的渴望。

在这个资讯唾手可得的年代，你很难想象那个时期喜欢 NBA 的孩子们对于任何一点信息的如饥似渴，这不仅仅是和同学吹嘘的资本，同样也是心里一块石头落地的畅快感觉。在那个最疯狂最纯粹地追随 NBA 的年代里，我因为看球和打球被家长、老师骂俨然家常便饭，甚至因为看球出过意外，险些丧命。但这所有的一切在今天看来，会同那些淡出球场的身影一起，凑成我最为美好的篮球记忆。

我不会很简单地说某一个球星是我的青春，真正让我怀念的是那种心境，那种我们每一个人都有过的看待 NBA、看待自己喜欢的球星的态度。而这些退役的球星们，只是一个引子，他们如同引线般一次次地抽离出那段我们本来已经因为生活不易而慢慢淡忘的记忆。我们真正该纪念的或者说真正想纪念的，其实还是自己。

在我们的心里，属于自己的那件球衣，是不是早已经挂起来了呢？

CHAMPIONS

JOKER

JOKER 比尔 · 拉塞尔 /JOKER 威尔特 · 张伯伦

BILL RUSSELL　WILT CHAMBERLAIN

档案

比尔·拉塞尔 /Bill Russell
绰号：指环王 / 位置：中锋
出生日期：1934 年 2 月 12 日
身高：208cm 体重：98kg
效力球队：凯尔特人 / 球衣号码：6

荣耀

11 届总冠军：1957、1959、1960、1961、1962、1963、1964、1965、1966、1968、1969
5 届常规赛 MVP：1957/1958、1960/1961、1961/1962、1962/1963、1964/1965
1 届全明星 MVP：1963
12 届全明星：1958–1969
4 届篮板王：1957/1958、1958/1959、1963/1964、1964/1965
3 届最佳阵容一阵：1958/1959、1962/1963、1964/1965
名人堂：1975

- 常规赛场均数据：15.1 分 22.5 个篮板 4.3 次助攻
- 季后赛场均数据：16.2 分 24.9 个篮板 4.7 次助攻

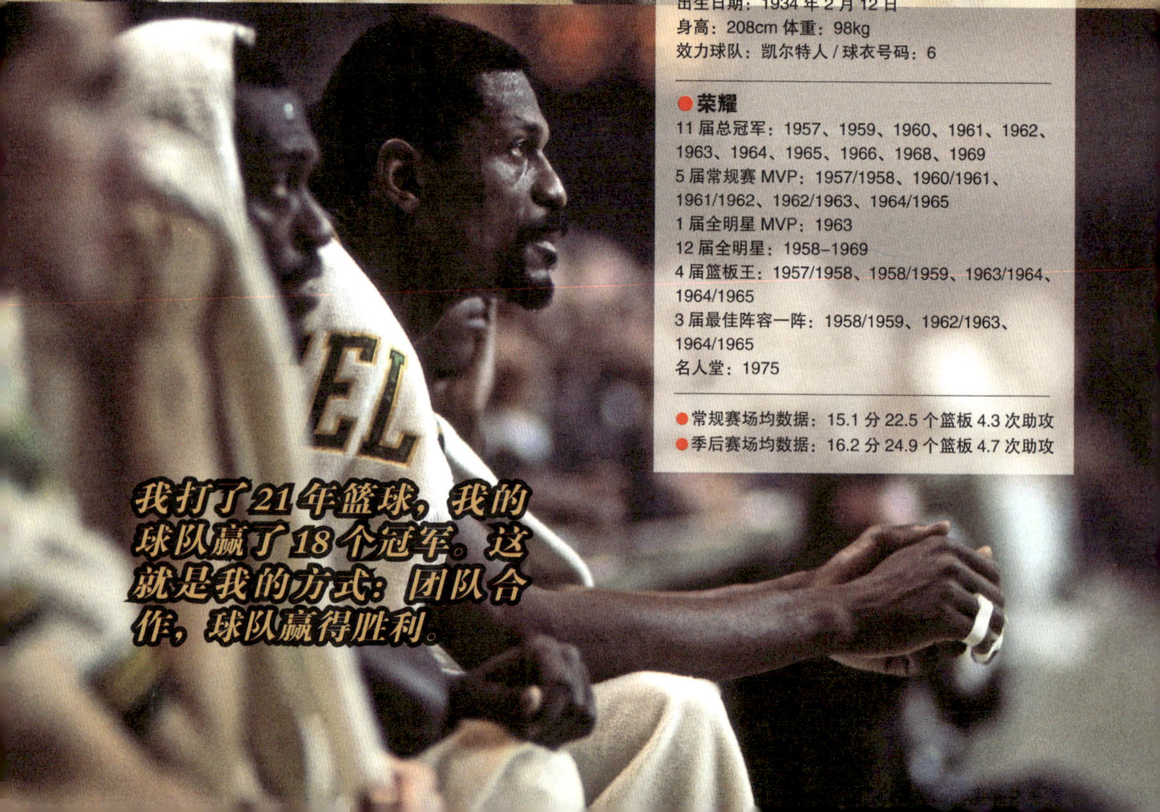

我打了 21 年篮球，我的球队赢了 18 个冠军。这就是我的方式：团队合作，球队赢得胜利。

JOKER

比尔·拉塞尔

BILL RUSSELL

拉塞尔的整个职业生涯，都是一场战斗与胜利的狂欢。他甚至超出体育的范畴，像拳王阿里一样，对黑人地位和权力的争取起到了推动作用。从 1956 年到 1969 年，拉塞尔率领凯尔特人队在 13 年内 12 次杀入总决赛，并夺得 11 次总冠军，其中包括一次旷古绝伦的 8 连冠。

"指环王"的威名垂于圣殿之上，令后来者肃然起敬。

更为重要的是，他在总决赛率队 7 次击败"史前巨兽"威尔特·张伯伦的球队，重新定义了篮球哲学的真谛——防守才能成就总冠军。

1934 年 2 月 12 日，拉塞尔出生于路易斯安那州的门罗。当时的门罗是一个典型的农业城市，实行严格的种族隔离，拉塞尔一家像许多生活在南方的黑人一样，受到无处不在的歧视和侮辱，经常要和种族歧视抗争。

父母决定不让孩子在这样的环境里长大。拉塞尔 8 岁时，父亲决定离开路易斯安那州，把家搬到加利福尼亚州的奥克兰。父亲是拉塞尔童年时期的英雄。拉塞尔和他的哥哥查利，为父亲不向种族歧视屈服的勇气而自豪——勇气是可以传承的，尤其是在父子之间。

高三和高四的时候，拉塞尔成了一个优秀的球员。他是一个左撇子，他发明了一种独特的、创新的防守方法：用一种从来没有人见过的方式，跳起来把对方的投篮盖掉。这种异乎寻常的防守风格很快引起了众人的注意。

大学时期是拉塞尔的人生分水岭。那时，大学篮球队里黑人球员还很少，而圣弗朗西斯科大学篮球队，却是以拉塞尔为队长，是第一个有三个黑人先发队员的大学篮球队。可想而知，这支球队即使在自己的主场，也将面临可怕的压力。面对无处不在的歧视和敌意，拉塞尔说道："我下定决心：我要尽我最大的努力赢得每一场比赛，这样，当我的职业生涯结束时，我赢得的比赛、我赢得的冠军将成为载入史册的事实。"

也正是在这个阶段，拉塞尔开创了无可匹敌的防守风格：不仅防守对方的中锋，还利用他的敏捷和速度防守对方的前锋，并侵略性十足地挑战他们的投篮。他有着中锋的身高和盖帽的技巧，加上后卫速度的脚步，拉塞尔成了圣弗朗西斯科大学篮球队的核心球员，并很快拥有在大学篮球界统治性的力量。

连续两年加冕 NCAA 总冠军，并打出恐怖的 55 连胜之后，拉塞尔引起了波士顿主教练奥尔巴赫的注意：主教大人意识到，拉塞尔在防守端的威力，正是把凯尔特人从一支很好的球队变成一支伟大的球队所需要的力量。

"红衣主教"的想法在当时是非正统的，在那一时期，球队主要要求中锋和前锋的是进攻端能力，防守能力是次要的。但历史恰恰是由非正统的想法改变的。1956 年选秀之夜，凯尔特人一夜之间得到三个名人堂球员：比尔·拉塞尔、K.C·琼斯、汤姆·海因索恩。再加上已在阵中的鲍勃·库西和比尔·沙曼，NBA 史上最漫长、最伟大的王朝呼之欲出。

拉塞尔的到来彻底改变了凯尔特人的比赛。他的盖帽和篮板为球队带来的不只是防守的提高，重要的是每当他抢下篮板后都能直接把球塞给鲍勃·库西——NBA 历史上第一位魔法师般的后卫——由后者直接快攻。

拉塞尔是个杰出的协防者，他让凯尔特人能打一种叫作"嘿，比尔"式的防守：每当某个凯尔特球员需要帮忙时，他就大喊一声"嘿，比尔"，拉塞尔速度极快，像一头可以瞬移的召唤兽，总能极快地赶来进行双人包夹，还能在对手设法找到空位球员前及时归位。这种超越时代的能力，让其他凯尔特人球员能侵略性十足地打球，而不担心漏人，反正背后有拉塞尔。这是拉塞尔对篮球最伟大的贡献，是具有永恒意义的防守模式，在篮球世界里永远不会过时。

凯尔特人一夜之间变成了联盟中最强的球队，直至 1956 年总决赛，他们才遇到真正的挑战：对手是5年里4次打进总决赛的圣路易斯老鹰。七场比赛后，双方3比3战成平局。在比赛的大部分时间里，凯尔特人都保持着领先优势，但老鹰一直穷追不舍，并在常规时间末段依靠佩蒂特的两个罚球把比赛推进了加时。

加时赛末段，凯尔特人领先两分，然而顽强的老鹰在最后几秒钟成功得分，把比赛带入第二个加时。在决定生死的第七场，拉塞尔做出了篮球史上最出名的表演，被称作"Coleman Play"，他以闪电般的速度从底线冲过中场，盖掉了老鹰后卫杰克·科尔曼的投篮。拉塞尔的队友鲍勃·库西回忆说，那是"我在篮球场上见过的最伟大的表演"。凯尔特人以 125 比 123 胜出，赢得了队史上第一个冠军。

这是拉塞尔职业生涯的第一场抢七大战，也拉开了拉塞尔 13 年里 11 个冠军的序幕，

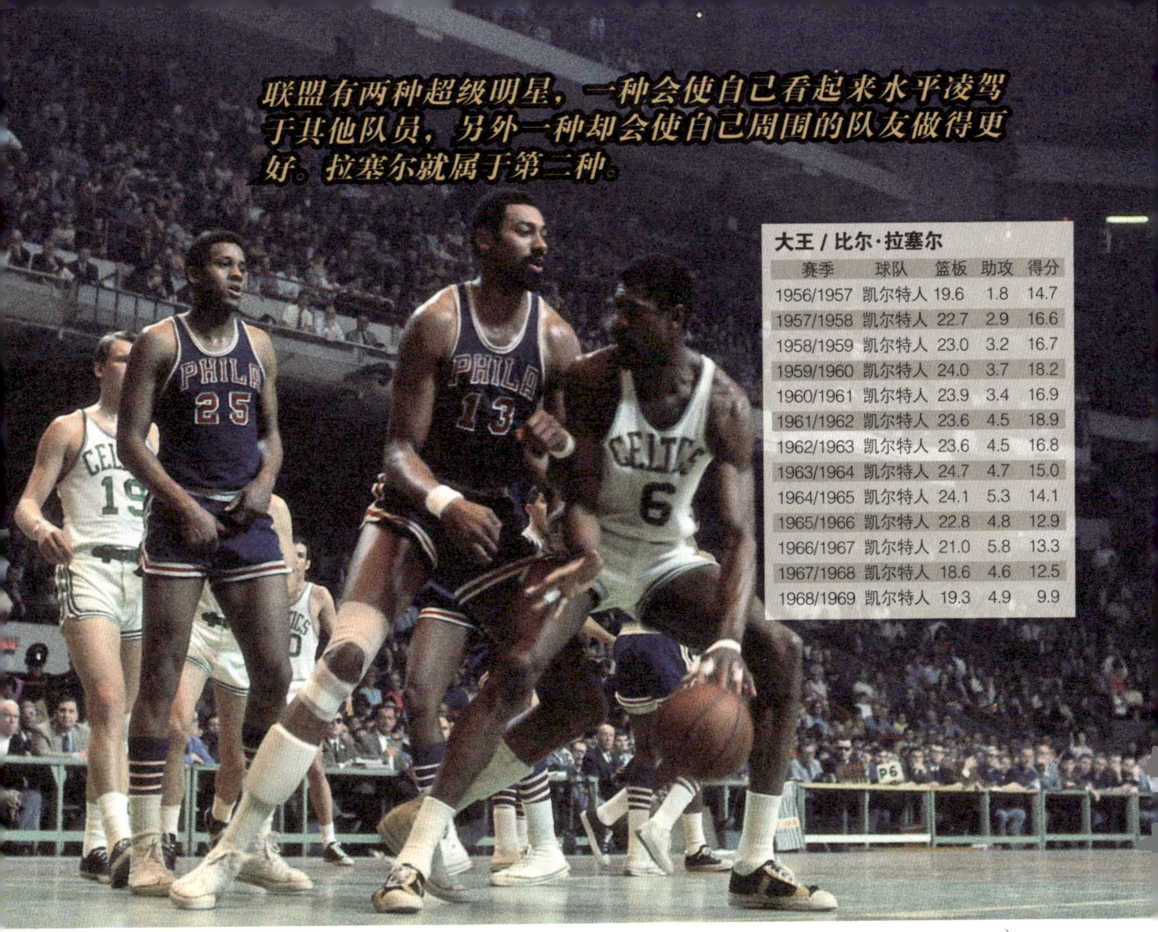

联盟有两种超级明星，一种会使自己看起来水平凌驾于其他队员，另外一种却会使自己周围的队友做得更好。拉塞尔就属于第二种。

大王 / 比尔·拉塞尔

赛季	球队	篮板	助攻	得分
1956/1957	凯尔特人	19.6	1.8	14.7
1957/1958	凯尔特人	22.7	2.9	16.6
1958/1959	凯尔特人	23.0	3.2	16.7
1959/1960	凯尔特人	24.0	3.7	18.2
1960/1961	凯尔特人	23.9	3.4	16.9
1961/1962	凯尔特人	23.6	4.5	18.9
1962/1963	凯尔特人	23.6	4.5	16.8
1963/1964	凯尔特人	24.7	4.7	15.0
1964/1965	凯尔特人	24.1	5.3	14.1
1965/1966	凯尔特人	22.8	4.8	12.9
1966/1967	凯尔特人	21.0	5.8	13.3
1967/1968	凯尔特人	18.6	4.6	12.5
1968/1969	凯尔特人	19.3	4.9	9.9

以及生涯中 10 次抢七大战不败的序幕，后者也许更能体现拉塞尔“拯救世界”的能力和勇气。

出此开始到 1969 年，这中间的 12 年是拉塞尔和波士顿凯尔特人统治一切的 12 年。除了 1958 年因为拉塞尔受伤而丢掉冠军，以及 1967 年凯尔特人因为新旧交替而输给巅峰时期的张伯伦，拉塞尔和凯尔特人包揽了所有的总冠军，包括空前绝后的八连冠。

这中间诞生了无数场经典战役，成为拉塞尔王冠上最璀璨的明珠。

1959 年 4 月 1 日，东部决赛第七场，凯尔特人 VS 锡拉丘兹民族队。凯尔特人上半场一度落后 16 分，半场时，民族队仍以 68 比 60 领先。但拉塞尔全场拿下 18 分 32 个篮板，最终让凯尔特人以 130 比 125 的比分淘汰了对手。总决赛的对手是湖人，拉塞尔以不可思议的预判对手行动，甚至控制盖帽方向的能力，彻底镇住了对手。凯尔特人成为 NBA 历史上第一支总决赛中横扫对手夺冠的球队。

1960 年 4 月 9 日总决赛第七场，拉塞尔全场拿下 22 分 35 个篮板，率领凯尔特人以 122 比 103 轻取老鹰，以 4 比 3 的总比分成功卫冕。

1961/1962 赛季，是整个 NBA 历史上的奇迹赛季。张伯伦场均上场 48.5 分钟，场均得分 50.4 分 25.7 个篮板，“篮球皇帝”的数据抵达生涯最巅峰。但在当赛季的东部决赛第七场里，这一切都成了拉塞尔的背景：拉塞尔防得张伯伦只得 22 分，自己则得了 19 分。

毫无意外，拉塞尔的球队拿下了最后的胜利。张伯伦自己也承认：“拉塞尔对我的

防守比 NBA 任何人都更有效。因为我没法防备他的动作。有时，他在我前面，过一会儿，他又在我身后。他总是让我猜不透。他一会儿把我看得很紧，下一会儿又松下来。我总得四处看看，看看他在哪。当然还有，谁也不知道他什么时候来盖帽。”

总决赛面对贝勒和韦斯特领衔的湖人，比赛再次打到第七场加时赛，但拉塞尔 30 分 40 个篮板球的恐怖发挥让“绿衫军”有惊无险地夺得总冠军。

1968/1969 赛季，拉塞尔的最后一个赛季。凯尔特人的阵容和他自己一样上了年纪，球队常规赛打得并不好，仅以分区第四的成绩进入季后赛。但拉塞尔点燃了斗志，在季后赛战胜了一个个更有潜力的球队，打入了总决赛。

这一次，凯尔特人面对的是最可怕的对手，西区最强的湖人队，“紫金”阵中添上了联盟中最危险的进攻球员——威尔特·张伯伦。两队打成 3 比 3 平局，总决赛又一次进入了抢七大战。此时没有人怀疑湖人已经是一支比凯尔特人更强的球队，湖人老板提前在球馆穹顶挂满了气球，用来庆祝。但拉塞尔留下了 NBA 历史上最霸气的宣言：“这世上什么都可能，唯独湖人战胜凯尔特人，不可能！”

这场比赛的后半段过程十分惊险，第三节里，两队打成 60 平，但凯尔特人很快把比分拉开到 91 比 74，还剩 10 分钟时，凯尔特人还以 100 比 83 领先湖人 17 分，但韦斯特带领湖人穷追不舍，并险些翻盘。最终，凭借唐·尼尔森的幸运投篮，凯尔特人以 108 比 106 战胜湖人，成功卫冕。

这一赛季让拉塞尔入万神殿的最顶端，他以 35 岁的年龄，最终完成了 13 年 11 次夺冠的旷世传奇，让他成了 NBA 史上最伟大的胜利者。

在那年凯尔特人的 18 场季后赛中，拉塞尔的上场时间是场均 46 分钟。而他同时担当球队的主教练，在没有助理教练的情况下完成了教练组所有的工作。作为一个勇敢的战士，拉塞尔的天赋中似乎有种无法解释的天性，越是面对艰巨的挑战就做得越好，也会激励队友做得更好。当球队需要拉塞尔发挥时，他总能做到最好，他全力以赴的竞争精神，直至今天，依然保存在凯尔特人的血液里。

拉塞尔是 20 世纪 60 年代波士顿凯尔特人王朝的基石，他是一位给 NBA 防守概念带来革命性的神奇盖帽专家。一位 5 届 MVP 和 12 届全明星，一位总共抓下 21620 个篮板的硬派中锋，职业生涯场均 22.5 个篮板的成绩使他获得了 4 次联盟篮板王。他曾经在一场比赛里抓下 51 个篮板，拥有连续 12 个赛季篮板总数“1000+”的成绩。

说到防守，这是拉塞尔的绝对强项，是他的成名绝技和看家本领，也是凯尔特人王朝 13 年 11 冠自始至终最重要的致命武器和屏障，他的防守意识和水平可能是有史以来最强的——无论卡位、阻截、协防、抢断等样样精通，尤其是盖帽，简直是冠绝古今，他的身体条件不如张伯伦，但他的防守更专注、更有耐心、反应更快、范围更大。

作为 NBA 历史上最伟大的胜利者，熠熠生辉的 11 枚总冠军戒指就是对他最好的褒奖。基于他在总决赛的卓越表现，从 2009 年起，总决赛 MVP 奖杯冠名为“比尔·拉塞尔杯”。

〈生涯高光闪回 / 拉塞尔总决赛抢七大战独揽 30 分 40 个篮板〉

高光之耀：11 枚总冠军戒指不会说谎，拉塞尔称霸联盟的时代，无数巨星都成了悲壮的陪衬，不只是我们熟知的“张大帅”，连“紫金贝勒爷”也难掠其锋芒。

1962 年总决赛 G7，比尔·拉塞尔砍下 30 分 40 板。埃尔金·贝勒运气真心不好，总决赛第七场最后时刻，弗兰克塞维尔投失的那一球让湖人与总冠军失之交臂。拉塞尔当晚砍下 30 分和令人瞠目结舌的 40 个篮板。这一表现为凯尔特人最后 110 比 107 赢下湖人奠定了坚实的基础。

〈生涯高光闪回 / 泰山北斗的旷世对决〉

高光之耀：20 世纪 60 年代的 NBA，诞生了两位泰山北斗级的内线宗师——威尔特·张伯伦和比尔·拉塞尔，一个是以无法阻挡的超级得分而睥睨天下，堪称史上得分能力最强的内线；另一个是以坚不可摧的内线防守而称雄于世，被誉为史上最伟大的防守型中锋，而他们之间的矛盾大战震古烁今。

张伯伦和拉塞尔有着长达 13 年的内线搏杀，又在季后赛中 7 次相遇。张伯伦的得分如拾草芥，但拉塞尔和凯尔特人队总能找到击败这支费城球队的办法。拉塞尔的 11 枚总冠军戒指中竟然有 7 枚是挫败了不可一世的张伯伦拿到的，从而也奠定了防守成就总冠军的不二准则。

〈生涯高光闪回 / 荣耀满载的胜利者〉

高光之耀：作为总统自由勋章的获得者、篮球名人堂成员、11 次 NBA 总冠军球员、5 届 MVP，拉塞尔是 NBA 当之无愧的“指环王”。

值得一提的是，为了纪念拉塞尔在总决赛的卓越表现，从 2009 年起，总决赛 MVP 奖杯以他的名字命名。2017 年 NBA 颁奖典礼，在五大中锋的簇拥下，拉塞尔获得（NBA 首届）终身成就奖。

“我从没见过一个像他那样长得那么高跑得又那么快的家伙。在统治篮下的同时，他又能够打得像小个子一样灵巧自如。

——埃尔金·贝勒

JOKER

威尔特·张伯伦
WILT CHAMBERLAIN

威尔特·张伯伦是篮球运动史上最强悍的统治者，他在进攻端展现出的能量震古烁今。他完美地把顶级身体条件、运动天赋、篮球技巧和进攻欲望结合在一起。作为 NBA 前 7 个赛季的得分王，在一对一情况下没有人能防住他，为此联盟还曾专门修改禁区尺寸来限制“张大帅”。张伯伦留下神迹无数：单场 100 分、赛季场均得分“50+”、118 场得分“50+”、连续 65 场得分“30+”，每一项纪录都闪耀如星，高悬在 NBA 的夜空，群星环绕成“大北斗”璀璨永恒。

毫无疑问，张伯伦是一个奇迹。如果把他创造的数据纪录一一列举，这篇文章就只剩下一堆数据了。最精准、最权威的评价来自 NBA 官网：“他是篮球运动史上最强悍的统治者，其在进攻端展现出的能量可谓前无古人，后无来者。如果要列出一份有史以来最伟大篮球运动员的名单，相信绝大多数球迷都会把张伯伦的名字放在最顶端，至少无限接近这个位置。”

如你所知，他是一个无法以常理衡量的超级巨人。他拥有起码 216cm 的身高，10 岁时就长到了 182cm，在 20 世纪 70 年代初，体重就拥有“鲨鱼”级别的 140kg，同时又丝毫不影响他的速度和灵活性——原因很简单，小时候他一度认为篮球是胆小鬼的游戏，对田径运动充满狂热，跳高成绩 198cm，400 米跑了 49 秒。

他的篮球技术和身体素质达到了完美的结合，他强壮的上肢使他能轻易地把对手挤开，在进攻、防守以及抢篮板球上占尽优势。曾经担任过张伯伦教练的阿历斯说：“他简直是一个体育奇才，不管他往哪一种体育项目发展，他都将有超凡的成就。还好，他选择了篮球，让篮球有了一个传奇人物。”比尔·拉塞尔说：“你没法防他。他的站立摸高达到 366cm。他即使后仰投篮，距离篮筐仍然很近，只要用手指轻轻将球一拨就能得分。”埃尔金·贝勒则评价道：“我从没见过一个像他那样长得又高跑得又快的家伙。在统治篮下的同时，他又能够打得像小个子一样灵巧自如。”

当他 17 岁进入费城的欧弗布鲁克高中时，身高已经达到 212cm，体重 99kg。高中三年为了充分发挥张伯伦的篮下优势，他的教练甚至要求队员专门练罚球不进，以便让张伯伦抓下进攻篮板制造更多得分。高中一年级时，他的场均得分就达到了 44.5 分，而在那场得到 90 分的比赛中，有 60 分来自于下半场的 12 分钟。

在进入 NBA 之前，他已经凌驾于一切之上。他是一个体育全才，传说他 100m 短跑有 11 秒以内的成绩，跳高 208cm，在斯诺克、国际象棋、田径、排球等方面都有天赋，可以原地起跳拿下篮板顶上的硬币，1969 年在湖人时，他中场休息时可以吃掉一整只鸡，或者十二个汉堡包。

就像超人害怕那颗小小的石头一样，俯瞰一切的巨人往往拥有一些奇怪的弱点。你也许无法想象，“张大帅”这样的绝世怪物，童年时体弱多病，曾经因为肺炎危及生命而休学一年也就罢了；而在成年之后，他的心脏也一直隐患重重。1964 年他在勇士队效力时，就因为心脏问题在医院躺了一个月之久。1999 年他在洛杉矶家中去世的原因，也是因为心力衰竭。强悍的身躯，脆弱的心脏，造物主就是这样奇怪。

一如他身体和心脏之间的矛盾，他的整个 NBA 生涯也是如此，一边是无与伦比的数据纪录，一边是接连不断的比赛失利。整个职业生涯中，他和比尔·拉塞尔 8 次交手，他只赢下了其中 1 次。

在 20 世纪 60 年代，全世界都相信拉塞尔总能赢是因为他拥有更好的团队，但 1968 年张伯伦加入湖人，和韦斯特、贝勒们搭档后，还是只有一个冠军。1969 年总决赛，成就了拉塞尔 13 年夺得 11 次冠军的绝世传奇，在最后的生死局中，唐·尼尔森的绝命投篮，杰里·维斯特的 42 分 +“三双”已经成了传说，而张伯伦在做什么呢？和拉塞尔斗到生死之际，也许真的是心脏无法承受那种高压，他忽然说自己大腿拉伤了，要求下场休息。愤怒的湖人教练再也没让他上场，他坐在场下目睹拉塞尔完成了最后的传奇。

这不是偶然的一次，而是一种长期存在的争议。1970 年，总决赛第七场，张伯伦面对带伤出场的纽约名将里德，只得了 21 分，11 罚 1 中。第六场，里德不在时，张伯伦得 45 分 27 个篮板。他的人生里充满类似的高潮集锦和不朽数据，传奇到令人目瞪口呆，但这些东西，无法在篮球场上兑现为传奇——他太出色，可以无视所有限制，一根筋地做自己想做的事，但赢球却不是这样子的。

一名 NBA 前教练说：“张伯伦缺乏那么一些团队意识，打球常要队友以他为中心。这多少就能解释，这名‘超人’球员为什么在他长达 13 年的职业球员生涯中，只能帮助球队赢得两次 NBA 冠军。” 里克·巴里写道：“威尔特就是个失败者，大多数球员

威尔特·张伯伦常规赛数据表

赛季	球队	篮板	助攻	得分
1959/1960	勇士	27.0	2.3	37.6
1960/1961	勇士	27.2	1.9	38.4
1961/1962	勇士	25.7	2.4	50.4
1962/1963	勇士	24.3	3.4	44.8
1963/1964	勇士	22.3	5.0	36.9
1964/1965	勇士	23.5	3.1	38.9
1964/1965	76人	22.3	3.8	30.1
1965/1966	76人	24.6	5.2	33.5
1966/1967	76人	24.2	7.8	24.1
1967/1968	76人	23.8	8.6	24.3
1968/1969	湖人	21.1	4.5	20.5
1969/1970	湖人	18.4	4.1	27.3
1970/1971	湖人	18.2	4.3	20.7
1971/1972	湖人	19.2	4.0	14.8
1972/1973	湖人	18.6	4.5	13.2

●档案

威尔特·张伯伦 /Wilt Chamberlain
绰号：张大帅 / 位置：中锋
出生日期：1936 年 8 月 21 日
身高：216cm 体重：125kg
效力球队：勇士、76 人、湖人 / 球衣号码：13

●荣耀

2 届总冠军：1967、1972/1 届总决赛 MVP：1972
4 届常规赛 MVP：1959/1960、1965/1966、1966/1967、1967/1968
1 届全明星 MVP：1960
13 届全明星：1959–1969、1970–1973
7 届得分王：1959/1960、1960/1961、1961/1962、1962/1963、1963/1964、1964/1965、1965/1966
11 届篮板王：1959/1960、1960/1961、1961/1962、1962/1963、1965/1966、1966/1967、1967/1968、1968/1969、1970/1971、1971/1972、1972/1973
7 届最佳阵容一阵：1959/1960、1960/1961、1961/1962、1963/1964、1965/1966、1966/1967、1967/1968
名人堂：1979

●常规赛场均数据：30.1 分 22.9 个篮板 4.4 次助攻
●季后赛场均数据：22.5 分 24.5 个篮板 4.2 次助攻

都这么看。他知道自己会输，他害怕被指责。”

他是 NBA 历史上最伟大的常规赛选手，他退役时拥有当时最高的 NBA 得分和至今最高的篮板总数，4 个常规赛 MVP，7 个得分王和 11 个篮板王——但季后赛成绩却相形失色。

他的职业生涯分为两段：1966 年之前，他是个不断破纪录的数据怪物，而且逼迫联盟不断修改规则；1966 年之后，他是一个每晚都可能刷“三双”甚至“四双”的防守巨人，而且已经突破体育，成为公众话题人物。

职业生涯前 7 年，包揽 7 个得分王却在季后赛一无所获的张伯伦，在 1966 年夏天听取了“秃鹫”汉纳姆的意见，放弃得分王，开始防守 + 助攻，带领费城打出常规赛 68 胜的成绩，最终夺冠；1971/1972 赛季，他作为老将，甘愿成为湖人第四号得分手，带队打出常规赛 69 胜的成绩，最终夺冠。

但是，他生涯中的冠军传说只此两个，其他时节，留下的都是他如何又破了某数据纪录、他如何统治对手，却很少与胜利有关。他的传奇里，没有拉塞尔作为主教练 + 球员带队夺冠的传奇，缺少乔丹和韦斯特那些关键场次的传说，鲜有“魔术师”那样点石成金让胜利信手拈来的故事（除了 1966/1967 赛季），被大家啧啧赞叹的“大心脏”神奇时刻也只有 1972 年的冠军战。

1966/1967 赛季，张伯伦丢掉了 7 年以来拿爽了的得分王，场均只得 24 分，但送出 7.8 次助攻，带队打出传奇的 68 胜夺冠，从此之后，他就拼命传球。这就是他奇怪的所在：他不会像乔丹、“魔术师”、伯德一样，相机而动；他很走极端，如果投篮会得到 100 分，绝不传球；如果传球能逼近助攻王，绝不肯投篮。

所以，他是个好得分手、伟大的防守者，但作为一个核心人物，他太一根筋太好猜透了。1968 年东部决赛第七场，面对卷土重来的波士顿，已经“爱上”传球的张伯伦，在队友们一片兵荒马乱之时依然执着地传球，自己只出手三次，最终再败于波士顿。

盖棺定论时，拉塞尔成了创造波士顿千秋功业的“指环王”，张伯伦却只能是孤独的“大北斗”。他是一个强悍的破坏者，却不是一个伟大的创造者和领导者，而这一点，无论他选择的是进攻、防守抑或传球，都不曾改变。

事实上，当我们纵观整个篮球历史后，也没必要为此而特别苛责他，篮球运动员并不能超越他所在的时代。在当时的篮球世界里，以教练和球员们对篮球运动的认知，以及篮球运动从训练到技战术理念上的整体水平，还远远不足以围绕着一个绝对的进攻核心而取得成功——是的，张伯伦的出现虽然已经将篮球的许多理念大大推进了一步，但想要像后世的沙奎尔·奥尼尔一样建立个人王朝，终究还是时机未到。“红衣主教”在比尔·拉塞尔身上发现了成功之道，却是从防守端入手，进攻端靠的是快节奏的转换进攻。张伯伦和他的团队想要成功，只能模仿拉塞尔和波士顿的模式。

从这个角度讲，张伯伦这个孤独、强大而又脆弱的巨人，其实终究没能超越自己所在的时代，虽然他远比同时代的任何人出色，包括比尔·拉塞尔。

新秀赛季便场均 37.6 分、72.7% 的单赛季最高命中率，1961/1962 赛季场均 50.4 分，1960/1961 赛季场均篮板 27.2 个……值得一提的是，这些数字不仅全部是 NBA 史上最高，而且和身后第二名的差距明显。鉴于以上原因，张伯伦的名字注定会在 NBA 的所有数据（尤其是得分）纪录表的顶端频繁出现。

“大北斗”成为张伯伦的绰号，以天际里永恒的最耀眼、最辉煌的星星来比喻，也形象地表明他留下的无数传奇，会经由后人传述、崇敬，一代一代，永无止境地流传。

〈生涯高光闪回 / 泰山北斗的旷世对决 2〉

高光之耀：虽然张伯伦在凯尔特人主教练奥尔巴赫眼里是“最不可思议的巨人”，尽管拥有这么多的恐怖数据，尽管他是那个时代里最耀眼的明星，但张伯伦一直以来都遭受着球迷和一些专业人士的批评，他们认为他太喜欢得分，没有为球队带来足够的胜利。这种批评的声音基本上都以他与拉塞尔的比赛为佐证。

张伯伦所在的球队始终被拉塞尔的波士顿凯尔特人队压迫着，直到奥尔巴赫不当主教练之后，张伯伦才帮助费城 76 人队攻下了 1967 年的总冠军。据统计，张伯伦与拉塞尔一共打了 142 场比赛，拉塞尔赢了 88 场。在这些比赛中，张伯伦平均得分 28.7，平均篮板 28.7 个。拉塞尔得到 23.7 分，14.5 个篮板。这就像是他们命运的缩影——数据属于张伯伦，胜利属于拉塞尔。

如果说张伯伦如“大北斗”般璀璨永恒的话，那么拉塞尔就像“泰山”一样领袖群峰，令人高山仰止。

〈生涯高光闪回 / 回望百分神迹〉

高光之耀：半个世纪过去了，百分神迹依然是所有体育项目中最具统治力的单场秀，没有之一。当时的 NBA，张伯伦绝对不可阻挡。

1962 年 3 月 2 日，张伯伦没办法像如今在社交媒体那样及时地发布重磅消息，所以他只能用一张简单的纸来说明那场比赛中自己的统治地位，然后拍照留念。那场比赛，张伯伦在 48 分钟内 63 投 36 中，罚球 32 投 28 中，砍下 100 分，率领勇士以 169 比 147 击败尼克斯。在取胜的同时，张伯伦也缔造了震古烁今的单场得分纪录。

LAKERS
33

LAKERS

A–K

黑桃 A 摩西·马龙 / **红桃 A** 卡里姆·阿布杜尔–贾巴尔 / **梅花 A** 奥斯卡·罗伯特森 / **方片 A** 杰里·韦斯特

MOSES MALONE　KAREEM ABDUL–JABBAR　OSCAR ROBERTSON　JERRY WEST

黑桃 K 威利斯·里德 / **红桃 K** 姚明 / **梅花 K** 鲍勃·佩蒂特 / **方片 K** 里克·巴里

WILLIS REED　YAO MING　BOB PETTIT　RICK BARRY

摩西·马龙常规赛数据表

赛季	球队	篮板	盖帽	得分
1974/1975	星光	14.6	1.5	18.8
1975/1976	精神	9.6	0.7	14.3
1976/1977	勇敢	0.5	0.0	0.0
1976/1977	火箭	13.4	2.3	13.5
1977/1978	火箭	15.0	1.3	19.4
1978/1979	火箭	17.6	1.5	24.8
1979/1980	火箭	14.5	1.3	25.8
1980/1981	火箭	14.8	1.9	27.8
1981/1982	火箭	14.7	1.5	31.1
1982/1983	76人	15.3	2.0	24.5
1983/1984	76人	13.4	1.5	22.7
1984/1985	76人	13.1	1.6	24.6
1985/1986	76人	11.8	1.0	23.8
1986/1987	子弹	11.3	1.3	24.1
1987/1988	子弹	11.2	0.9	20.3
1988/1989	老鹰	11.8	1.2	20.2
1989/1990	老鹰	10.0	1.0	18.9
1990/1991	老鹰	8.1	0.9	10.6
1991/1992	雄鹿	9.1	0.8	15.6
1992/1993	雄鹿	4.2	0.7	4.5
1993/1994	76人	4.1	0.3	5.3
1994/1995	马刺	2.7	0.2	2.9

●档案

摩西 · 马龙 /Moses Malone
绰号：先知 / 位置：中锋
出生日期 :1955 年 3 月 23 日
身高：208cm 体重：110kg
效力球队：火箭、76 人、子弹、马刺
球衣号码：2、4、8、13、20、21、22、24

●荣耀

1 届总冠军：1983
1 届总决赛 MVP：1983
3 届常规赛 MVP：1978/1979、1981/1982、1982/1983
12 届全明星：1978–1989
6 届篮板王：1978/1979、1980/1981、1982/1983、1983/1984、1984/1985
4 届最佳阵容一阵：1978/1979、1981/1982、1982/1983、1984/1985
名人堂：2001

●常规赛场均数据
20.6 分 /12.2 个篮板 /1.3 个盖帽
●季后赛场均数据
22.1 分 /13.8 个篮板 /1.6 个盖帽

A♠

摩西·马龙

MOSES MALONE

年轻的马龙，名动美利坚的 19 岁天才高中生，在联盟历史上第一次跳过大学进入职业联盟。如你所知，在他的身后，是加内特、科比、麦迪、勒布朗这些注定不朽的名字。

完全的本能，轻捷的脚步，超级强硬，超级粗野，非凡的连续起跳能力；懂得所有卡位技巧，而且能预判球的弹向。他热爱抢篮板，为抢篮板而活，不管用什么方法来计算，他都是历史上最好的进攻篮板手，他是一位冷酷无情的篮板天王和极富效率的得分手。

如果要为马龙的传奇找一个最具戏剧张力的切入点，那么时间地点应该是这样的：

1974 年，美国弗吉尼亚州彼得堡某块郊区的田地，在某个夜晚，ABA 联盟犹他之星队主教练兼球队经理巴克沃尔，球队投资人德莱赛尔，就像是两个美国墨西哥边境上的偷渡者，在禾秆丛中匍匐前进，寻找马龙的家。他们拍了拍身上沾着的土，上前敲门，美国篮球历史随之泛起令人心醉的涟漪……

19 岁的马龙长到了 203cm，起初他的位置是前锋，直到其体重和力量随着年龄的增长突飞猛进，教练才把中锋的重担授予了他。但可以想象，即使是他这样罕有的雄伟男子，在 19 岁时，与象征着篮球最高水平的联盟球员们相比，仍会显得瘦弱——但是，在他的新秀赛季，他的数据是场均 18 分 14.6 个篮板。入选全明星阵容。到了赛季末，他在联盟的进攻篮板榜上名列前茅，上场时间位居全联盟第四位，投篮命中率全联盟第三，场均篮板数也能排在第四位。

怎么做到的？不看马龙的比赛，你无论如何是得不到答案的。

这家伙一经降临 ABA，只用了几个字便回答了大家的所有问题：无穷无尽、真心实意地训练。那些怀疑过他的天赋的人，也不得不被他的努力所折服。

马龙的初次亮相无与伦比，足以让他在 ABA 中出类拔萃。但他在第二个赛季的一次赛前热身中，遭遇了足部骨折，不得不因伤休战。这是他为犹他星队打的最后一场比赛，因为这支球队接下来宣告破产。再往后一年，ABA 被 NBA 吞并，马龙，就如同那个和他同名的先知，再度开始了新的伟大之旅。

在 NBA，那些保守的球队管理层并不愿意相信，一个在 ABA 的环境中翻江倒海的高中毕业生，能够真正地对一支 NBA 的球队有所帮助。

命运的辗转骤然加快。1976 年 8 月 5 日，NBA 的波特兰开拓者队利用驱散条例，在第 5 顺位选中了马龙，然而 21 岁的马龙还没有为波特兰打过一分钟，就被送到了布法罗勇气队，用来交换一个 78 年的首轮选秀权。这还不算完，仅仅两场比赛后，休斯敦人又用两个未来的首轮选秀权，从勇气队手上得到了他。

他在航天城成功定居下来，以火箭般的速度在联盟蹿红，成为人人谈之色变的“篮板机器”和“禁区野兽”。他打满了全部 82 场比赛，场均斩获联盟第三高的 13.1 个篮板，仅次于比尔・沃尔顿和贾巴尔，其中进攻篮板 437 个，打破了保罗・西拉斯当时创造的 365 个的纪录。在这个赛季的 12 场季后赛中，马龙的场均数据是惊人的 18 分 16.9 个篮板。对阵华盛顿子弹队的东部半决赛第二场，他摘下 15 个前场篮板，不用说，又是历史纪录。

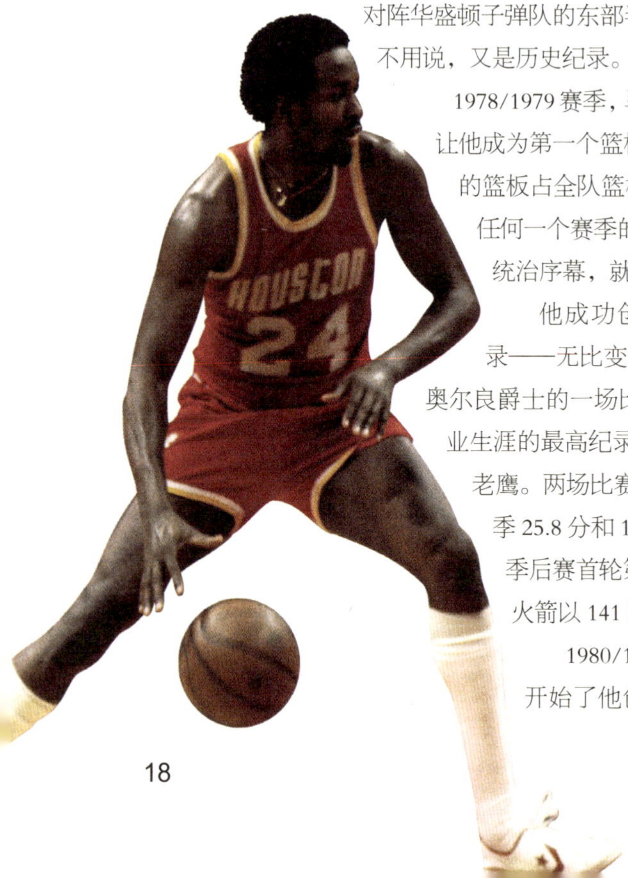

1978/1979 赛季，马龙火山爆发般的 24.8 分和 17.6 个篮板，让他成为第一个篮板王，拥有第一座常规赛 MVP 奖杯。他的篮板占全队篮板的百分比（38.4%）比拉塞尔和张伯伦任何一个赛季的都高。他作为一个传奇，对前场篮板的统治序幕，就此华丽拉开，一发而不可收。

他成功创造了 NBA 迄今为止单季进攻篮板纪录——无比变态的 587 个！ 1979 年 2 月 9 日，在和新奥尔良爵士的一场比赛中，马龙抢下了 37 个篮板，敲下职业生涯的最高纪录。火箭顺利挺进总决赛，以 0 比 2 败给老鹰。两场比赛，马龙合计 49 分和 41 个篮板。下个赛季 25.8 分和 14.5 个篮板，得分榜第五，篮板榜第二。季后赛首轮第三场决胜局，独揽 37 分和 20 个篮板，火箭以 141 比 120 取胜，总比分 2 比 1 淘汰马刺。

1980/1981 赛季，马龙再次抢得篮板王，就此开始了他创纪录的连续 5 年霸占篮板王的神话传说。他的得分能力也如同热带雨林般疯长。3 月 11 日对阵金州勇士，28 投 20 中，12 罚 11 中，51 分。

季后赛里火箭的表现震惊了全美，马龙场均 26.8 分和 14.5 个篮板，所有球员都有极其精彩的发挥，火箭进入总决赛，但他们又一次栽在了凯尔特人的魔爪之下。不同的是，这次对手阵中有个没钱“2 年级”的白人前锋，叫作拉里·伯德。

1981/1982 赛季，马龙场均 31.1 分 14.7 个篮板，拿到第二座常规赛 MVP 奖杯。他连续第二年缴获了篮板王头衔，得分上也仅次于乔治·格文居第二位。1982 年 2 月 2 日，他在同圣迭戈快船的比赛中贪婪地捕获了 53 分。仅仅过去 9 天，2 月 11 日对阵西雅图超音速，他又缔造了单场 21 个进攻篮板的 NBA 新纪录。

赛季结束后，马龙成为受限制自由球员，9 月 15 日，马龙正式加盟费城，76 人原本就无比强大，汇聚了“J 博士”、安德鲁·托尼、莫里斯·奇克斯和琼斯，如今又加盟了一个新鲜出炉的 1982 年联盟 MVP。

他以 15.3 个篮板的成绩连续三年称霸篮板王，最让人瞠目结舌的是，76 人在整个季后赛里，直到夺取总冠军为止，只输了 1 场比赛！几乎应验了马龙在季后赛开打前的那个著名预言：“Fo，fo，fo。”马龙在 13 场季后赛里平均贡献 26 分和 15.8 个篮板，在四场总决赛中，他和贾巴尔的篮板数字分别为 70、30，从此“天勾”最恨听到马龙的名字。

马龙继续着对篮板的统治，但时代开始悄然更替，湖人、凯尔特人和 76 人三足鼎立的局面结束了，费城在 1983 年横扫世界的“豪华五星阵”渐渐走向暗淡。1985/1986 赛季开始不久，马龙本人如同那位先知，又一次被命运和他的信徒流放了。跋涉于华盛顿和亚特兰大，继续他那神奇的、恒定的“20+10”招牌数据。

和老鹰合作的第二年，一年老似一年的马龙终于未能保持连续 11 个赛季打出 20 分和 10 个篮板的神勇状态。18.9 分和 10 个篮板，这是自其职业生涯第二年来首次跌破标准。不过这个已经在 NBA 驰骋了 14 年的老兵依然以 364 个进攻篮板的成绩笑傲江湖，并在篮板榜上并列排在第八。1990/1991 赛季，他只首发了 15 场，随即坐到了板凳上，他必须给新人让位了，这已是他的第 16 个赛季。场均 10.6 分 8.1 个篮板，23.3 分钟的出场时间，马龙所有的技术统计都降到了历史新低。但没有关系，十余年来，在他那可怕的喷发下，他早已到了超越时代的高度。

1995 年 1 月 15 日，在圣安东尼奥马刺队，横跨了三个时代的马龙接受手术治疗，然后悄然引退。2015 年 9 月 13 日，马龙因病逝世，享年 60 岁，一代篮球巨星就此辞别人世，留下了无比绚烂的人生轨迹——在 21 年的篮球生涯中，马龙将得分与篮板能力展现到历史最高级别。他总得分达到 29580 分，一度高居历史第七；总共揽下 17834 个篮板，仅次于张伯伦、拉塞尔，居历史第三。马龙还保持着单季进攻篮板、单场进攻篮板（21 个）NBA 双项纪录。

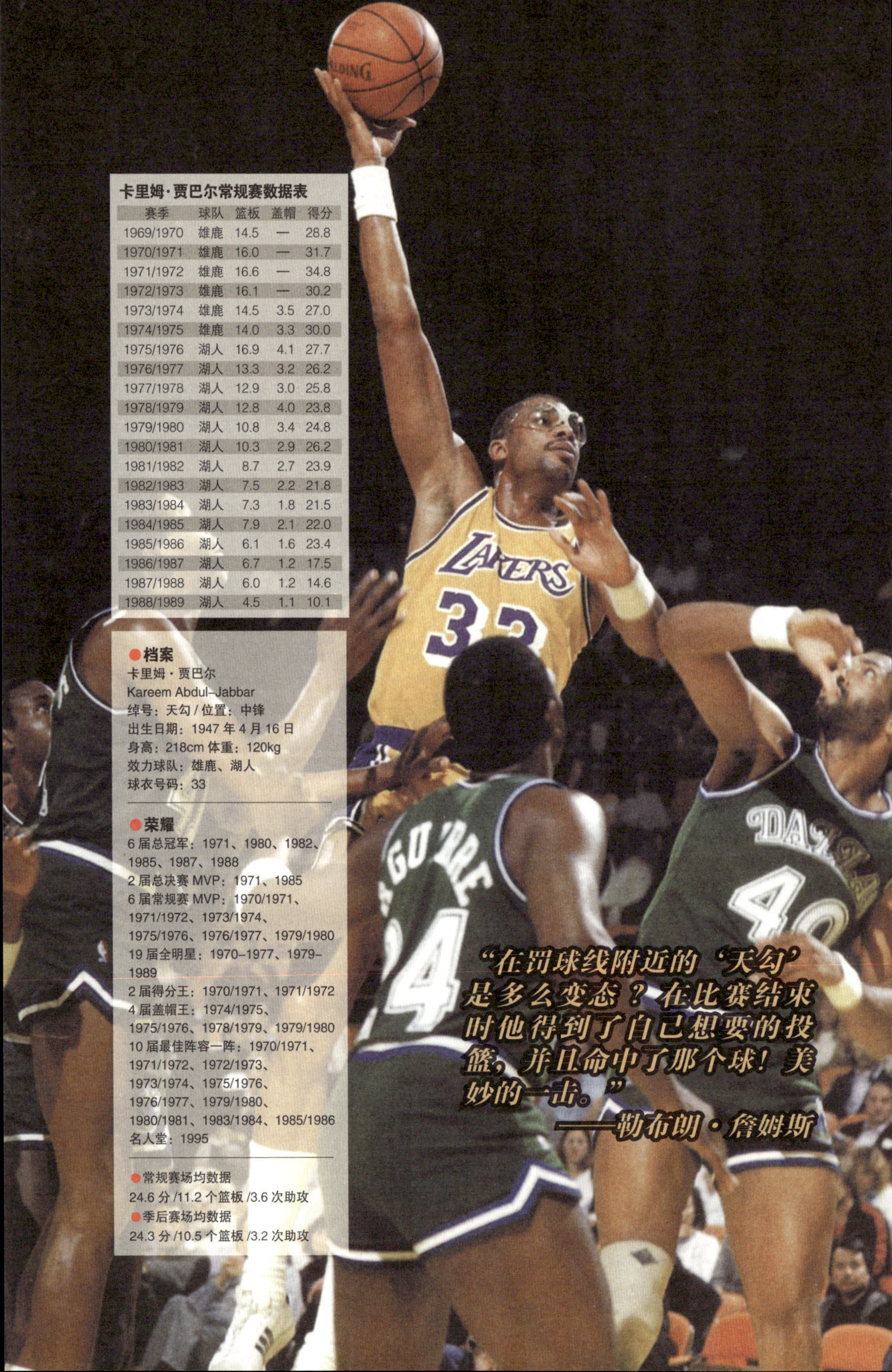

卡里姆·贾巴尔常规赛数据表

赛季	球队	篮板	盖帽	得分
1969/1970	雄鹿	14.5	—	28.8
1970/1971	雄鹿	16.0	—	31.7
1971/1972	雄鹿	16.6	—	34.8
1972/1973	雄鹿	16.1	—	30.2
1973/1974	雄鹿	14.5	3.5	27.0
1974/1975	雄鹿	14.0	3.3	30.0
1975/1976	湖人	16.9	4.1	27.7
1976/1977	湖人	13.3	3.2	26.2
1977/1978	湖人	12.9	3.0	25.8
1978/1979	湖人	12.8	4.0	23.8
1979/1980	湖人	10.8	3.4	24.8
1980/1981	湖人	10.3	2.9	26.2
1981/1982	湖人	8.7	2.7	23.9
1982/1983	湖人	7.5	2.2	21.8
1983/1984	湖人	7.3	1.8	21.5
1984/1985	湖人	7.9	2.1	22.0
1985/1986	湖人	6.1	1.6	23.4
1986/1987	湖人	6.7	1.2	17.5
1987/1988	湖人	6.0	1.2	14.6
1988/1989	湖人	4.5	1.1	10.1

●档案

卡里姆·贾巴尔
Kareem Abdul-Jabbar
绰号：天勾 / 位置：中锋
出生日期：1947 年 4 月 16 日
身高：218cm 体重：120kg
效力球队：雄鹿、湖人
球衣号码：33

●荣耀

6 届总冠军：1971、1980、1982、1985、1987、1988
2 届总决赛 MVP：1971、1985
6 届常规赛 MVP：1970/1971、1971/1972、1973/1974、1975/1976、1976/1977、1979/1980
19 届全明星：1970–1977、1979–1989
2 届得分王：1970/1971、1971/1972
4 届盖帽王：1974/1975、1975/1976、1978/1979、1979/1980
10 届最佳阵容一阵：1970/1971、1971/1972、1972/1973、1973/1974、1975/1976、1976/1977、1979/1980、1980/1981、1983/1984、1985/1986
名人堂：1995

●常规赛场均数据
24.6 分 /11.2 个篮板 /3.6 次助攻
●季后赛场均数据
24.3 分 /10.5 个篮板 /3.2 次助攻

“在罚球线附近的‘天勾’是多么变态？在比赛结束时他得到了自己想要的投篮，并且命中了那个球！美妙的一击。”

——勒布朗·詹姆斯

A♥

卡里姆·阿布杜尔–贾巴尔

KAREEM ABDUL JABBAR

纵横 NBA 长达 20 载，却一共才被封盖 5 次，贾巴尔那划过天际般的“天勾”，是那个时代最无解的核武器。拥有随意与高效必杀技，贾巴尔拥有令人高山仰止的诸多纪录：他是 NBA 总得分王，篮板、盖帽榜均名列第三。此外，他囊括 6 届常规赛 MVP，历史上无人能够企及。而 6 届总冠军、11 次最佳阵容以及 19 届全明星等荣耀，足以证明这位“常青树”巨星，在其浩瀚而又漫长的职业生涯中，是如此的辉煌而持久。

“对我而言，能够被自己待过最长时间的球队认可，我很开心。能看到雕像变成现实，与其他湖人名宿摆在一起，我很荣幸。”在得知湖人队将要为自己树立雕像时，一代传奇贾巴尔如是感慨。作为“紫金王朝”的功勋老臣，贾巴尔为湖人赢得了 5 座冠军金杯，并与“魔术师”一起在 20 世纪 80 年代建立“湖人王朝”。如果要为其造一座雕像，《洛杉矶时报》表示：“这是他应得的！”

2012 年 11 月 17 日，湖人主场迎战太阳的比赛之前，巴斯家族为贾巴尔举办了隆重的雕像揭幕仪式。贾巴尔在仪式后激动不已，仰望着那尊用他标志性的勾手姿势打造的等身雕像，贾巴尔眼中流露出幸福的光芒，与此同时，曾经在球场上的一幕幕经典画面也于脑海中泛起涟漪，那么静，那么美，让人陶醉。

“卢·艾尔辛多尔，身高 218cm，天赋超群、意识绝佳，是篮坛百年不遇的超级中锋，他会改写 NBA 的历史！”这是 20 世纪 60 年代的“球探报告”中关于贾巴尔的描述。实际上，在还未信仰伊斯兰教之前，贾巴尔原名叫卢·艾尔辛多尔，一个拗口、冗长而又不美国化的名字，在 UCLA 的四年里，他帮助球队赢得了三次 NCAA 冠军。那时候，

关于约翰·伍登教练与“七尺长人”的故事已成佳话，UCLA 战术名扬天下，那就是后来我们熟知的“挡拆战术”。

1969 年，贾巴尔成为全美关注的焦点人物，他被《体育新闻》、美国合众国际新闻社、美联社、美国篮球作者协会等多家权威机构评选为年度最佳球员，而在 1967 年—1969 年中，他更是独霸了 MOP 奖和占据全美第一阵容的中锋位置。在凯尔特人王朝行将瓦解，张伯伦状态下滑的年代，贾巴尔横空出世。1969 年，雄鹿队用状元签选中贾巴尔，“上帝啊，这才是我们建队的第二年哦，艾尔辛多尔将带领我们走向辉煌。”雄鹿队的总经理已经兴奋得快虚脱了。

如你所知，新秀赛季的贾巴尔用场均 28.8 分 14.5 个篮板的数据摘走最佳新秀的桂冠，而前一季只有 27 胜 55 负的雄鹿，在得到贾巴尔之后取得了 56 胜 26 负的佳绩。雄鹿在完成了古典版的“潘磕嫦”之后，在 1970 年夏天通过交易，得到了史上最全能的控卫——奥斯卡·罗伯特森。“大 O”和“天勾”组合，年轻的球迷可能不会相信这个构想，但在当时，雄鹿队确实做到了。1970/1971 赛季，雄鹿 66 胜 16 负领跑全联盟，贾巴尔场均 31.7 分 16 个篮板加冕常规赛 MVP。季后赛里，他们席卷残云般完成 12 胜 2 负，用 4 比 0 横扫巴尔的摩子弹队的方式摘得桂冠。要知道，这仅仅是雄鹿进入 NBA 的第三个年头。

1971 年秋天，贾巴尔由天主教改信仰伊斯兰教，他的名字也从饶舌的卢·艾尔辛多尔变为更加饶舌的卡里姆·阿卜杜尔·贾巴尔。尽管信仰和名字变了，但贾巴尔的统治力丝毫未减，事实上，贾巴尔新名字的解释是“高贵强大的仆人”，而在 1971/1972 赛季，贾巴尔的确够高贵、够强大——场均 34.8 分卫冕得分王和 MVP。

1973/1974 赛季，刚进联盟 4 年的贾巴尔三度捧起 MVP 奖杯，同时有 4 项技术统计位列联盟前五。1974 年，贾巴尔率领雄鹿重返总决赛，可惜未能二度加冕。1974 年夏天，“大 O”退役，雄鹿的黄金岁月宣告结束。1974/1975 赛季，他们仅仅取得 38 胜 44 负的战绩。与此同时，由于宗教信仰和生活上的问题，贾巴尔开始与密尔沃基格格不入，他主动要求管理层将自己交易至洛杉矶或者纽约。1975 年，正值巅峰状态的贾巴尔空降“天使城”，而令人意想不到的是，这一次震惊全美的转会最终成就了一段传奇。

从 1975 年到 1989 年，贾巴尔为湖人效力了整整 14 年，他为“天使城”带来了 5 座总冠军金杯，而他本人也收获了 3 次常规赛 MVP。1979 年，湖人队用状元签选中了密歇根大学的超级后卫埃尔文·约翰逊，并在 1979/1980 赛季成功夺冠。20 世纪 80 年代的第一个冠军，是贾巴尔传奇之路的开始，此后数年里，他完成了角色转型，从当仁不让的球队老大变成兢兢业业的内线支柱，年龄的增长丝毫没有在贾巴尔的身上体现，他的得分、篮板和盖帽依然强势，而他的勾手也成为大西部论坛球馆的标志之一，时任湖人主教练的帕特·莱利将“天勾”的名号赠予贾巴尔。

1980 年、1982 年、1985 年、1987 年和 1988 年，湖人用五次夺冠宣告了“紫金王朝”的诞生，人们可能会津津乐道于“魔术师”穿花绕树般的串联组织，惊叹于湖人行云流水般的 ShowTime 表演，但在那个冰火交织的年代，沉稳内敛的贾巴尔才是球场上的内线大师。

40 岁之后，贾巴尔依然在联盟征战了 3 个赛季，令人惊讶的是，他仅仅缺席了 14 场比赛。1988 年，湖人在总决赛中击败活塞问鼎冠军，41 岁的贾巴尔成为历史上年龄最大的首发中锋。1989 年，42 岁的贾巴尔选择退役，湖人随即退役了他的 33 号球衣。看着那件承载了无数辉煌与荣耀的紫金战衣徐徐地升上大西部论坛球馆的穹顶，贾巴尔默数着 20 年职业生涯所取得的辉煌：38387 分、17440 个篮板、5660 次助攻、1160 次抢断、3189 次盖帽、6 次总冠军、6 次常规赛 MVP。

如今，再次走进斯台普斯球馆的时候，贾巴尔会虔诚地看着自己的雕塑，像二十多年前一样，举起右手，朝着天空的方向再来一次勾手。祝贺贾巴尔，他用天勾的姿势定义永恒传奇。

〈生涯高光闪回 / 最甜蜜的一冠〉

高光之耀：贾巴尔曾说过，1985 年的总冠军戒指，是他陈列室里所摆的 6 枚中最甜蜜、最有价值的一枚。理由是它来自魔鬼般的波士顿花园。

1985 年总决赛，湖人第一场就以 114 比 148 被凯尔特人血洗。贾巴尔只得到 12 分和 3 个篮板，感觉受到侮辱的贾巴尔在第一场和第二场之间的两天休息时间里，反复观看比赛录像，并且用残酷的马拉松和无氧运动训练保持体力。

接下来，这个骄傲的 38 岁高龄巨星以他的表现回应了一切的质疑，率领湖人连扳三局。总决赛第六场在波士顿举行，贾巴尔在 29 分钟里拿下 32 分 6 个篮板和 4 次盖帽，湖人队也以 111 比 100 获胜结束全部战斗，球队有史以来第一次在总决赛中战胜凯尔特人。此前湖人曾在总决赛上连续输给凯尔特人 8 次。

“在我看来，篮球场上最伟大的球员是罗伯特森。只不过，他没有赶上好时代。”

——威尔特·张伯伦

档案

奥斯卡·罗伯特森 /Oscar Robertson

绰号：The Big O/ 位置：控球后卫

出生日期：1938 年 11 月 24 日

身高：196cm 体重：93kg

效力球队：辛辛那提皇家 / 雄鹿

球衣号码：1、14

荣耀

1 届总冠军：1971

1 届常规赛 MVP：1963/1964

3 届全明星 MVP：1961、1964、1969

12 届全明星：1961–1972

6 届助攻王：1960/1961、1961/1962、1963/1964、1965/1966、1968/1969

9 届最佳阵容一阵：1960/1961、1961/1962、1962/1963、1963/1964、1964/1965、1965/1966、1966/1967、1967/1968、1968/1969、1969/1970、1970/1971

名人堂：1980

常规赛场均数据

25.7 分 7.5 个篮板 9.5 次助攻

季后赛场均数据

22.2 分 6.7 个篮板 8.9 次助攻

奥斯卡·罗伯特森常规赛数据表

赛季	球队	篮板	助攻	得分
1960/1961	皇家	10.1	9.7	30.5
1961/1962	皇家	12.5	11.4	30.8
1962/1963	皇家	10.4	9.5	28.3
1963/1964	皇家	9.9	11.0	31.4
1964/1965	皇家	9.0	11.5	30.4
1965/1966	皇家	7.7	11.1	31.3
1966/1967	皇家	6.2	10.7	30.5
1967/1968	皇家	6.0	9.7	29.2
1968/1969	皇家	6.4	9.8	24.7
1969/1970	皇家	6.1	8.1	25.3
1970/1971	雄鹿	5.7	8.2	19.4
1971/1972	雄鹿	5.0	7.7	17.4
1972/1973	雄鹿	4.9	7.5	15.5
1973/1974	雄鹿	4.0	6.4	12.7

A ♣

奥斯卡·罗伯特森
OSCAR ROBERTSON

他是全能者的鼻祖，他是詹姆斯的前生，“The Big O”有着赛季场均“三双”的旷古神迹。14 年职业生涯打出 181 次“三双”，这个纪录也许会比他的曾祖父更长寿——传说美国寿命最长的老人享年 116 岁——在 NBA 的历史上，“大 O”是实至名归的“三双之王”。他无所不能，他的身高达到 216cm，体重接近 91kg，是第一个能盘活全场、组织进攻的高大型后卫。在此之前没有人见到过这样类型的球员。毫无疑问，他重新定义了后卫这个位置，为后来的“魔术师”等全能型球员的出现打下了基础。

在学生时代，高超的篮球技艺并没有为奥斯卡·罗伯特森（简称“大 O”）赢得太多的尊重。20 世纪 50 年代，美国的种族歧视甚嚣尘上，肤色远比球技重要。高中时期，“大 O”为印第安纳波利斯拿下首个州冠军，却只能在郊外偷偷摸摸开庆功宴。作为辛辛那提大学史上首位黑人球员，“大 O”在 NCAA 风光无限，却依然饱受屈辱，大三之前他一直被禁止进入酒店，打客场时只能入住附近的大学公寓。

1960 年，“大 O”带着 NCAA14 项纪录进入职业篮坛，他被辛辛那提皇家队用本地选秀权选中，当时他的年薪是 3.3 万美元。彼时“雄鹿之声”埃迪·杜塞蒂刚刚大学毕业，披上辛辛那提战袍的“大 O”给他留下了难以磨灭的印象。“他是穿着球鞋的‘魔术师’，一般球迷很难理解他为什么如此多才多艺。”杜塞蒂回忆，“没有灵光一现的表演，没有让观众尖叫的扣篮，他总是很低调，你永远看不到他在训练中玩儿票，基本上都是 0.45m 的跳投。然而突袭篮下时，他就像一个穿越重重障碍冲进金库的窃贼。”

“菜鸟”赛季罗伯特森就走上了星光大道，场均贡献 30.5 分，位列得分榜第三位，毫无悬念地赢得年度最佳新秀奖，第一次入选全明星就当选 MVP，同时他让库西连续 8 年荣膺助攻王的纪录戛然而止。

1961/1962 赛季，张伯伦单场砍下 100 分，“大 O”的表现丝毫不逊色，他打出了前无古人后无来者的“三双”赛季，场均贡献 30.8 分 12.5 个篮板 11.4 次助攻，单季贡献 41 次“三双”。然而“大 O”对如此华丽的数据并不感冒：“就是打球嘛，我从没想过自己的数据。我随心所欲地运球，然后找到队友。当时他甚至不知道自己拿的是“三双”，我只是用自己认为正确的打球方式，打完一场，准备下一场，周而复始。”

“红衣主教”奥尔巴赫认为“大 O”就是那个时代的迈克尔·乔丹，然而他从未像那些后辈一样飞天遁地在篮筐上方打球，他更热衷于用那些古老的技艺戏耍对手。纽约名宿沃尔特·弗雷泽说：“他就是个魔鬼，他不会试图用速度击败你，而是全方位辗压你，他会用各种方式打倒你，然后从你身上跨过去。”

“大 O”拥有不少专属的招牌动作，比如头部虚晃接突破上篮，起跳滞空后或投或传的把戏，最著名的当属翻身跳投，科比承认自己的底线跳投就是偷师于“大 O”。前凯尔特人球员萨奇·桑德斯如此描述“大 O”惊人的投篮能力：“每场比赛你都为此感到恐怖和恼火，他简直就是一部篮球机器。他只是走过来出手投篮，命中后眉头紧蹙地跑开。你肯定会看清他皱眉的样子，然后你只能无奈感叹：‘哦，上帝，他又来了！’”

“大 O”的“三双”表演并非昙花一现，事实上在前 5 个赛季他的场均数据就达到了“三双”水准：场均 30.3 分 10.4 个篮板 10.4 次助攻。1963/1964 赛季“大 O”还拿到一座宝贵的 MVP 奖杯，要知道从 1960 年到 1968 年，MVP 几乎被张伯伦和拉塞尔两位长人联手垄断，“大 O”也是史上第二位获此殊荣的外线球员。

然而辛辛那提皇家队的命运并不像他们的队名一样尊贵，“大 O”神奇的个人表现也不足以让球队走得更远，在季后赛中他们始终无法突破凯尔特人和 76 人的联合围剿，总是充当陪太子读书的角色，1967/1968 赛季辛辛那提开始缺席季后赛。

1969/1970 赛季，鲍勃·库西成为球队新任主帅，为了拯救球市，吸引观众，41 岁的库西披挂上场，作为“大 O”的后场搭档出战 7 场。然而库西的入主成为“大 O”离开的导火索，最终辛辛那提将“大 O”送到了密尔沃基，换来了弗林·约翰逊和查理·保尔克。不少媒体认为库西之所以策动这笔交易是出于嫉妒，当年“大O”打破了不少由他保持的纪录，而辛辛那提这座小庙也无法容纳这两尊大佛。“无论他的原因是什么，”罗伯特森说，“我觉得他都是错的，这件事我终生难忘。”

在中锋称霸的时代，大卫战胜歌利亚的戏码从未上演，“大O”始终无法击败那些大个子，事实也证明想要在那个年代取得成功，必须和巨人联手，就此而言“大O”和“魔术师”殊途同归，也算因祸得福。

在密尔沃基，“大O”不再是刚出道时震惊世界的数据达人，他的角色更接近于“二当家”和纯粹的组织控卫，场均得分降至20分以下，但队友贾巴尔、鲍比·丹德里奇和格雷格·史密斯的得分都水涨船高，雄鹿的实力也更上一层楼。

1970/1971赛季，雄鹿在常规赛豪取66胜，创纪录地拿下20连胜，季后赛12胜2负，总决赛4比0横扫华盛顿子弹，成功夺冠。在NBA奋斗11个赛季之后，“大O”终于如愿以偿：“我拿到了生涯第一座冠军，感觉太甜美了。”最后一个赛季，“大O”原本有机会用第二枚冠军戒指收官，然而在1974年总决赛中雄鹿力拼7场，憾负于凯尔特人。

尽管职业生涯只有一个冠军戒指，“大O”还是得到了极高的评价，韦斯特认为“大O”一直是自己的标杆：“我能变得更好，与“大O”有很大关系。”

1980年4月，“大O”入选了篮球名人堂。2003年*SLAM*杂志评选史上最伟大球员，“大O”位居乔丹和张伯伦之后，排名第三。2006年*ESPN*将其评为史上第二控卫，排在他前面的是“魔术师”约翰逊。

“大O”出道之前，NBA还没有出现如此抢人眼球的高大型后卫，在“魔术师”尚在襁褓中、乔丹还未出世的“黑白时代”，“大O”首先定义了后卫这个位置。

“大O”在NBA留下26710分、7804个篮板、9887次助攻以及1040场比赛的华丽数据。86场季后赛里他能得到22.2分8.9次助攻和6.7个篮板。“大O”还有6次联盟助攻王以及2次罚球命中率联盟第一的成绩，14年职业生涯中10次把球队带入季后赛。

〈生涯高光闪回/赛季场均“三双”〉

高光之耀：1961/1962赛季，“大O”砍下赛季场均“三双”，这是一个几乎难以打破的纪录。直到55年之后，才由威斯布鲁克（2016/2017赛季场均31.7分10.7个篮板10.4次助攻）打破。

1961/1962赛季，“大O”场均得到30.8分12.5个篮板11.4次助攻，打出单赛季场均“三双”，这只是“大O”在NBA的第二个赛季。此外他还曾多次无限接近赛季场均”三双“的纪录：1960/1961赛季场均30.5分10.1个篮板9.7次助攻；1962/1963赛季场均28.3分10.4个篮板9.5次助攻；1963/1964赛季场均31.4分9.9个篮板11次助攻。

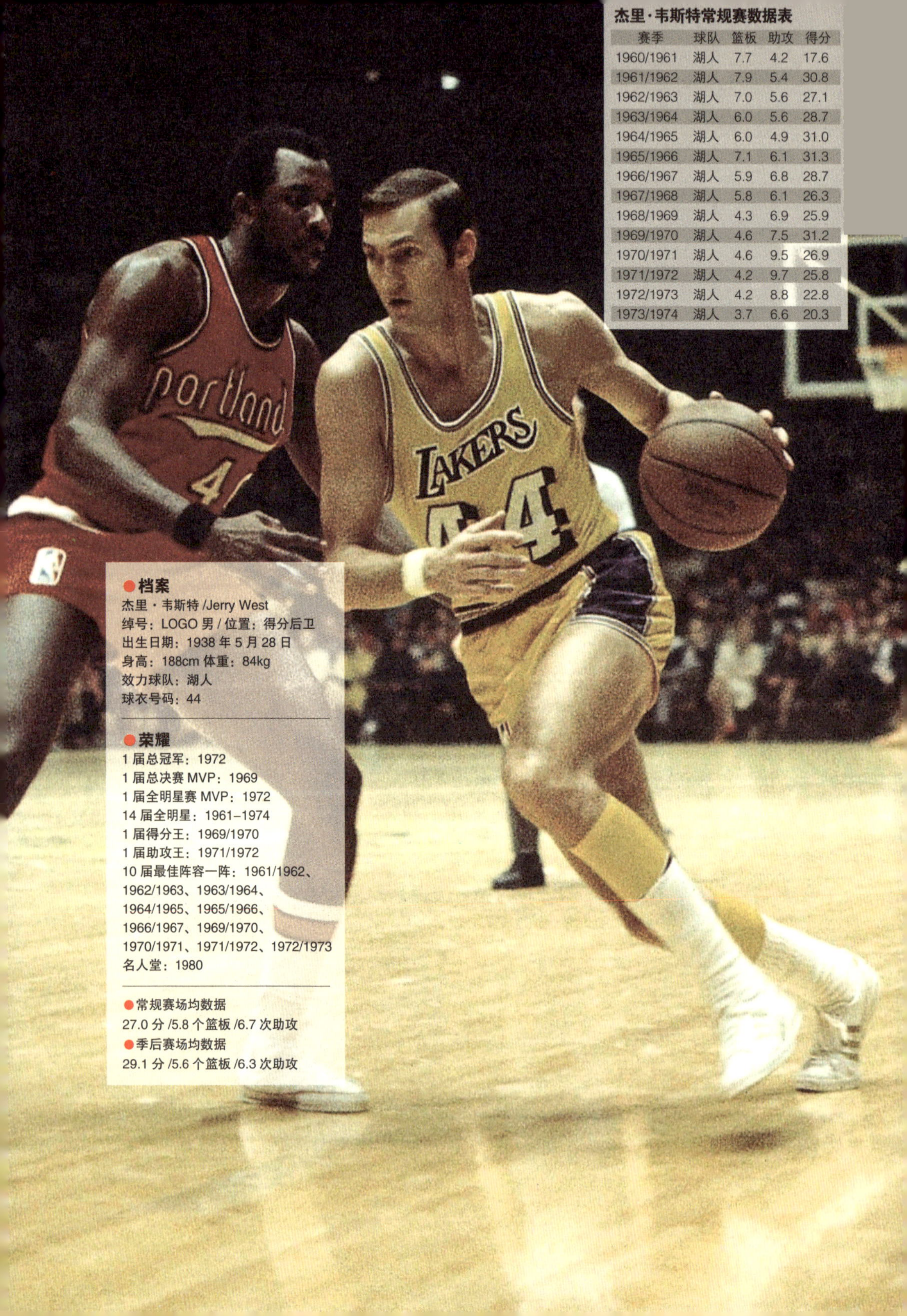

杰里·韦斯特常规赛数据表

赛季	球队	篮板	助攻	得分
1960/1961	湖人	7.7	4.2	17.6
1961/1962	湖人	7.9	5.4	30.8
1962/1963	湖人	7.0	5.6	27.1
1963/1964	湖人	6.0	5.6	28.7
1964/1965	湖人	6.0	4.9	31.0
1965/1966	湖人	7.1	6.1	31.3
1966/1967	湖人	5.9	6.8	28.7
1967/1968	湖人	5.8	6.1	26.3
1968/1969	湖人	4.3	6.9	25.9
1969/1970	湖人	4.6	7.5	31.2
1970/1971	湖人	4.6	9.5	26.9
1971/1972	湖人	4.2	9.7	25.8
1972/1973	湖人	4.2	8.8	22.8
1973/1974	湖人	3.7	6.6	20.3

●档案

杰里・韦斯特 /Jerry West
绰号：LOGO 男 / 位置：得分后卫
出生日期：1938 年 5 月 28 日
身高：188cm 体重：84kg
效力球队：湖人
球衣号码：44

●荣耀

1 届总冠军：1972
1 届总决赛 MVP：1969
1 届全明星赛 MVP：1972
14 届全明星：1961–1974
1 届得分王：1969/1970
1 届助攻王：1971/1972
10 届最佳阵容一阵：1961/1962、1962/1963、1963/1964、1964/1965、1965/1966、1966/1967、1969/1970、1970/1971、1971/1972、1972/1973
名人堂：1980

●常规赛场均数据
27.0 分 /5.8 个篮板 /6.7 次助攻
●季后赛场均数据
29.1 分 /5.6 个篮板 /6.3 次助攻

A♦

杰里·韦斯特
JERRY WEST

韦斯特温润如玉的绅士魅力征服了所有人。他是湖人“教父”，是联盟姿势最优雅的人，是 NBA 的“LOGO 男”。
作为球员，韦斯特创造了无数经典——在荣誉上成为凯尔特人“王朝”的注脚；作为管理者，他亲手缔造了两个湖人的王朝：ShowTime 和 OK 王朝。他有许多名动天下的绰号：“关键先生”、“LOGO 男”、“湖人教父”，无论你用哪一个来称呼他，都不足以涵盖他伟大的篮球生涯——无论球场内外。

作为西弗吉尼亚州立学校历史上无可争议的最佳球员，他在校队生涯中所留下的个人的和整体的荣誉都是难以超越的，这也使他成为史上最佳大学球员之一。韦斯特在大学中，总共得到 2309 分和 1240 个篮板。留下了学校历史上唯一的一次决赛经历。在他结束在西弗吉尼亚州的职业生涯之后的大约 50 年时间里，他仍然保持多项学校的纪录，总得分最高，最高平均得分，最多投篮命中数，最多罚球命中数，最多罚球次数，最多篮板，最多“两双”，最多 20 分以上场次，以及最多 30 分以上场次。

最后还有 NCAA 冠军和 1960 年的奥运会冠军。

1960 年选秀大会上，洛杉矶湖人队在第 2 顺位选中了韦斯特。初进球队时，他的口音被队友嘲笑为小鸟，众人纷纷提醒他：“韦斯特，听不懂你说啥，你还是讲英语吧。”但很快，“教父”温润如玉的绅士魅力征服了所有人，后来有人回忆：韦斯特进入湖人更衣室 5 分钟后，所有人都被他打败了。

在球场上，第一季的韦斯特遭遇了一点尴尬。卢·莫斯说：“他投篮太靠右啦，所以对手只好站位靠他右手，就能防住他。”五年之后，莫斯说：“韦斯特用了不知多少小时的苦练，改变了自己的投篮姿势。”他像个苛刻的艺术家，在22岁这本该技术定型的年纪，自己的投篮姿势连带所有动作全部推倒重来，并且终于成为联盟姿势最优美的人，成为NBA的“LOGO”。约翰·昂德伍德说：“你看到那次全明星赛，韦斯特晃开‘大O’后的跳投了吗？他做这一切举重若轻。”“红衣主教”说：“你其实没法真正阻挡韦斯特。你紧逼他，靠远防他，不让他接球，他每场还是拿30分。”

摩西是浑然天成的中锋，伯德是浑然天成的前锋，而韦斯特就是浑然天成的得分后卫——稍微有点小一号（身高只有188cm，却有240cm的臂展），不错的身体素质（但不是顶尖的），从来都没有统治过球场（却例行公事般的无法阻挡）。而且他还是用意志把自己提升到了一个原本达不到的高度。

40年后再看他的比赛，就像看人类的训练营一样。从技术上讲，他完美无瑕。他的跳投无可挑剔，他的防守技术天衣无缝，他的运球就像商业广告里出现的一样，他的跑动总是最有效率。他可以左右突破，攻击篮筐，干拔跳投，低位单打——除了没有能力完成篮筐上空的作业，他无懈可击。

从1965年季后赛到1966年季后赛长达13个月的这段时期，很好地解释了为什么韦斯特是如此的伟大。1966年常规赛：79场比赛，场均得到31.3分7.1个篮板6.1次助攻。1965年和1966年季后赛： 25场， 场均得到37.0分6.1个篮板5.4次助攻。

1965/1966赛季结束的时候，韦斯特的各项数据如下：得分榜第二，助攻榜第四，出手次数和命中数都排在第二，命中率排第十，罚球数和命中数都排在第一，罚球命中率排第4，出场时间排在第七，而且如果当时统计抢断的话，他肯定可以进入前三。看看这些排名，连乔丹也从未在九个主要的技术统计中全部位列前十。

这一年韦斯特还创造了季后赛场均最高得分（5场或5场以上），在引人注目的1965年季后赛中，场均得到40.6分，其中还包括你从未了解的更具有英雄气概的表演：在没有“贝勒爷”的情况下，韦斯特在第一轮用令人惊掉下巴的场均46.3分扛着湖人六场碾过了巴尔的摩队。两项纪录至今仍屹立不倒。

你再也找不到比这更为全面的篮球篇章了。而这对于韦斯特的职业生涯来说，只是平常的主调：他总是可以做到球队需要他做到的一切。他们需要他防死对方手感火热的射手，他做到了；他们需要他命中一记关键的投篮，他做到了；在20世纪60年代的大部分时间里，他们需要他得分，而他也正是那么做的；在他职业生涯的末期，湖人需要韦斯特更多地作为决策者，他也是那么做的。他挤进了助攻榜的前三，甚至在1969/1970赛季超越了张伯伦获得了联盟得分王的称号。

由于他奔放的风格，他遭遇了很多伤病：鼻骨骨折，断裂的拇指，拉伤的跟腱，扭伤的脚踝，脑震荡。与此同时还有一系列标志性的时刻——就像他在1962年总决赛第三

场的抢断后压哨上篮绝杀，或者1970年总决赛第三场挽救比赛的中场超远进球，或者1969年总决赛第一场被拉塞尔称为"对阵凯尔特人史上最伟大的关键表现"——爆炸性地轰下53分和10次助攻。

如果在韦斯特的简历中还有什么遗憾的话，那就是在他的职业生涯里只有一个总冠军。他的不幸在于在他众多NBA总决赛经历中总是对上拉塞尔时代八连冠的凯尔特人，结果是他一共八次从总决赛赛场两手空空地归来。其中更有无数惊心动魄的悲壮桥段：

1969年总决赛，在第七场比赛时，韦斯特飚下了42分，揽下13个篮板，并且送出12次助攻，湖人在落后17分的情况下一路追上，最后输给了唐·尼尔森的一记运气投篮，输给了拉塞尔和他的凯尔特人。联盟最终还是对他坚持不屈的精神表示了最高层面上的赞扬：他成为唯一一个失去总冠军却赢得NBA总决赛MVP的球员。

1970年总决赛对尼克斯，在第三场比赛时，韦斯特在蜂鸣器响起之前命中了一记

18.2m 的超级远投，把比赛拖入加时（当然，在他那个年代并没有三分）。尽管韦斯特如此英勇，尼克斯仍然赢得了比赛，并最终赢得系列赛。

当 1971 年 3 月湖人为韦斯特举办“韦斯特之夜”的时候，拉塞尔自己掏腰包赶到现场，并且说了下面这些话：“韦斯特，我曾经写过成功是一段旅程，而一名球员所能得到的最高荣誉则是和他同时代球员的尊敬和友谊。而你，比我认识的任何人都拥有得更多。韦斯特，无论从哪个角度来说，你都是一名真正的冠军。如果我能够有一个愿望可以保证实现，那么我希望你能够一直快乐。”

借了拉塞尔的吉言，之后一个赛季的湖人，一路狂扫 33 连胜创下联盟纪录，最终以 69 胜的当时最佳战绩进入总决赛并成功夺冠——但韦斯特仍然感到愤怒，因为这恰恰是他打得最差的一次总决赛。

直到 1973/1974 赛季，联盟开始统计抢断。韦斯特在 1974 赛季因伤退役之前仅仅打了两个月，在 31 场比赛中，他有 81 次抢断，这发生在他职业生涯的尾声！想象一下，如果韦斯特场均拿下 3 次抢断，每场比赛命中 3 个三分，三分线外命中率超过 4 成，他的履历又会怎样？顺便说一下，联盟 1969 年才开始评选最佳防守阵容，而韦斯特直至退役，每年都是防守阵容一队成员。

至此，带着无数的辉煌和遗憾，这位在乔丹、科比之前最伟大的得分后卫结束了他的球员生涯：合计 25192 分，场均 27 分历史第四，季后赛场均 29.1 分历史第三，10 次最佳阵容，14 次全明星。他之所以是“湖人教父”，因为他的篮球生涯远未结束。他依然在俱乐部中担任各种职务，之后又作为湖人教练，在 1976 年至 1979 年三次打入季后赛。

1982 年，韦斯特被任命为湖人总经理，他通过精明的交易和技巧性的选秀，使湖人队在 20 世纪 80 年代一直处于 NBA 的顶端。从而缔造了 NBA 史上最伟大的十年团队“Show Time”演出。与此同时，他作为一个球员被奉入神殿名人堂，以及五十大巨星。

经过 20 世纪 90 年代初期的一阵沉寂之后，韦斯特带领湖人队再度进入季后赛，成为 1995 年 NBA 年度最佳经理。同年，韦斯特被任命为湖人篮球事务副总裁，1996 年他用迪瓦茨从黄蜂队换来 13 顺位的科比，堪称神来之笔。此后不久以一笔1.2亿美元的豪约，韦斯特将沙克·奥尼尔交易至湖人，日后横扫西海威震东岸的“OK组合”诞生了。

2002年，韦斯特离开洛杉矶，被孟菲斯灰熊队聘为篮球总监。2004/2005年赛季，灰熊队首次在一个赛季赢得了50场比赛，他再次成为NBA年度最佳经理。当然，这已经是尾声了，他终于感到了疲惫，于2007年挂冠而去——在这之前，他运作了加索尔的交易，为湖人开启了另一个冠军时代。

你还能说什么呢？2011年，他的雕像在斯台普斯中心正式亮相，从此和“魔术师”、“天勾”并肩而立。

〈生涯高光闪回 / “关键先生”〉

高光之耀：作为湖人队传奇的球星，韦斯特为湖人奉献了14年光阴，作为一位出众的攻守兼备的全能型球员，他留给人们更多的记忆则是一个神投手。

每当比赛到了要一锤定音的关键时刻，球一定会交到韦斯特的手中，由他来完成这生死攸关的最后一击，结果他总是不负众望，一球夺胜，在无数次这样的关键球后，“关键先生”随之而来。

〈生涯高光闪回 / “LOGO男”〉

高光之耀：韦斯特身形潇洒，篮球动作宛如教科书一般标准，所以他的运球剪影成为NBA的标志，永恒而又闪耀在赛场内外，也实至名归。

NBA标志是由纽约平面设计师西格尔设计，于1969年首次出现在NBA官方的宣传资料上。标志的图案是一名侧身控球的篮球队员的剪影；整个标志由红、白、蓝三种颜色构成，营造一种视觉和谐。

据西格尔透露，NBA标志的原型是韦斯特。虽然官方不承认这一点，也没有正式公布过“LOGO”原形，但球迷早已将其认定为韦斯特。

档案

威利斯·里德 /Willis Reed
绰号：黑珍珠 / 位置：中锋
出生日期：1942 年 6 月 25 日
身高：206cm 体重：107kg
效力球队：尼克斯
球衣号码：19

荣耀

2 届总冠军：1970、1973
2 届总决赛 MVP：1970、1973
1 届常规赛 MVP：1969/1970
1 届全明星 MVP：1970
7 届全明星：1965–1971
1 届最佳阵容一队：1969/1970
名人堂：1982

常规赛场均数据

18.7 分 /12.9 个篮板 /1.8 次助攻

季后赛场均数据

17.4 分 /10.3 个篮板 /1.9 次助攻

“我们见证了里德归来，非常荣幸一起目睹了人类最勇敢、最坚强的一面。”

—— 霍华德·科塞尔

威利斯·里德常规赛数据表

赛季	球队	篮板	助攻	得分
1964/1965	尼克斯	14.7	1.7	19.5
1965/1966	尼克斯	11.6	1.2	15.5
1966/1967	尼克斯	14.6	1.6	20.9
1967/1968	尼克斯	13.2	2.0	20.8
1968/1969	尼克斯	14.5	2.3	21.1
1969/1970	尼克斯	13.9	2.0	21.7
1970/1971	尼克斯	13.7	2.0	20.9
1971/1972	尼克斯	8.7	2.0	13.4
1972/1973	尼克斯	8.6	1.8	11.0
1973/1974	尼克斯	7.4	1.6	11.1

K♠

威利斯·里德

WILLIS REED

只要提及总决赛第七场或者尼克斯队，里德就是无法绕过的传说。至于前者，他是震撼归来的王者，誓死不退的硬汉，之于后者，他是灵魂和图腾，是最强劲的心跳，最光荣的记忆。

1942 年 6 月 25 日，里德出生于路易斯安那州的某镇，一个小到连人口数都没有被统计的地方。1960 年，里德进入格莱宾州立大学，在大学四年 122 场比赛中他总共得到 2280 分，其中大四那年场均贡献 26.6 分 21.3 个篮板。他率领的校队不仅 3 次在赛区内称雄，还在 1961 年夺取了 NAIA 锦标赛的冠军，1963 和 1964 年两度进入 NAIA 锦标赛的四强。1964 年夏天，他被尼克斯队在第二轮首位选中。

他很快显示出在顶级联赛中的统治力，1965 年 3 月 5 日对阵湖人的比赛中他独揽 46 分，这是尼克斯有史以来的第二高新秀得分。赛季结束时，他以场均 19.5 分排名全联盟第七，场均 14.7 个篮板排名全联盟第五。“菜鸟”里德不仅首次入选了全明星阵容，还成为球队历史上第一位年度最佳新秀。

随后几个赛季，里德继续着他的稳定表现和全明星之旅，他开始更多地在强力前锋的位置上出现。他在篮下的威力依旧令人侧目，只是重心开始稍稍偏向于得分。

1967 年，尼克斯队以 36 胜 45 负排名东部第四，勉强挤上季后赛的末班车，结束了此前连续 7 年在东部垫底的尴尬纪录。

尼克斯队在艰难中走向复苏。1968/1969 赛季，尼克斯队开局仅为 6 胜 10 负，不过最终他们却取得了 54 胜 28 负的佳绩。1968 年 12 月 19 日，一系列的交易之后，里德重新回到最习惯的中锋位置上。

“我现在感觉整个人都焕然一新，中锋才是真正适合我的位置。”

防守成为尼克斯队赖以制胜的法宝，1968/1969 赛季他们让对手场均仅得到 105.2 分，为全联盟最低。有了里德驻守篮下，弗雷泽主管外线，尼克斯在随后多年都是联盟中顶级的防守型球队。里德在 1968/1969 赛季场均贡献 21.1 分 14.5 个篮板，同时以单赛季 1191 个篮板创造了球队历史的常规赛新纪录。

1969/1970 赛季，完成阵容磨合的纽约尼克斯队表现势不可挡，开局就取得 5 连胜，最终以常规赛 60 胜排名全联盟第一。其中在 10 月 24 日到 11 月 28 日之间所取得的 18 连胜，更是创造了 NBA 有史以来的连胜纪录。里德是球队制胜的头号武器，他场均得到 21.7 分，是其职业生涯最高，另外还有场均 13.9 个篮板的贡献，两项数据均为全队第一。

1970 年季后赛开始，尼克斯首轮以 4 比 3“迈过”巴尔的摩子弹，东部决赛中以 4 比 1 轻取“天勾”领衔的雄鹿，时隔 17 年后重新杀入总决赛，他们的对手是拥有韦斯特、贝勒、张伯伦的洛杉矶湖人——如你所知，尼克斯之前三次杀入总决赛，其中有两次是输给湖人。但在这一年的总决赛第七场中，里德得区区 4 分，但“王者归来”却将领袖精神诠释成了永久的经典。尽人皆知的“里德式”复出后，尼克斯历史性地首次捧起总冠军奖杯。里德不仅包揽本赛季常规赛 MVP、全明星 MVP 和总决赛 MVP 三项大奖，同时还入选了年度最佳阵容一队和最佳防守阵容一队。

对于任何防守者而言，习惯左手投篮的里德都是一种足以致命的威胁。他不仅在篮下拥有惊人的爆发力，同时在 4.5m 外的中投也相当稳定。当处于无球状态时，里德会利用自己的身体为队友们积极挡拆，在尼克斯攻防两端的战术体系中，他都是最为关键的一环。尼克斯队中每一位球员都清楚自己的角色和责任。弗雷泽是鬼才般的组织者和防守专家，德布斯切尔是一台可靠的篮板机器，比尔·布拉德利擅长跑动穿插而且不知疲倦，迪克·巴奈特精于在外线拉开空当突施冷箭。

1970/1971 赛季尼克斯战绩略有下滑，但仍取得 52 胜 30 负，排名东部第一。里德场均贡献 20.9 分 13.7 个篮板，连续第 7 年入选全明星阵容。1971 年 2 月 2 日在对阵辛辛那提皇家的一场比赛中，里德抓下 33 个篮板，追平了球队历史纪录。不过在随后的季后赛东部决赛中，尼克斯以 3 比 4 惜败于宿敌巴尔的摩子弹，停止了卫冕的脚步。

1971/1972 赛季，里德由于左膝肌腱拉伤仅仅打了 11 场比赛，转会而来的杰里·卢卡斯顶替其内线核心的位置并且表现出众。虽然尼克斯在常规赛中仅取得 48 胜 34 负，但到了季后赛阶段还是体现出强队的底蕴，他们先后以 4 比 2 淘汰子弹，4 比 1 轻取凯尔特人，重新杀回总决赛，不过德布斯切尔的受伤最终使他们以 1 比 4 完败于湖人，成全了对手搬迁到洛杉矶后的第一个总冠军。

1972/1973 赛季，里德经过膝盖手术后伤愈归来，虽然个人数据下滑到场均 11.0 分 8.6 个篮板，但他仍然是球队内线的中流砥柱。在他的带领下，尼克斯的常规赛战绩回升到

57 胜 25 负，并在季后赛中先后击败子弹、凯尔特人、湖人 3 支顶级球队夺取总冠军。5 场总决赛里德场均贡献 16.4 分 9.2 个篮板 2.6 次助攻，弗雷泽的个人表现更出色，但里德依然是总决赛 MVP，因为他是里德。

里德在 1973/1974 赛季仅仅打了 19 场常规赛，场均得到 11.1 分 7.4 个篮板。季后赛首轮尼克斯以 4 比 3 击败子弹涉险过关，但他们随后在东部决赛中被凯尔特人以 4 比 1 淘汰。赛季结束后里德宣布退役。在纽约效力的 10 年中，他得到 12183 分（排名第三），和 8414 个篮板（排名第二）。1976 年 10 月 21 日，里德的 19 号球衣在麦迪逊花园宣布退役，他是尼克斯历史上第一位享此殊荣的球员。

退役后的里德曾先后在多支 NBA 和大学球队中担任教练工作，不过和他辉煌的球员生涯相比，其执教履历就只能用平淡来形容。在他执教网队的 110 场比赛中，仅取得可怜的 33 场胜利。1988/1989 赛季结束后，里德转向网队的行政管理工作。2004 年 6 月，里德加盟新奥尔良黄蜂，担任篮球部副总裁。

坚韧、自尊、责任、勤奋和勇气，整整 10 年的职业球员生涯，里德在场上的每一天每一刻都坚守着这些品质，为球队全心全意地付出。1970 年总决赛第七场的经典时刻，是里德奋斗不息的缩影，也是他作为一名球员最真实的写照。

〈生涯高光闪回 / 王者归来〉

高光之耀：1970 年总决赛前四场，里德分别拿下 37 分、29 分、38 分和 23 分，场均抢下 15 个篮板。然而第五场里德的右大腿严重受伤。由于里德受伤缺席了第六场，第七场出战成疑，但赛前里德一瘸一拐地走进球场，整个麦迪逊广场花园顿时沸腾起来。里德的复出仿佛就是一把打开奇迹大门的钥匙，一个接一个的不可思议相继出现。

1970 年 5 月 8 日晚上 7 点半，第七场总决赛即将开始，尼克斯的队长里德仍旧很可能无法上场，纽约人心头都笼罩着阴影，总冠军梦想也岌岌可危。晚上 7 点 34 分，一个熟悉的身影出现，是里德！尼克斯的球迷疯狂了，此时里德打了一针镇痛剂后右腿还隐隐作痛。

比赛开始，里德走到中圈和张伯伦跳球，不可思议地在 216cm 的张伯伦之前触到皮球，并在罚球区顶 4.8m 外张手命中！里德投中了尼克斯的第一个进球，随后他又在 6m 外投中本队的第二个进球。

尽管此后里德没有再得分，尽管在不久之后里德就因为伤病难支撑提前退场，不过他已经完成了自己的任务。这一复出完全打乱了湖人队之前的预测布属，里德拖着一条伤腿在场上奋战，瓦解了湖人队的斗志，“紫金军团”无法相信那个连站立都困难的家伙能在场上连得 4 分。即便是强大如张伯伦，也因此发挥失常，湖人的阵脚大乱。

“纽约客们”因为找到了精神上的支柱而士气大振，看着顽强的里德，他们有的不只是感动，更有一种信念在驱使他们拼出自己最后一份潜能。在整场比赛中，尼克斯几乎没有再给湖人任何机会，最终他们以 113 比 99 大胜湖人，历史性地首次捧起总冠军奖杯。

比赛结束后，尼克斯球员喜极而泣，他们捧着总冠军奖杯，大声呼喊着里德的名字。ABC 的解说员霍华德·科塞尔动情地说道：“我们非常荣幸能成为历史的见证，我们一起目睹了人类最勇敢、最坚强的一面。”

姚明常规赛数据表

赛季	球队	篮板	盖帽	得分
2002/2003	火箭	8.2	1.8	13.5
2003/2004	火箭	9.0	1.9	17.5
2004/2005	火箭	8.4	2.0	18.3
2005/2006	火箭	10.2	1.6	22.3
2006/2007	火箭	9.4	2.0	25.0
2007/2008	火箭	10.8	2.0	22.0
2008/2009	火箭	9.9	1.9	19.7
2010/2011	火箭	5.4	1.6	10.2

“姚明用篮球才华和人格魅力为NBA带来巨大影响力。为我、科比、勒布朗，为所有NBA球员带来大量球迷”。

——特雷西·麦格雷迪

“毫无疑问，只要姚明保持健康，他就是NBA最好的中锋。”

——杰夫·范甘迪

档案

姚明 /Yao Ming

位置：中锋

出生日期：1980 年 9 月 12 日

身高：226cm 体重：141kg

效力球队：火箭

球衣号码：11

荣耀

8 届全明星：2002–2009、2011

名人堂：2016

常规赛场均数据

19.0 分 /9.2 个篮板 /1.9 个盖帽

季后赛场均数据

19.8 分 /9.3 个篮板 /1.5 个盖帽

K♥

姚明

YAO MING

姚明不只是一个球星，更是一个划时代的象征，一个富有自信走向世界的中国符号。他将中国人的儒雅睿智，温文尔雅而又坚韧倔强的特质展现在美国人面前，让骄傲自大的美利坚感受到一种奇异的力量！那是像水一样的力量，含蓄的霸道，低调的犀利，看似波澜不惊却有种无法阻挡的前进力量！姚明在赛场上罕有咄咄逼人的霸气，但不代表没有统治力，精湛的球技和完美的身高让他成为对位者无法逾越的高峰。如果姚明健康，毫无疑问是NBA第一中锋，（参考当年风光无限的“魔兽”，曾屡屡成为姚明的手下败将。）13投13中，单场41分，22连胜，全明星首发，也曾完爆邓肯、“鲨鱼”、“魔兽”，带领球队杀入西部半决赛。这些点滴记忆都曾是每位中国球迷最为津津乐道的话题，并成为珍藏在心中的那份骄傲。

2011年7月20日姚明宣布退役，看似无比震惊，却早有征兆，2010/2011赛季姚明只打了5场就再度赛季报销。正值当打之年退役虽然留下无尽遗憾，但这些遗憾掩盖不了姚明在NBA取得的成就和荣耀。

他的成功不仅是因为独一无二的身体天赋，更重要的是近乎苛求的自我要求，还有从不服输的坚毅品质，他是NBA最勤奋的内线球员。2005年—2009年，姚明成为场均“20+10”的巨型中锋，成为毫无疑问的NBA第一内线。

九年了，姚明九年的NBA生涯都是在火箭渡过，九年前那个略显稚气的大男孩早已蜕变成为成熟内敛的超级中锋。然而再强大的巨人也有倒下的时候，姚明也抵抗不了年龄和伤病，终于离开了赛场。

1980年9月12日，在上海第六医院，著名篮球运动员方凤娣生下了一个男婴。婴儿体重 5kg，体长将近 60cm，远远超过中国普通新生儿。随后方凤娣和丈夫姚志源（上海男篮中锋）给这个孩子起名叫姚明。

姚明 17 岁的时候入选了中国国家青年队，并获得亚洲青年男子篮球锦标赛冠军。2000 年 9 月 12 日，20 岁的姚明第一次出征奥运，从那时起，他让中国男篮进入了新的一页。在 6 场奥运会比赛中，姚明场均拿到 10.5 分 6.0 个篮板和 2.2 个盖帽。在那届奥运会上，姚明以 13 个盖帽并列盖帽榜第一，以 63.9% 的投篮命中率列第三，以 4.16 个防守篮板列第五。

2001/2002 赛季，姚明场均贡献 32.4 分 19 个篮板，并一举率领东方大鲨鱼队杀进总决赛。整个总决赛，姚明场均轰下 40 分 21 个篮板和 4.3 个盖帽，率队一举击溃“八一王朝”，为大鲨鱼队送上队史上第一座总冠军奖杯。

2002 年弗朗西斯为火箭抽中状元签。2002 年 6 月 27 日，NBA 选秀大会在纽约拉开帷幕。时任 NBA 总裁的大卫・斯特恩宣布姚明成为状元秀，这是 NBA 历史上首位外籍状元。

2002 年的世锦赛在篮球的发源地美国举办。姚明以 NBA 状元郎身份首次参加世锦赛，备受关注。在参加的 8 场比赛中他场均得到 21 分；投篮命中率高达 75.3%，位居所有球员的第一位；场均 9.2 个篮板也位居那届赛事的前三位；场均 2.2 次封盖更是排名第一，称雄世锦赛。可以说，姚明当选 2002 年男篮世锦赛最佳中锋无可争议。

2002 年 10 月 31 日，火箭对阵步行者，姚明在 NBA“处子秀”上的表现令人失望。他以替补身份登场，“处子秀”上唯一的建树是两个后场篮板，同时还付出了两次失误和三次犯规的代价。

2002 年 11 月 18 日，火箭对阵湖人，这是姚明 NBA 生涯的第八场比赛。这之前在美国 TNT 电视台做评论员的查尔斯・巴克利夸下海口，如果姚明能在一场比赛中拿到 19 分，他就去亲吻搭档史密斯的屁股。此战姚明 9 投全中，拿下 20 分 6 个篮板。火箭也以 93 比 89 取胜。四天后巴克利换了种方式兑现了自己的赌约——亲吻驴屁股。

作为 NBA 历史上第一位外籍状元秀，姚明在 2002/2003 新秀赛季场均得到 13.5 分 8.2 个篮板和 1.74 次封盖，入选最佳新秀第一阵容。此外姚明获得了 1286324 张全明星选票，力压“大鲨鱼”奥尼尔成为西部首发中锋。

2004 年，姚明职业生涯首次闯进季后赛。遇到“OK 组合”领衔的湖人，“姚鲨对决”虽然吸引眼球，但无比残酷，火箭最终以 1 比 4 败下阵来。此次季后赛，姚明场均得到 15 分 7.4 个篮板。

2004 年雅典奥运会，已经成为中国男篮绝对领袖的姚明，立誓“不破前八，不剃须”。此后中国男篮赢下 2002 年世锦赛冠军南斯拉夫，在那场比赛里姚明得到 27 分 13 个篮板，率中国队晋级八强。中国男篮最终排名第八。姚明此次奥运场均 20.7 分排名第三，9.3

个篮板排名第一。

2007 年 4 月 17 日，火箭以 120 比 117 战胜太阳，取得了季后赛主场优势。这场比赛麦迪 31 投 14 中，得到 39 分 11 个篮板 9 次助攻；姚明 20 投 14 中，砍下 34 分 9 个篮板。这场比赛可以看成是“姚麦”联手最振奋人心的一场比赛。

2007/2008 赛季，火箭创造了联盟历史第二长的连胜战绩——22 连胜（仅次于 1971 年湖人创造的 33 连胜），差不多在 2 个月的时间里没有输球。事实上，在 22 场连胜之中，前 12 场已经奠定了一个基础，参加前 12 场比赛的姚明就好比点燃火箭升空的助推器。

2008 年 7 月 17 日，姚明在受伤 143 天之后终于复出。而在北京奥运会上，姚明带领中国男篮从“死亡之组”当中杀出，挤入八强赛。姚明在奥运会的五场比赛中场均砍下 19.0 分 8.2 个篮板 2.0 次助攻 1.5 个盖帽和 0.67 次抢断，投篮命中率高达 51.5%。

2009 年 3 月 21 日，火箭在主场丰田中心迎战森林狼，姚明职业生涯总得分突破 9000 分，成为火箭队史上第六位得分迈过 9000 大关的球员。

2008/2009 赛季，打了 77 场比赛的姚明场均砍下 19.7 分 9.9 个篮板和 1.9 个盖帽，在麦迪因伤缺阵的危急时刻，姚明成功率领火箭以西部第五杀入季后赛。

季后赛首轮火箭 4 比 2 淘汰开拓者，姚明 NBA 生涯首次进入季后赛第二轮。

值得一提的是，2009 年 4 月 19 日，火箭做客玫瑰花园球馆，最终以 108 比 81 击败开拓者取得季后赛首胜。姚明此役 9 投 9 中，砍下 24 分 9 个篮板，投篮命中率为惊人的 100%。

火箭在半决赛与湖人会师，首战姚明 17 投 9 中砍下季后赛最高的 28 分 10 个篮板，还上演了一回“王者归来”。他在膝盖被撞伤后拒绝回到更衣室，从通道返回，并用一记中投扩大领先优势，最终火箭以 100 比 92 在斯台普斯告捷。

可惜姚明在第三战结束后左脚踝轻微骨裂，因此赛季报销。火箭因为姚明的受伤失去与湖人一拼高下的资本，最终以 3 比 4 败在湖人手中。整个系列赛姚明场均贡献 19.6 分 11.3 个篮板和 1.3 个盖帽。就此他开始了漫长的养伤期，火箭的腾空进程也因此戛然而止。在姚明这次受伤之后，更为痛心的是，左脚的伤势始终无法痊愈。

姚明 NBA 生涯一直效力于火箭，场均砍下 19 分 9.3 个篮板和 1.9 个盖帽。姚明的退役使之在 NBA 的数据就此定格：出战 486 场、先发 476 场，总共得到 9247 分 4494 个篮板 769 次助攻 189 次抢断 920 次封盖。

虽然姚明在 NBA 只打了 9 个赛季，但是他留下了无数的荣誉。作为 NBA 历史上第一位外籍状元秀，除了整季伤停的 2009/2010 赛季，他连续 8 次入选全明星，5 次入选联盟最佳阵容。加入联盟的第一年，他就入选了最佳新秀第一阵容。在国际赛场上，姚明同样成就惊人，他率领中国男篮在 2004 年雅典奥运会上进入前八，也在 2006 年日本男篮世锦赛上当选过赛事得分王。这些辉煌，足够让球迷永记姚明的伟大了。

他高大强壮而又幽默睿智；他谦和内敛而又坚韧强悍；他天赋异禀而又勤奋不辍；他凭借天赋和努力被高傲的美国人接受，向世界展示了极具东方魅力的中国特质，用科比的话讲：“他是我们所有人之间的一座桥梁！”他用精湛的球技和含蓄的微笑征服了世人，然而唯一无法征服的就是伤病，而如今他转身离去时，NBA 留下了一个来自神秘东方的闪亮印迹。

2016 年 9 月 9 日，姚明入选 2016 届名人堂，对于此项殊荣他可谓实至名归。

姚明拥有独一无二之处，他用自己在 NBA 的形象、个人的人格魅力，让世界上人口最多的国家掀起篮球热潮，其中蕴含的价值是以“产业”来衡量的。

“站在 2.26m 的高处，他几乎以一己之力改变了 NBA 只在一个国度风靡的局面，推动了 NBA 全球化发展。”作为篮球交流的使者，姚明是中国篮球的标志与骄傲，为中美篮球做出了巨大贡献。

〈生涯高光闪回 / “姚鲨对决”〉

高光之耀：“大鲨鱼”奥尼尔：近 20 年来的最强中锋，典型的美国式的风格，崇尚破坏性和毁灭性，在场上张扬跋扈、盛气凌人。“小巨人”姚明：拥有出众身高又具备灵活性以及出色投篮技巧，谦虚内敛、睿智坚韧，深谙以柔克刚、后发制人的中国式智慧。“姚鲨对决”成了联盟不可或缺的一部分。奥尼尔是姚明的参照物，在他身上姚明看到自己的进步，随着姚明的成长和奥尼尔的老去，胜利天平已倾向姚明。

2002 年 12 月 4 日，在著名的“双塔”——邓肯和罗宾逊面前，“小巨人”姚明得到 27 分 18 个篮板 3 次盖帽，这在 NBA 引发一场地震。“姚鲨对决”引起强烈关注，毕竟当时奥尼尔的独大让观众产生审美疲劳，他们渴望出现一个能够与“大鲨鱼”抗衡的人。

2003 年 1 月 18 日，有线电视史上收视率第二高的常规赛上演了（第一高是“魔术师”约翰逊患艾滋病后复出）——姚明和奥尼尔第一次交锋。开场姚明不仅 4 投 3 中拿下 6 分，防守端更是用三次盖帽封杀奥尼尔。全美的观众沸腾了，多少年才能看到一个能给奥尼尔三次大帽的人！更别说连续封盖三次。尽管奥尼尔全场砍下 33 分 13 个篮板，完胜姚明的 10 分 10 个篮板，但是火箭 108 比 104 赢得胜利，姚明也赢得挑剔的美国球迷的赞许。

接下来一个赛季，姚明在和奥尼尔的第一次交手中砍下 18 分 8 个篮板率队赢球。2004 年 2 月 12 日，他又在奥尼尔面前独得 29 分 11 个篮板率队再胜湖人，姚明进步神速。然后是 33 分 8 个篮板，22 分 9 个篮板，接下来的两三个赛季里几乎每次“姚鲨对决”姚明都能打出好状态。

“姚鲨对决”20 次交手，姚明率领球队 10 胜 10 负。在这 20 次的经典对决中，姚明场均贡献了 17.1 分和 9.7 个篮板，奥尼尔场均贡献了 20.3 分和 9.6 个篮板。

“你是九年来我见到的唯一一个能这样对付沙奎尔的人。”

—— 比尔·沃顿

“我不认为有人能够像姚明那样，他可是一位能够接管比赛并且改变比赛走向的人，一位伟大的中锋。”

—— 沙奎尔·奥尼尔

纵观那十年，姚明是唯一能与奥尼尔抗衡的对手。

"鲍勃·佩蒂特将'不懈努力'填入了运动词汇表，他比其他人都更富攻击性，永远都在卡位与你争抢篮板球。"

——比尔·拉塞尔

档案

鲍勃·佩蒂特 /Bob Pettit

位置：大前锋

出生日期：1932 年 12 月 12 日

身高：206cm 体重：93kg

效力球队：老鹰

球衣号码：9

荣耀

1 届总冠军：1958

2 届常规赛 MVP：1955/1956、1958/1959

4 届全明星 MVP：1956、1958、1959、1962

11 届全明星：1955–1965

2 届得分王：1955/1956、1958/1959

1 届篮板王：1955/1956

10 届最佳阵容一阵：1954/1955、1955/1956、1956/1957、1957/1958、1958/1959、1959/1960、1960/1961、1961/1962、1962/1963、1963/1964、1964/1965

名人堂：1971

常规赛场均数据

26.4 分 /16.2 个篮板 /3.0 次助攻

季后赛场均数据

25.5 分 /14.8 个篮板 /2.7 次助攻

鲍勃·佩蒂特常规赛数据表

赛季	球队	篮板	助攻	得分
1954/1955	老鹰	13.8	3.2	20.4
1955/1956	老鹰	16.2	2.6	25.7
1956/1957	老鹰	14.6	1.9	24.7
1957/1958	老鹰	17.4	2.2	24.6
1958/1959	老鹰	16.4	3.1	29.2
1959/1960	老鹰	17.0	3.6	26.1
1960/1961	老鹰	20.3	3.4	27.9
1961/1962	老鹰	18.7	3.7	31.1
1962/1963	老鹰	15.1	3.1	28.4
1963/1964	老鹰	15.3	3.2	27.4
1964/1965	老鹰	12.4	2.6	22.5

K♣

鲍勃·佩蒂特

BOB PETTIT

佩蒂特是 NBA 最早的传奇之一，也是 NBA 历史上第一个职业生涯得分达到 20000 分的球员。他在横行无忌的凯尔特人手里夺得了那个年代唯一一枚没有被“绿衫军”抢走的总冠军戒指，同时他获得两次常规赛 MVP，四次夺得全明星 MVP，职业生涯每个赛季场均得分都在 20 分以上！他是联盟 20 世纪 50 年代最伟大的大前锋，没有之一！

有的时候觉得，人类的本性就是：遗忘。

当现在的球迷高谈阔论谁是 NBA 历史上最伟大的大前锋的时候，大部分人都将选项锁定在邓肯、加内特、诺维斯基，乃至格里芬、戴维斯等人的范围之内，偶有一些年岁比较大的球迷才会想到巴克利和马龙。

关于“某某位置上最伟大的球员是谁”这样的问题其实并没有什么实际意义，每个人都有自己的答案，一千个人心里有一千个哈姆雷特而已。

如果一定要评选 NBA 历史上最伟大的大前锋，请不要忘记将佩蒂特的名字添加到选项之中。

佩蒂特是 NBA 最早的传奇之一，他夺得了那个年代唯一一枚没有被“绿衫军”抢走的总冠军戒指，同时他获得两次常规赛 MVP，10 次入选最佳阵容第一阵，4 夺全明星 MVP，他是联盟 20 世纪 50 年代最伟大的大前锋，没有之一！

更让人震惊的是，创造这样伟大成就的他，身材瘦弱，在以强壮身体为依托的职业篮球赛场，他一度被所有人认为无法生存。而他却凭借自己坚持不懈的训练和赛场拼搏精神在篮球场上打拼出了自己的一席之地。

1932 年 12 月 12 日佩蒂特出生在路易斯安那州的一座小城，少年时代的他几乎没有展现出任何体育天赋，在高中时期，因为过于瘦弱的身材，两度被校队淘汰。但佩蒂特偏偏有一股子拧劲儿，人们越不待见他，他就越要拼尽全力证明自己，于是在被校队淘汰之后，他发了疯一般地展开训练，直到高中三年级时被校队重新录取。

重新回到校队的佩蒂特瞬间展露出勤奋训练的成果，他变得飞天遁地、无所不能，赛场上的表现，也让队友重新认识这个瘦弱的内线。很快，他就赢得了教练和队友的认可，并成为球队领袖，他也以疯狂的赛场表现回馈信任。1950 年的高中联赛，他带领高中球队斩获了校史第一座州高中联赛的总冠军奖杯。

由于高三赛季他的出色表现，路易斯安那州立大学对他发出了邀请。佩蒂特欣然接受，并很快成为路易斯安那州立大学的领军人物。整个大学生涯，他场均能够斩获 27.4 分，两次夺得全美最佳大学生的称号，吸引了无数职业球队关注的目光。

1954 年，他宣布参加 NBA 选秀大会，在首轮被密尔沃基老鹰选中。不过当时，他再次遭到了高中时期经历过的质疑。佩蒂特很快用实际行动对质疑做出了有力回击！新秀赛季，他已经场均贡献 20.4 分 13.8 个篮板，并一举当选年度最佳新秀，同时他还被选入全明星，并入选年度最佳阵容第一阵容。

不过，作为新秀的佩蒂特显然在球队领袖能力上还有待提高，他还不能够将自己的出色表现和球队战绩有效地结合起来，那个赛季老鹰战绩只有可怜的 26 胜 46 负。佩蒂特自己显然也意识到了这个问题。休赛期，球队搬迁到圣路易斯之后，他开始琢磨着如何带领球队获得胜利。接下来的赛季，佩蒂特场均能砍下 25.7 分 16.2 个篮板，依然是超级巨星。球队也在他的努力之下，比之前赛季多赢了 7 场比赛。

当然，这样的战绩还是不能让人满意，老鹰显然也意识到了拥有佩蒂特，已经让他们有了称霸联盟的基础。于是，他们在 1956/1957 赛季开始之前对球队进行了大刀阔斧的改造：用挑选比尔・拉塞尔的那个选秀权从波士顿凯尔特人那里换来了爱德华・麦考利以及新秀克里夫・海根；而在另一笔同纽约尼克斯的交易中他们还得到了后卫斯雷特・马丁；接着，他们又找来了此前刚刚被活塞裁掉的亚历克斯・汉纳姆。

阵容调整的同时，他们相继更换了三名主教练。一番折腾之后他们也仅取得 34 胜 48 负的战绩，不过得益于当时西部羸弱，他们竟然进了季后赛，并一路杀到了总决赛。

总决赛，他们和凯尔特人大战七场，杀得难解难分，抢七大战，依靠佩蒂特的神勇发挥和最后时刻关键的两记罚球，还生生把“绿衫军”拖入了加时赛，直到加时赛最后一刻，打光了最后一发子弹的他们才败下阵来。值得一提的是，整个季后赛，佩蒂特的表现一直有如神助，场均 29.8 分和 16.8 个篮板的表现，简直无可挑剔。

1957/1958 赛季，佩蒂特场均 24.6 分 17.4 个篮板带领球队卷土重来，夺得赛区冠军的同时，在季后赛更是一路过关斩将，再度杀入总决赛！而站在对面的依然是他们的老对手——凯尔特人！

这次的总决赛，更是异彩纷呈，佩蒂特和他的老鹰显示出了无与伦比的统治力，而佩蒂特在第六场震惊世人的 50 分，让他们最终以 4 比 2 击溃凯尔特人，一雪前耻的同时，将总冠军奖杯收入囊中！

在接下来的三个赛季，老鹰队一直都是西部领头羊。佩蒂特也一直保持着“25+”的得分和“15+”的篮板的超级表现。但他和老鹰却没有再次品尝到总冠军的滋味，日渐崛起的“紫金王朝”和依旧坚挺的“绿衫军”，让佩蒂特始终没能如愿取得胜利。

1961/1962 赛季，老鹰阵容逐渐老去，虽然佩蒂特在那个赛季场均拿下 31.1 分和 18.7 个篮板，但球队战绩却已经一落千丈，仅仅获得了 29 胜。之后的两个赛季，佩蒂特虽然依旧强势，老鹰似乎也焕发了青春，但球队再也没有重返总决赛的舞台。

到了 1964/1965 赛季，已经老迈的佩蒂特受到了严重伤病的侵袭，他全赛季缺席了 50 场比赛，球队也再次止步分区决赛。赛季结束之后，佩蒂特正式宣布了退役，带着职业生涯场均 26.4 分，累计 20880 分 12849 个篮板的光辉数据正是告别了职业篮球舞台。

佩蒂特虽然退役了，但他留给球迷的确是一个光辉伟岸的背影，他的拼搏精神，一直都是 NBA 教练教育球员的最佳范本。他也给篮球技术增添一个新词汇：“二次进攻”。最早的“二次进攻”就是因为他不断地争抢进攻篮板，并再度完成进攻而产生的！

这就是佩蒂特，虽然在亘古的余晖中，他的身影已经模糊，但还请记住这位联盟历史上首个“鹰王”、首个 20000 分先生、首位超级大前锋！无论联盟如何发展，请相信，最伟大的大前锋之中一定有他的位置！

〈生涯高光闪回 / 砍下 50 分率队夺冠〉

高光之耀：要不是佩蒂特搅局，“指环王”拉塞尔可能会拿下 10 连冠。佩蒂特带领的老鹰和拉塞尔带领的凯尔特人在总决赛相遇过四次，老鹰只赢过一次。虽然只有一次，但其中掺杂了无数史诗级的壮丽诗篇，其中就包括佩蒂特——这位 206cm 的名人堂球员的惊世表演。

1958 年总决赛第六场，佩蒂特打出了他生涯最佳表演之一，在比赛的前三节他就得到了 31 分。在接下来的第四节更是狂飙 19 分统治了比赛，这一节老鹰总共得到了 21 分。佩蒂特在比赛结束还有 15 秒的时候投中了一球，让球队领先三分。

最终他们顶住压力以 110 比 109 坚持到最后，取得了老鹰历史上唯一的一座总冠军奖杯。送给后者职业生涯第一个系列赛失利，也是凯尔特人王朝时期唯一输掉的一次总决赛。

档案

里克·巴里 /Rick Barry
位置：小前锋
出生日期：1944 年 3 月 28 日
身高：201cm 体重 93kg
效力球队：勇士、篮网、火箭
球衣号码：2、4、24

荣耀

1 届总冠军：1969、1975
1 届总决赛 MVP：1975
1 届全明星 MVP：1967
8 届全明星：1966–1967、1973–1978
1 届得分王：1966/1967
1 届抢断王：1974/1975
9 届最佳阵容一阵：1965/1966、1966/1967、1968/1969、1969/1970、1970/1971、1971/1972、1973/1974、1974/1975、1975/1976
名人堂：1978

常规赛场均数据
23.2 分 /6.5 个篮板 /5.1 次助攻

季后赛场均数据
24.8 分 /5.6 个篮板 /4.6 次助攻

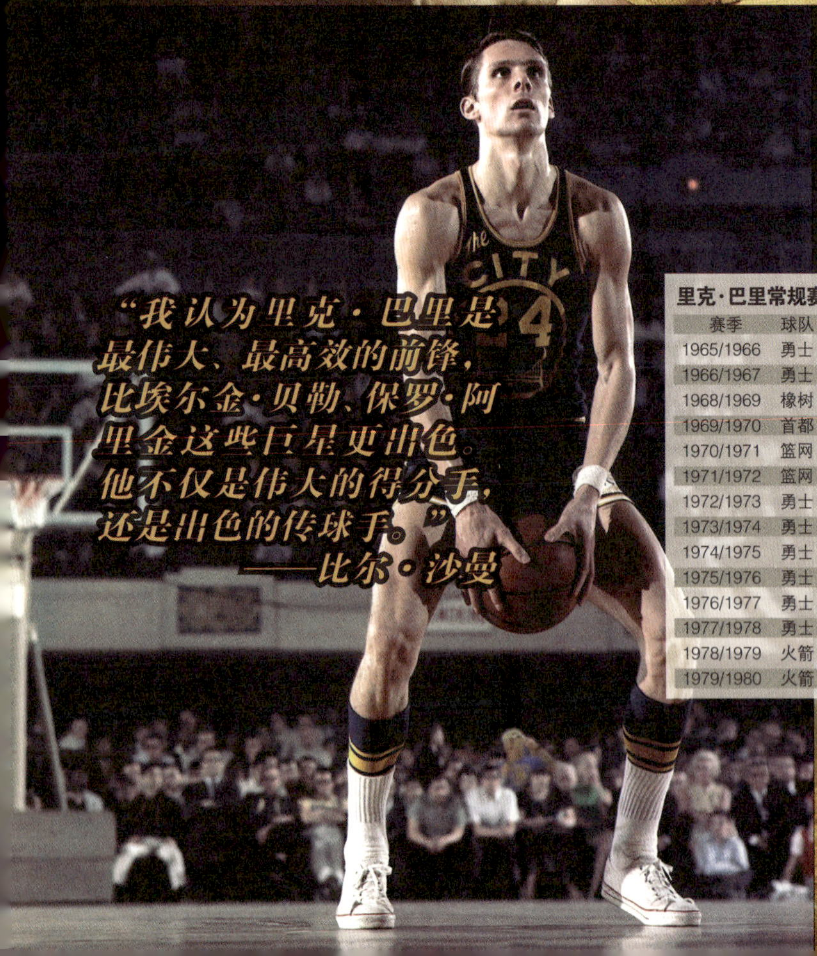

“我认为里克·巴里是最伟大、最高效的前锋，比埃尔金·贝勒、保罗·阿里金这些巨星更出色。他不仅是伟大的得分手，还是出色的传球手。”

——比尔·沙曼

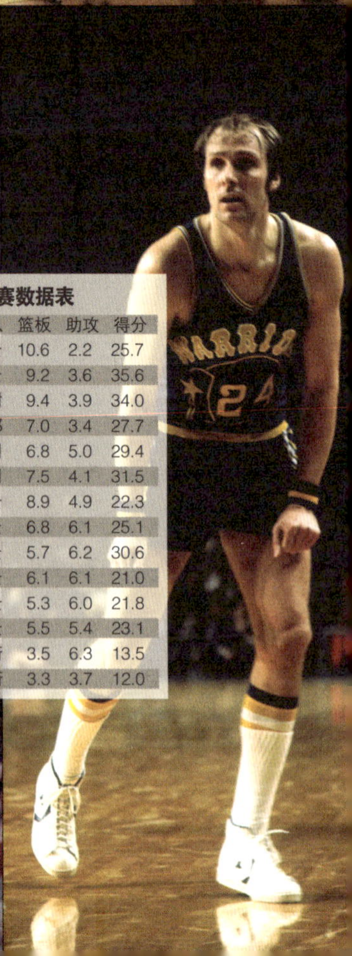

里克·巴里常规赛数据表

赛季	球队	篮板	助攻	得分
1965/1966	勇士	10.6	2.2	25.7
1966/1967	勇士	9.2	3.6	35.6
1968/1969	橡树	9.4	3.9	34.0
1969/1970	首都	7.0	3.4	27.7
1970/1971	篮网	6.8	5.0	29.4
1971/1972	篮网	7.5	4.1	31.5
1972/1973	勇士	8.9	4.9	22.3
1973/1974	勇士	6.8	6.1	25.1
1974/1975	勇士	5.7	6.2	30.6
1975/1976	勇士	6.1	6.1	21.0
1976/1977	勇士	5.3	6.0	21.8
1977/1978	勇士	5.5	5.4	23.1
1978/1979	火箭	3.5	6.3	13.5
1979/1980	火箭	3.3	3.7	12.0

K♦

里克·巴里

RICK BARRY

NBA 历史上有四位名叫巴里的球员，布伦特·巴里、德鲁·巴里和琼·巴里是货真价实的亲兄弟，都说虎父无犬子，然而无论是实力还是知名度，与他们的老爸里克·巴里相比，三兄弟都黯然失色。在 NBA 中巴里家族声名显赫，怪异的“端尿盆”罚球并没有阻挡“老爷子”挺进 NBA50 大巨星的步伐。

1944 年 3 月 28 日里克·巴里出生于新泽西的伊丽莎白城，从小与篮球形影不离，得到迈阿密大学的奖学金之前，他两次以高中生的身份荣膺全美最佳。加盟迈阿密大学也许是巴里一生中最重要的决定，在那里他邂逅了日后的妻子帕梅拉，也为日后进入职业篮坛打下了坚实的基础。彼时名不见经传的迈阿密大学无人问津，是 NCAA 典型的鱼腩，巴里的到来改变了一切。1964/1965 赛季，巴里场均砍下 37.4 分，荣膺 NCAA 得分王，带着场均 29.8 分 16.5 个篮板的成绩单告别大学篮坛。

参加选秀之前，很多人并不看好巴里，认为他体型过于瘦削，难以适应职业篮球的对抗强度，他们更看好普林斯顿的比尔·布拉德利。巴里最终在第 5 顺位被旧金山勇士选中，新秀赛季他就一鸣惊人，场均砍下 25.7 分，当选年度最佳新秀，入选全明星以及最佳阵容第一队。第二个赛季巴里创造单季 2775 分的生涯得分纪录，场均 35.6 分勇夺得分王，比第二名的奥斯卡·罗伯特森足足高出 5 分，此前只有维尔特·张伯伦和埃尔金·贝勒打出更牛的飙分赛季，在此后近 50 年时间里也只有迈克尔·乔丹超越了他。

就在这一年巴里率领勇士杀入了总决赛，与张伯伦领衔的 76 人鏖战六场后惜败，第三场巴里追平了“张北斗”5 年前创造的单场出手得 48 分的季后赛纪录，总决赛单场

55 分也仅次于 1963 年贝勒的 61 分，系列赛场均 40.8 分直到 1993 年才被乔丹打破。

NBA 生涯的前两年，巴里可谓是呼风唤雨，但他却萌生去意，准备跳槽，希望加盟 ABA 的奥克兰橡树队。一方面 5 万美元的薪水难以抗拒，另一方面巴里的岳父布鲁斯·霍尔正是橡树队的主帅。讽刺的是巴里加盟橡树队时，霍尔已经离职，接过教鞭的正是一年前还嘲笑“红白蓝三色球是海豹才玩的玩意儿”的名教头阿列克斯·汉纳姆。

巴里在 ABA 很快显示出超强的统治力，1969 年率队夺冠，当季 MVP 评选中也仅次于步行者的梅尔·丹尼尔斯。尽管他因为膝伤只打了 35 场比赛，不过仍然以场均 34 分的成绩拿下得分王，成为史上第一个 NBA 和 ABA 的双料得分王。

1969/1970 赛季开始之前，奥克兰橡树队宣布前往华盛顿，并改名国会队，巴里大为不满。一个赛季后华盛顿国会再度迁徙，更名为弗吉尼亚侍卫，巴里再度开炮：“我可不想让孩子拥有南方口音。”最终喋喋不休的巴里被交易至纽约篮网，为纽约篮网出战的两个赛季，巴里场均贡献 29.4 分和 31.5 分。

巴里为 ABA 效力 4 个赛季，4 次入选全明星，夺得一次总冠军以及一次得分王。职业生涯 7 个赛季，巴里的生活“丰富多彩”——置身两个联盟，效力三支不同的球队，辗转四个不同城市，两次走上法庭。

ABA 著名记者吉姆·奥布莱恩在其 1972 年出版的《ABA 全明星》一书中写道：“在效力 ABA 期间，巴里绝对是最佳球员。从一开始他就是这个年轻联盟的首席大明星，影响力超乎想象，让很多人追随巴里引领的潮流，与这个新兴的职业篮球联盟签约。”

1972/1973 赛季巴里重返 NBA，整个联盟见证的是另外一个巴里，在此之前他是一个纯粹的得分手，归来之后他已经变成了全能战术者。按照巴里的说法，这些进步是加盟 ABA 的意外收获，因为在他看来具备 NBA 水准的 ABA 球员寥寥无几，缺乏帮手的巴里只能强迫自己开发出传球和防守技能。

作为完美主义者，巴里从不保留自己的观点，他对一切事物的苛刻让队友不胜其烦，特立独行的性格并不能让巴里的实力打半点儿折扣，整个 20 世纪 70 年代他和“J 博士”都是衡量前锋好坏的标尺。1974/1975 赛季，巴里的职业生涯到达顶峰，场均贡献 30.6 分，90.4% 的罚球命中率和 2.85 次抢断都领跑联盟，6.2 次助攻使其排在第六位，率领金州勇士夺冠，荣膺总决赛 MVP，然而在常规赛 MVP 的评选中巴里备受冷落。

当年勇士的队友布奇·比尔德说："很明显，巴里在球场上的种种行为影响了他的形象。"他被视作坏孩子的典型，就像 20 世纪 80 年代的兰比尔一样，动作粗野，抱怨裁判，然而某种程度上兰比尔更像是演戏，而巴里那是求胜欲望太强的另一种表现。

1975 年之后勇士开始从巅峰滑落，慢慢走下神坛。1977/1978 赛季巴里仍然可以每场砍下 23.1 分，然而由于太平洋赛区的崛起，43 胜的勇士居然没有打进季后赛。与勇士 6 年合约期满后，巴里决定进入联盟试水，与休斯敦火箭签约。

职业生涯最后两季，巴里的角色发生了本质的变化，那是一支拥有摩西·马龙、卡尔文·莫菲和汤姆贾诺维奇的球队，巴里不需要为得分操心，他彻底变成了一个组织前锋，1978/1979 赛季他送出职业生涯最高的 502 次助攻。最后两年，巴里的罚球更为精准，继续将"端尿盆式"罚球发扬光大，他的职业生涯最终以连续三季罚球王收尾。

毋庸置疑，巴里是联盟史上最出色的得分手和组织者，这位前勇士队的超级球星是史上仅有的四位场均 20 分以上且罚球命中率超过 88% 的球员之一，其他三位分别是凯文·杜兰特、拉里·伯德和雷·阿伦，也只有四位前锋的助攻数高于巴里——勒布朗·詹姆斯、拉里·伯德、莫里斯·斯托克斯和斯科特·皮蓬。然而巴里的伟大程度没有与知名度、曝光率成正比。如专栏作家吉姆·波拉德所说："并不是联盟和媒体故意将巴里从历史中抹掉，只是他们选择不让人们回忆起巴里曾经取得的伟大成就。不管怎样，巴里为我们提供了这样一个模板，一个球星如何被人们遗忘的模板。"

巴里是整个 20 世纪 70 年代 NBA 与 ABA 最优秀的小前锋，他具有摧毁一切的攻击力，巴里职业生涯先后在 NBA 与 ABA 入选过 9 次年度第一阵容，如今已经是名人堂成员，他的 14 年职业生涯中 10 次率领所在球队杀入季后赛，1975 年夺冠，ABA 职业生涯场均技术统计为 32.2 分 8.3 个篮板 3.7 次助攻，NBA 职业生涯场均技术统计为 24.8 分 5.6 个篮板 4.6 次助攻。

〈生涯高光闪回 / 巴里家族〉

高光之耀：巴里的三个儿子进入过 NBA，其中琼·巴里和布伦特·巴里也博得过一定名声，但这三个儿子与父亲不能同日而语，就算把三个儿子的能力加起来，都不如父亲巴里的万分之一，残酷的现实和望子成龙之间的鸿沟让老巴里一直无法弥合。

巴里一共四个儿子，其中三人进入 NBA——琼·巴里属于中规中矩的角色后卫，有着防守与关键"冷枪"能力，职业生涯 9 次季后赛场均得分 5.3 分 1.9 篮板 1.4 助攻；布伦特·巴里有着恐怖的身体素质，早年缔造过"白人也能飞"的罚球线飘移，从 1996 年获得扣篮冠军以后，"白飞人"的美誉就伴随布伦特左右，加上分别在 2005 年、2007 年随马刺获得总冠军的荣誉，场均技术统计为 7.3 分 2.7 个篮板 2.1 次助攻，他算是兄弟中篮球造诣最高的了。德鲁·巴里在 NBA 没混多久就退出了，他只打了 3 个赛季，进入过一次季后赛，一共打了两场比赛累计 5 分钟，出手一次三分球不中，技术统计为 0 分 0.5 个篮板。

EWING

CELTICS

SPURS
50
SPALDING

Q–10

黑桃 Q 帕特里克 · 尤因 / **红桃 Q** 大卫 · 罗宾逊 / **梅花 Q** 埃尔金 · 贝勒 / **方片 Q** 约翰 · 哈夫利切克

PATAICK EWING　DAVID ROBINSON　ELGIN BAYLOR　JOHN HAVLICEK

黑桃 J 皮特 · 马拉维奇 / **红桃 J** 鲍波 · 库西 / **梅花 J** 埃尔文 · 海耶斯 / **方片 J** 伯纳德 · 金

PETE MARAVICH　BOB COUSY　ELVIN HAYES　BERNARD KING

黑桃 10 克里斯 · 韦伯 / **红桃 10** 安芬尼 · 哈达威 / **梅花 10** 加里 · 佩顿 / **方片 10** 厄尔 · 门罗

CHRIS WEBBER　ANFERNEE HARDAWAY　GARY PAYTON　EARL MONROE

档案

帕特里克 · 尤因 /Patrick Ewing
绰号：大猩猩 / 位置：中锋
出生日期：1962 年 8 月 5 日
身高：213cm 体重：109kg
效力球队：尼克斯、超音速、魔术
球衣号码：6、33

荣耀

11 届全明星：1986、1988–1997
3 届最佳防守阵容二阵：
1987/1988、1988/1989、1991/1992
1 届最佳阵容一阵：1989/1990
名人堂：2008

常规赛场均数据

21.0 分 /9.8 个篮板 /2.4 个盖帽

季后赛场均数据

20.2 分 /10.3 个篮板 /2.2 个盖帽

“我从不为打翻的牛奶哭泣。”
——帕特里克 · 尤因

帕特里克 · 尤因常规赛数据表

赛季	球队	篮板	盖帽	得分
1985/1986	尼克斯	9.0	2.1	20.0
1986/1987	尼克斯	8.8	2.3	21.5
1987/1988	尼克斯	8.2	3.0	20.2
1988/1989	尼克斯	9.3	3.5	22.7
1989/1990	尼克斯	10.9	4.0	28.6
1990/1991	尼克斯	11.2	3.2	26.6
1991/1992	尼克斯	11.2	3.0	24.0
1992/1993	尼克斯	12.1	2.0	24.2
1993/1994	尼克斯	11.2	2.7	24.5
1994/1995	尼克斯	11.0	2.0	23.9
1995/1996	尼克斯	10.6	2.4	22.5
1996/1997	尼克斯	10.7	2.4	22.4
1997/1998	尼克斯	10.2	2.2	20.8
1998/1999	尼克斯	9.9	2.6	17.3
1999/2000	尼克斯	9.7	1.4	15.0
2000/2001	超音速	7.4	1.2	9.6
2001/2002	魔术	4.0	0.7	6.0

Q♠

帕特里克·尤因

PATRICK EWING

谈起尤因，第一反应就是《灌篮高手》里的“大猩猩”，作为20世纪90年代“四大中锋”之一，尤因铁血凶悍的风格令人生畏！他昂首阔步地站在球场上，像一尊无所畏惧、睥睨天下的巨神，大踏步地冲向战争的第一线，无惧任何对手，哪怕站在对面的是乔丹，他也敢把自己的铁肘子狠狠地塞进对方的肚子里去。

尤因贵为1985年的状元，一进联盟就被送到纽约这座摇曳着成人纸醉金迷的城市，然后顺理成章地在这里接过前辈贝弗利的权杖，成为这座城市当之无愧的王者，而且在这座众多人目光焦点的王座之上，一坐就是十五个春秋。

值得一提的是，就在进入NBA之前，他就和日后的总决赛对手奥拉朱旺，在NCAA进行了一次总冠军的争夺。而那次，他凭借无双的力量，成功挫败兀自青涩的对手，捧起奖杯，只是那个时候，他还没意识到，那是他的第一座总冠军奖杯，也是他整个职业生涯的最后一座。

他的整个职业生涯似乎和他的性格十分相似，总是低调得过了头，以至于很多人都以为他只是一个喜欢中投的中锋。但事实并非如此，新秀赛季，他就凭借场均将近20+9外加2次助攻1.08次抢断2.06次封盖的数据将最佳新秀奖杯揽入怀中。对于他整个职业生涯的进攻手段而言，虽然谈不上丰富多样，也足够现在的年轻小辈学上个三年五载：他的面筐大步突破，低位背身的强打以及五花八门的投篮假动作，这些才是他立身四大中锋之林的本钱。当然，这还不包括他真正赖以成名的强悍防守功力。

当然纽约媒体的尖酸刻薄也对他“软弱”的名声，起到了推波助澜的作用。纽约人

总是不满意他们的领袖长着一副“黑金刚”的面容,他们觉得作为全美乃至世界的核心城市,他们理应拥有更好的领袖,怎么也得有几分迈克尔·乔丹的气度,外加几分雷·阿伦的谦谦君子气质。

至于尤因,他们几乎完全看不上眼,所以,当“中投王”阿兰·休斯敦驾临纽约,瞬间就被早已厌倦了尤因的纽约人捧上天,俨然被当做是真正的纽约王者。直到季后赛,休斯敦被马什本修理成了软绵绵的塞子,纽约人才长叹一口气,认了命“丑就丑点,好歹是条汉子”。

当然,这是后话,在这一切没发生之前,尤因在纽约的日子一直不是很开心,媒体没事就拿他开涮,有时候甚至把他抨击得一无是处。这也让本身来自异乡牙买加的尤因,性格愈发阴凝,一度变得沉默寡言,后来被媒体逼得有些心理变态了,还常常在脸上挂出“邪恶的怪笑”,让本来就有些恐怖气息的脸庞,看起来更加不寒而栗。

但他是敬业的,不管身边的媒体如何狂轰滥炸,一进入那片场地,他卖命的一面就显现出来。在 20 世纪 90 年代,他和他的师弟莫宁,以及站在他身边的“大妈”就是“恶”与“力”的代表,同时也是 NBA 优秀员工的典范。

他兢兢业业,每一场比赛倾尽全力,从他进入联盟开始,一直到他老到膝盖敷着冰块也迈不动步子,他的数据却常年维持在“20+10”的水准,尤其是他还是一个根本不在乎数据的汉子。比起“上将”喜欢刷数据的毛病,他几乎从未对数据产生过兴趣,他奋力拼抢的篮板球都是非常难以争取的,轻松可以拿到的篮板,只要身边还有其他的队友可以拿到,他几乎都视而不见。

他和别人抱摔,阴狠地用肘子招呼敌人身上的每一处器官,凶猛地拦住马上就要射入篮圈的皮球,被“大梦”晃起之后,毫不气馁地再次追着跳起。

尤其是 1994 年,他带着纽约一路杀入总决赛,对面是他昔日 NCAA 的输家奥拉朱旺,他的蛮性彻底发作,整个系列赛,他蛮横无理地送出 30 记“火锅”,在篮下与奥拉朱旺性命相搏。奈何,“大梦”剑走偏锋,轻巧灵动的路子,他满不适应,恶斗数场,尼克斯兵败,但他输阵不输人,“大梦”对他的限制也十分有限。

当时尼克斯阵容缺陷明眼人一看即明,换作现在的有些球员,早就叫嚷着交易或者被交易了。奈何他是个一腔热血的汉子,坐等尼克斯补强,连洛杉矶递来的橄榄枝都视而不见。

他的忠诚终于等来了补强，却错过了自己最辉煌的青春，1997 年，风云变幻，诸神黄昏。火箭“三天王”垂老，公牛为皮蓬内乱，罗宾逊挨了背伤，老一代人卷甲息兵而去，湖人、热火趁势崛起，“鲨鱼”与尤因的师弟莫宁睥睨天下。而他，这个十年只休赛 20 场的“铁塔”也轰然倒下，在病榻上，看着“大妈”和自己师弟血拼了整个季后赛。

再重来，又是两年后，第一轮，他带着摇摇欲坠的尼克斯以第八的身份对阵他师弟莫宁和“老甲壳虫”领衔的热火。那一年，“大妈”勾起了莫宁的火气，范甘迪“抱大腿”事件上演。那一年，“中投王”上演了神奇的绝杀，他们一起上演了神奇的“黑八奇迹”。并一路杀到总决赛，却最终倒在了“圣城”的“双塔”之下。

那一年，即将年满 37 岁的他，在季末收获了职业生涯最后的辉煌。

接下来的两年他发现自己连单打一些小角色都心有余而力不足了。更让他的心寒的是，纽约人很快忘记了他曾经给他们带来的丰盈岁月，他们大声斥责他的移动缓慢，并在街头巷尾津津乐道地说着他应该被交易到哪支球队，为纽约带来最后的价值。他知道自己老了，于是接下来的赛季他转战超音速和魔术，并最终因为膝伤退役。

身世浮沉雨打萍，曾经风光无限的纽约“破坏之王”，最终也逃不过岁月的雕刻，带着无缘捧杯的遗憾，离开了 NBA，徒留一段“四大中锋”的传奇，任后人评说。

〈生涯高光闪回/“大猩”对决“飞人”〉

高光之耀：“大猩猩”尤因是 20 世纪 90 年代四大中锋之一。全面的技术，出色的弹跳力，还有中锋所必不可少的勇猛和沉着，尤因成了当时纽约尼克斯的当家球星，虽然他在 NBA 中苦战了 12 个赛季，但没有得到一枚总冠军戒指，被称为“无冕之王”。当然，造成他无冕尴尬境地的那座（横在夺冠路前的）大山不是别人，正是乔丹。

尤因职业生涯场均可得 20.6 分 10.5 个篮板 2.0 次助攻和 2.2 次封盖，11 次入选东部明星队，5 次入选 NBA 第二阵容，1990 年入选 NBA 最佳阵容。另外在进入 NBA 之前，尤因和乔丹等优秀队员代表美国参加洛杉矶奥运会篮球比赛并夺得金牌。后来尤因又作为“梦之队”的主力出场，取得了在巴塞罗那的胜利。尤因没有拿到过总冠军，但是正如他自己所言：“我付出了 110% 的努力，我想我有一个伟大的职业生涯。我没有遗憾，我不会拿已经取得的东西和任何东西交换，我喜欢打球时的每一分钟。”退役后尤因选择加盟奇才成为助理教练，辅佐乔丹完成自己职业生涯最后的时刻。

一度“仇人见面，分外眼红”的两位传奇巨星最终走到一起，“渡尽劫波情犹在，携手并肩泯恩仇”就是最好、最感人的结局。

档案

大卫·罗宾逊/David Robinson
绰号：海军上校/位置：中锋
出生日期：1965 年 8 月 6 日
身高：216cm 体重：107kg
效力球队：马刺
球衣号码：50

荣耀

2 届总冠军：1999、2003
1 届常规赛 MVP：1994/1995
10 届全明星：1990–1996、1998、2000–2001
1 届得分王：1993/1994
1 届篮板王：1990/1991
1 届盖帽王：1991/1992
1 届最佳防守球员：1991/1992
4 届最佳防守阵容一阵：1990/1991、1991/1992、1994/1995、1995/1996
4 届最佳阵容一阵：1990/1991、1991/1992、1994/1995、1995/1996
名人堂：2009

常规赛场均数据
21.1 分/10.6 个篮板/3.0 个盖帽
季后赛场均数据
18.1 分/10.6 个篮板/2.5 个盖帽

大卫·罗宾逊常规赛数据表

赛季	球队	篮板	盖帽	得分
1989/1990	马刺	12.0	3.9	24.3
1990/1991	马刺	13.0	3.9	25.6
1991/1992	马刺	12.2	4.5	23.2
1992/1993	马刺	11.7	3.2	23.4
1993/1994	马刺	10.7	3.3	29.8
1994/1995	马刺	10.8	3.2	27.6
1995/1996	马刺	12.2	3.3	25.0
1996/1997	马刺	8.5	1.0	17.7
1997/1998	马刺	10.6	2.6	21.6
1998/1999	马刺	10.0	2.4	15.8
1999/2000	马刺	9.6	2.3	17.8
2000/2001	马刺	8.6	2.5	14.4
2001/2002	马刺	8.3	1.8	12.2
2002/2003	马刺	7.9	1.7	8.5

“罗宾逊拥有前锋的身材、中锋的力量、后卫的速度，他是一位技术全面的中锋。”

——克里斯·韦伯

Q ♥

大卫·罗宾逊

DAVID ROBINSON

1987 年以状元的身份被马刺选中，但他坚持服完两年海军兵役后才到马刺队报到，球迷根据海军背景和在 NBA 中辉煌成绩给他起了一个很拉风的绰号“海军上将”。实际上罗宾逊参加海军不假，但军衔只是中尉，并非标榜的上将。

与那些从小就梦想进入 NBA 的孩子不同，罗宾逊没有打算走篮球之路，高中时只打了一年球，从未进入任何篮球训练营，就读海军学院也纯属子承父业。然而鹤立鸡群的身高，加上与生俱来的运动能力足以让任何教练怦然心动，这样的大个子与篮球绝缘简直是暴殄天物。在篮球方面罗宾逊多少有些被动，即使成为选秀大会的状元，他也没有太过惊喜，仍然坚持完成剩余的两年兵役。“让我惊讶的是，我并不高兴。”罗宾逊说。

真正兴奋的是圣安东尼奥人，拉里·布朗第一次见到罗宾逊时惊为天人：“这小子的速度匪夷所思，除了我小时候见过的拉塞尔之外，从没见过如此能跑的巨人。”当时的球队股东“红头”麦康姆斯回忆：“拉里对圣安东尼奥没什么兴趣，在这里啦啦队曾经浇了他一脑袋鳄梨酱。但是他对执教罗宾逊很有兴趣，没有罗宾逊留住他绝无可能。”当罗宾逊双手倒立从球场一端挪到另一端时，波波维奇的世界观已经崩溃了。

马刺将罗宾逊当成了救世主，如麦康姆斯所说：“我们的季票销量在下滑，球队的表现也不好。我绝对相信，如果没有奇迹上演，马刺就撑不下去了。”为此马刺举行了盛大的欢迎活动，用直升机载着罗宾逊游遍全城。“实在太让人激动了，”罗宾逊说，“不过我更关注篮球本身，这是一支可以干出一番事业的球队吗？我的感觉是，能！”

“海军上将”没有让人失望，“菜鸟季”他就打出24.3分12个篮板的“两双”数据，进入最佳阵容和最佳防守阵容；“二年级”场均13个篮板，荣膺篮板王，挤掉奥拉朱旺进入最佳阵容第一队；“三年级”场均贡献4.5次盖帽，拿下盖帽王，夏天代表史上最强的“梦之队”参加了巴塞罗那奥运会。

1993年西部决赛，罗宾逊客串了一回背景男，巴克利在第六场的最后时刻在他面前命中绝杀，这个镜头在日后的集锦里被不厌其烦地播出，殊不知在那记绝杀之前，罗宾逊刚刚为马刺扳平了比分。1993/1994赛季，罗宾逊迈入职业生涯的巅峰，80场常规赛场均29.8分10.7个篮板4.8次助攻3.3次盖帽以及11.4次罚球，两个月打出惊世骇俗的“四双”，让“微笑刺客”无地自容。常规赛“收官战”狂砍71分，力压奥尼尔荣膺当季得分王。

1995年罗宾逊遭遇了人生第一次滑铁卢，他在一片争议中拿到MVP，在西部决赛却惨遭大梦蹂躏。奥拉朱旺用举世闻名的“梦幻舞步”戏弄了他，在两人的直接对话中“上将”也明显落于下风，6场对决中他比“大梦”少得了66分，他率领的马刺再度折戟。罗宾逊关于乔丹复出的言论更是把自己置于风口浪尖：“我不知道乔丹为什么要复出？他有一个好太太，三个孩子。为什么还要来重新证明？我们都知道他是世上最好的球员。为什么他不把时间用来和家庭分享？”

罗宾逊从来不是胜利强迫症的患者，然而在1997年重伤之后他表现出对总冠军的渴望，希望在退役之前能拥有一枚冠军戒指，这一年他已经31岁。1997年马刺迎来了重大转折点，鲍勃·希尔下课，蒂姆·邓肯披上了黑白战袍。

马刺的“双塔”威力无比，然而在他们合作的第二个年头，邓肯的风头已经压过了老队长，最终罗宾逊接受了这样的角色，独自扛着马刺前行多年之后，他张开怀抱，迎接这位帮助自己实现梦想的年轻人。

与湖人更衣室的钩心斗角形成鲜明对比，马刺两位传奇中锋平稳地完成了权力交割，没有争吵，没有斗争。波波维奇说：“我和罗宾逊交换意见时，根本没有争论，因为他早就意识到这是对全队最好的方式。”邓肯认为这是非常自然的过程，“当我进队时，罗宾逊是老大哥，我在他的羽翼下不断学习进步。”

1999 年马刺首度捧杯，邓肯是冠军队中无可争议的主角，而罗宾逊是戏份颇足的头号配角。“罗宾逊给了人们一个来到圣安东尼奥的理由，”艾弗里·约翰逊说，“他的成功让马刺成为季后赛中理所当然的常客，吸引更多的人来这里一起参加巡河活动（马刺夺冠庆典的保留节目）。

然而圣安东尼奥差点失去“上将”，2000 年邓肯与魔术传出绯闻，马刺希望放弃罗宾逊，引进克里斯·韦伯，罗宾逊坦言这是他第一次感觉自己无法在圣安东尼奥终老。最终马刺老板皮特·霍尔特扭转了局势，某一天马刺总经理办公室的电话骤然响起，电话里传出老板的怒吼：“赶快续约罗宾逊，我们不能失去他——还有一半的马刺球迷。”

2003 年罗宾逊已经彻底老去，与年轻时相比英雄迟暮，帕克和吉诺比利重温录像时根本不相信如今这个行动迟缓的老头就是当年叱咤风云的“上将”：“那是罗宾逊吗？”职业生涯最后一役，37 岁的罗宾逊老夫聊发少年狂，引爆了身体里最后“一格”能量。2003 年总决赛第六场对篮网，他砍下 13 分 17 个篮板 2 次盖帽。“我的最后一场比赛，”罗宾逊说，“彩旗飞舞，总冠军，还能找到比这更好的剧本？”波波维奇激动不已：“用这样一场比赛来结束自己的职业生涯，他的表现太棒了。”

大卫·斯特恩颁发奖杯时没有忘记这位老将：“今晚，是一个伟大的时刻，因为我们有机会同罗宾逊说一声再见，谢谢你，罗宾逊。”2003 年，邓肯和罗宾逊联袂当选《体育画报》年度最佳运动员，主编麦克唐内尔解释了两人当选的原因：“在他们明星身份的背后，隐藏着伟大的人格和运动家精神。我相信我们挑出了最好的人选。”

罗宾逊的传奇已经尘封在历史中，他的球衣挂上了 AT&T 中心的穹顶，他的名字载入名人堂的史册。罗宾逊的职业生涯也许并不完美，但他对篮球有着独特的理解，他不想成为迈克尔·乔丹，只是想做独一无二的自己。

〈生涯高光闪回 /71 分之战〉

高光之耀：作为 20 世纪 90 年代四大中锋之一，“海军上将”罗宾逊无疑是一个篮球奇才，但他算不上是一个超级得分手，而能成为跻身“70 分俱乐部”的五位高手之一，不得不说这还是归功于得分王之争的终极排名战。

在 1994 年 4 月 24 日马刺对阵快船，“海军上将”罗宾逊得到了生涯最高的 71 分。这场比赛极具功利色彩，罗宾逊与奥尼尔都在争夺该赛季的得分王，差距极小。魔术队的最后一场比赛时奥尼尔得到 30 分。而马刺队随后给了罗宾逊无限开火权，“海军上将”最终狂收 71 分 14 个篮板，以场均 29.8 分成功超越奥尼尔的场均 29.3 分摘下得分王桂冠，也使他成为 NBA 史上第四名在单场比赛中得到“70+”的球员，前三位分别是张伯伦、埃尔金·贝勒和大卫·汤普森。

“如今，我总是听到人们谈论之前的种种精彩，但是我还没有看到过有谁能和他的出色相提并论。”

——杰里·韦斯特

埃尔金·贝勒常规赛数据表

赛季	球队	篮板	助攻	得分
1958/1959	湖人	15.0	4.1	24.9
1959/1960	湖人	16.4	3.5	29.6
1960/1961	湖人	19.8	5.1	34.8
1961/1962	湖人	18.6	4.6	38.3
1962/1963	湖人	14.3	4.8	34.0
1963/1964	湖人	12.0	4.4	25.4
1964/1965	湖人	12.8	3.8	27.1
1965/1966	湖人	9.6	3.4	16.6
1966/1967	湖人	12.8	3.1	26.6
1967/1968	湖人	12.2	4.6	26.0
1968/1969	湖人	10.6	5.4	24.8
1969/1970	湖人	10.4	5.4	24.0
1970/1971	湖人	5.5	1.0	10.0
1971/1972	湖人	6.3	2.0	11.8

●档案

埃尔金·贝勒 /Elgin Baylor

位置：小前锋

出生日期：1934 年 9 月 16 日

身高：196cm 体重：102kg

效力球队：湖人

球衣号码：22

●荣耀

1 届全明星 MVP：1959

11 届全明星：1959–1965、1967–1970

10 届最佳阵容一阵：1958/1959、1959/1960、1960/1961、1961/1962、1962/1963、1963/1964、1964/1965、1966/1967、1967/1968、1968/1969

名人堂：1977

●常规赛场均数据

27.4 分 /13.5 个篮板 /4.3 次助攻

●季后赛场均数据

27.0 分 /12.9 个篮板 /4.0 次助攻

Q♣

埃尔金·贝勒

ELGIN BAYLOR

贝勒是20世纪60年代NBA最逸伦超群的前锋——运动能力、体格、技艺的全面度，无不如此。1962年总决赛，湖人对凯尔特人第五场，贝勒飙下61分22个篮板球——他的对手是联盟最好的外围防守者之一桑德斯，桑德斯身后是史上最伟大防守中锋拉塞尔。至今他依然保持着总决赛单场得分纪录61分，总决赛半场得分纪录33分，以及八进总决赛依然两手空空的尴尬纪录。

在NBA的各种N大悲情人物的评选中，你总可以看见贝勒的名字。

贝勒拿到过最佳新秀，10次入选第一阵容，11次入选全明星阵容，还在1959年荣膺全明星MVP，入选“史上50大球星”以及奈·史密斯名人堂，甚至还拿到了最佳总经理奖项。他职业生涯八次率队杀入总决赛，但他始终缺一枚总冠军戒指。

更不凑巧的是，就在他因伤不得不从NBA退役后，湖人马上创造了33连胜的纪录，并拿到了NBA总冠军。

贝勒是史上最伟大的小前锋之一，有着湖人球迷熟悉的悬挂式跳投姿势，此外，他才是NBA“上古时代”第一个在篮筐之上打球的人。他至今保持着NBA总决赛得分纪录：1962年总决赛，贝勒在第五场拿下61分的纪录，至今无人能破。之前，他还创造过当时NBA单场得分纪录：1960年11月15日，贝勒在迎战尼克斯时单场得到了61分。

目前他职业生涯场均得分27.4分高居NBA史上第四位，而职业生涯11463个篮板的湖人队史纪录至今无人能破。考虑到他的身高只有1.96m，再考虑一下湖人队史上伟大中锋层出不穷，这一成就显然更令人叹服。

“他是史上最特别的投手，”贝勒在湖人时期的老搭档杰里·韦斯特在1992年接

受 *HOOP* 杂志采访时说，“现在很多人都在讨论前锋，但没人能和贝勒相比。”

贝勒几乎拯救了当时的湖人。1958 年，贝勒在第 1 顺位被当时的明尼阿波利斯湖人选中。那时候的湖人，已经远非拥有联盟史上第一个明星乔治·麦肯时候的豪强了。没落的贵族扑倒在尘埃的那一刻总是愈加狼狈与不堪。

内忧外患的湖人正在寻找一位能“救世”的球星，他们说服了贝勒，让后者放弃在西雅图大学的最后一年，提前进入了职业篮球生涯，“菜鸟”赛季就以头号王牌的身份率队杀入总决赛，这是历史上大多数巨星都难以做到的一点。

“如果贝勒没能打出身价，我可能就转行了，球队也可能会垮掉。”时任湖人老板的鲍勃·肖特说。他为贝勒开出了 2 万美元的年薪，这在当时是巨额数字。

贝勒没让肖特失望。从 1960 年至 1963 年，他一直保持着璀璨夺目的赛季场均得分：34.8 分 38.3 分和 34.0 分，并创造了多项得分纪录。甚是遗憾的是，贝勒始终没有捧得总冠军奖杯。

1971/1972 赛季，因伤只打了 9 场比赛的贝勒选择退役。两年后，他开始了执教生涯。1986 年，他被洛杉矶快船聘为球队主席，并一直工作至 2008 年。22 年总经理职业生涯期间，他还获得过一次最佳经理称号：2006 年，快船 40 年来首次打入季后赛，和贝勒的努力分不开。

2009 年 2 月 4 日，鉴于贝勒和韦斯特这两位湖人先贤为湖人来到洛杉矶最初的那些

岁月里所做的贡献，湖人在洛杉矶纪念体育广场的墙壁上为这两位开路先锋浇筑了两个青铜像，命名为“冰火双墙”，以示破冰开路和薪火相传之意。

湖人来到洛杉矶 51 年，11 尊闪耀夺目的总冠军奖杯，血脉贲张的湖人秀，这些都成了人们印象深刻的事情。但人们同样不应忘记，当年湖人从冰天雪地的明尼阿波利斯辗转千里来到四季如春的洛杉矶，第一个走进洛杉矶的湖人球员名叫贝勒，那个为他们在“天使之城”根植“王朝”血脉的人名叫贝勒。

〈生涯高光闪回 / 季后赛 61 分〉

高光之耀：如果放到电视普及率很高的当下，1962 年总决赛贝勒的表演绝对是让人印象深刻的。这个 1.96m 的神人，在系列赛第五场里，用个人无与伦比的运动天赋和个人能力，把自己推至个人的巅峰。他在凯尔特人头上砍下了 61 分 22 个篮板，这是 NBA 前无古人后也难有来者的成就。

1962 年 4 月 14 日，波士顿北岸花园球馆，湖人和凯尔特人总决赛系列赛第五场。在这场巅峰对决中，贝勒将他的才华展示到了极致。比赛的第一节，贝勒手感便热得发烫砍下 18 分；第二节贝勒轰下 15 分，半场 33 分刷新总决赛半场得分纪录。下半场贝勒再接再厉砍下 28 分，全场比赛贝勒 48 投 22 中，砍下令人瞠目结舌的 61 分！此外，他还抢下了 22 个篮板，带领湖人 126 比 121 获胜。贝勒在这场比赛中的表现如同梦幻，一连串令人吃惊的移动和投篮，一次次刺痛着波士顿球迷的心。

不管首发还是替补，不管是挡拆还是运球突破，不管是篮板还是传球，哈弗里切克都能做到最好。这也是为什么他一直都是胜利者的原因。

约翰·哈夫里切克常规赛数据表

赛季	球队	篮板	助攻	得分
1962/1963	凯尔特人	6.7	2.2	14.3
1963/1964	凯尔特人	5.4	3.0	19.9
1964/1965	凯尔特人	4.9	2.7	18.3
1965/1966	凯尔特人	6.0	3.0	18.8
1966/1967	凯尔特人	6.6	3.4	21.4
1967/1968	凯尔特人	6.7	4.7	20.7
1968/1969	凯尔特人	7.0	5.4	21.6
1969/1970	凯尔特人	7.8	6.8	24.2
1970/1971	凯尔特人	9.0	7.5	28.9
1971/1972	凯尔特人	8.2	7.5	27.5
1972/1973	凯尔特人	7.1	6.6	23.8
1973/1974	凯尔特人	6.4	5.9	22.6
1974/1975	凯尔特人	5.9	5.3	19.2
1975/1976	凯尔特人	4.1	3.7	17.0
1976/1977	凯尔特人	4.8	5.1	17.7
1977/1978	凯尔特人	4.0	4.0	16.1

档案

约翰·哈夫里切克 /John Havlicek
位置：小前锋
出生日期：1940 年 4 月 8 日
身高：196cm 体重：92kg
效力球队：凯尔特人
球衣号码：17

荣耀

8 届总冠军：1963、1964、1965、1966、1968、1969、1974、1976
1 届总决赛 MVP：1974
13 届全明星：1966–1978
5 届最佳防守阵容一阵：1971/1972、1972/1973、1973/1974、1974/1975、1975/1976
4 届最佳阵容一阵：1970/1971、1971/1972、1972/1973、1973/1974
名人堂：1984

常规赛场均数据

20.8 分 /6.3 个篮板 /4.8 次助攻

季后赛场均数据

22.0 分 /6.9 个篮板 /4.8 次助攻

Q♦

约翰·哈夫里切克

JOHN HAVLICEK

哈夫里切克单凭无穷耐力就已经是史上最厉害的球员之一了，可这家伙同时还是个得分高手、灵巧的控球手以及机智的防守球员，同时他又是手握八枚总冠军戒指的人生赢家，老天也太偏心了……在体能、戒指、数据之外，哈夫里切克是一个什么样的球员？答曰，他是皮蓬之前的皮蓬。NBA 史上“摇摆人”的鼻祖，20 世纪六七十年代最全能的锋线球员。

2017 年是哈夫里切克退役的第 40 个年头。时过境迁，恍若隔世。

他长达 16 年的职业生涯里，唯一被后人不断提及的只剩下不到 5 秒的一瞬间。莫斯特的那句经典解说词与这一瞬间同在：“哈夫里切克断球啦！比赛结束啦！”

这一刻发生在 1965 年的东部决赛第七场。最后时刻，凯尔特人 110 比 109 领先。余下 5 秒，拉塞尔发边线球，失误，76 人发球。拉塞尔憋红了脸，暂停时只嘟囔着一句话：“看来我们得干点什么。”

76 人名宿哈尔·格里尔发界外球，他的任务是将球送给禁区的威尔特·张伯伦，然而张伯伦却被比尔·拉塞尔死死卡在身后，K.C·琼斯高举双臂，挥舞干扰格里尔的发球视野。哈尔·格里尔控球拖延了 4 秒，而后将球传出。电光火石间，哈夫里切克陡然杀出将球断下，随后传给了萨姆·琼斯。比赛结束。胜负已晓，大局已定。

球迷们潮水般疯狂地冲上球场，解说员约翰尼·莫斯特瞬间陷入疯狂，大声呼喊：“哈夫利切克断球啦！比赛结束啦！哈夫里切克断球啦！”

凯尔特人进军总决赛，然后完成七连冠，然后是八连冠，在著名的“塞尔维投失绝杀”桥段之后，这是“绿衫军”王朝神话最有可能被颠覆的一刻。但哈夫里切克阻止了所有的可能。也正是因为如此，这一刻才会在五十年后依然拥有震撼人心的力量。

这是哈夫里切克在 NBA 的第三个赛季。在那支传奇的队伍里，即使他贵为 1962 年的七号秀，直至此时还是只能老老实实打替补。不过奥尔巴赫老早就有安排，选他来，就是为了接过拉姆西的枪。拉姆西是谁？答曰，NBA 史上第一个“最佳第六人”代名词。哈夫里切克则是第二个，当然了，也是最成功的一个。他首个 NBA 赛季场均 14.3 分 6.7 个篮板，第二个赛季这一数据提升到 19.9 分。

对于这个时期扮演的角色，哈夫里切克自己非常有觉悟：“我努力奔跑，然后接过鲍勃·库西的传球完成上篮。”他是个跑不死的家伙。每次快攻他总是冲在最前面，而阵地战的时候他也马不停蹄地跑空位。防守端他够快、够狠、够结实，防三个位置都不在话下。不可思议的耐力以及强健的身体素质，使得高中阶段的哈夫利切克拥有一个“铁肺”，可以同时参加三个项目的体育运动，并且在这三项运动中，都入选了全州的最佳阵容。

事实上，选秀前，主教大人看过他的训练之后，就被他恐怖的体能震撼到了，于是送了他一个绰号：“永动机”。

职业生涯前四年，他收集了四个冠军。隔了一年后，又是连续两个冠军。第六个冠军是在 1969 年，伟大的比尔·拉塞尔在这一年第 N 次宿命般击败张伯伦、贝勒、韦斯特，拿到 13 年职业生涯里第 11 个冠军，成为 NBA 有史以来的最大赢家，功成身退。至此，以比尔·拉塞尔、鲍勃·库西、海因索恩、K.C·琼斯、萨姆·琼斯命名的“绿衫时代”结束了最辉煌的一段传奇。而在这个时候，哈夫里切克的个人巅峰才刚刚开始。

哈夫里切克的原话：“前 7 个赛季我一直都是队里的小屁孩。结果突然之间就成了‘老大哥’了，那些‘菜鸟’一个个都得听我的。不过也不止我一个人是这样。”

这是一种什么样的感觉？他用自己年轻的能量和担当，站在一连串辉煌的名字背后，为 NBA 史上最伟大的王朝贡献了自己的力量，也留下了一段不朽的传说。当他成为一个真正成熟的球员之后，他要延续“绿衫军”的骄傲和荣耀——虽然拉塞尔等人的神话是不可能被复制，但哈夫里切克的表现俯仰无愧：1971/1972 赛季和 1972/1973 赛季，“绿衫军”连续拿下东部最佳战绩，成功打入了东部决赛。1973/1974 赛季和 1975/1976 赛季，哈夫里切克成功得到了他的第七和第八个总冠军，并在 1974 年加冕总决赛 MVP。至此，他的戒指数仅次于老大哥拉塞尔和 K.C·琼斯。

在 1978 年退役时，他留下的数据是这样的：生涯最多出场场次（1269 次），季后赛最多出场场次（172 次）；他是唯一一位连续 16 年“每赛季得分进账 1000+”的球员；生涯得分榜第三（26895 分）；生涯出场时间第二（46407 分钟）。这些数据后来当然有许多被超越了，但在他那个时代，在他退役的时候，你可以想象这意味着什么。

他当然越不过比尔·拉塞尔，后来由于拉里·伯德的存在，他也无缘成为“绿衫军”

第一小前锋。这虽然无损于他的伟大，但命运似乎喜欢和他开一点类似的玩笑：1973 年季后赛，凯尔特人带着 68 胜的队史最佳战绩冲向冠军，而他却在东部决赛受伤。

1974 年总决赛第六场最后 5 秒，他面对贾巴尔一记跳投得手，眼看就能用一记绝杀举起总冠军奖杯，不料却被贾巴尔反绝杀，加冕时刻被延迟到生死局。1976 年总决赛，这种无聊的事情又发生了：总决赛第五场，凯尔特人大比分已然 3 比 1 领先，他在最后两秒又是一记完美跳投，绝杀！观众已经涌进场中庆祝，但裁判跪地，提醒比赛没完——随后保罗·韦斯特法尔主动技术犯规，换来中场发球，赫德一记跳投将比赛拖进加时——虽然太阳队没能逆天改命，但哈夫里切克的完美意境又被破坏了。

1970/1971 赛季，他场均打 45.4 分钟，贡献 28.9 分 9.0 个篮板 7.5 次助攻，全面程度可见一斑。下一个赛季，他的数据仍旧维持在场均 27.5 分 8.2 个篮板 7.5 次助攻。尼克斯的传奇教练里德·霍兹曼曾惶恐地表示："他单凭无穷的耐力就已经是史上最厉害的球员之一了。而对于和他对阵的球员及教练们来说，光有惊人的体力还算是公平。可这家伙同时还是个得分高手、灵巧的控球手以及机智的防守球员。老天也太偏心了。"

2014 年 11 月 12 日，科比在 4m 外投丢一记跳投。这是他在 NBA 赛场上投丢的第 14318 球，NBA 史上第一。被他超越的正是哈夫里切克。科比的性情我们都知道——但事实上，哈夫里切克和他颇有共通之处——嗯，否则他们也不会雄踞"打铁榜"冠亚军。注意，这里绝对不是在诽谤，而是在赞美。

1976 年季后赛刚开始，哈夫里切克左脚底韧带断裂，队医给出的方案是每天在冰水里浸泡 3 小时。剽悍的哈夫里切克二话不说回家就泡了 6 个小时，后来他每天都泡上 6 或 7 个小时，因为他认为这样就能起到双倍效果。

这样一来，是不是就感觉很亲切、很熟悉了？当代的球员里，也就是科比、加内特这样的偏执狂能干出这样的事情。也就是这样的人，才能成为传奇。

嗯，伟大的凯尔特人名宿哈夫里切克，便是如此了。

〈生涯高光闪回 / 世纪抢断〉

高光之耀：1965 年东部分区决赛是 NBA 总冠军外最伟大的一次比赛。你看到两个世纪宿敌比尔·拉塞尔和威尔·特张伯伦之间的争斗。这件事发生之后，当时波士顿直播这场比赛的解说员约翰尼·莫斯特瞬间癫狂，他用尽全身力气，歇斯底里地喊出了体育直播史上最强音："哈夫里切克抢断啦！"

1965 年东部决赛第七场，距比赛结束还剩 5 秒，比尔·拉塞尔发界外球，结果失误地将球发给费城 76 人的哈尔·格瑞尔，当时 76 人正以 109 比 110 落后，格瑞尔正准备将球传给威尔特·张伯伦，哈夫利切克在中场线附近闪电般跳起将球断下，随后赛场上就响起了那句"哈夫里切克断球啦"的吼声，莫斯特重复了一遍又一遍。

在随后的总决赛上，凯尔特人也如愿捧得了总冠军奖杯。

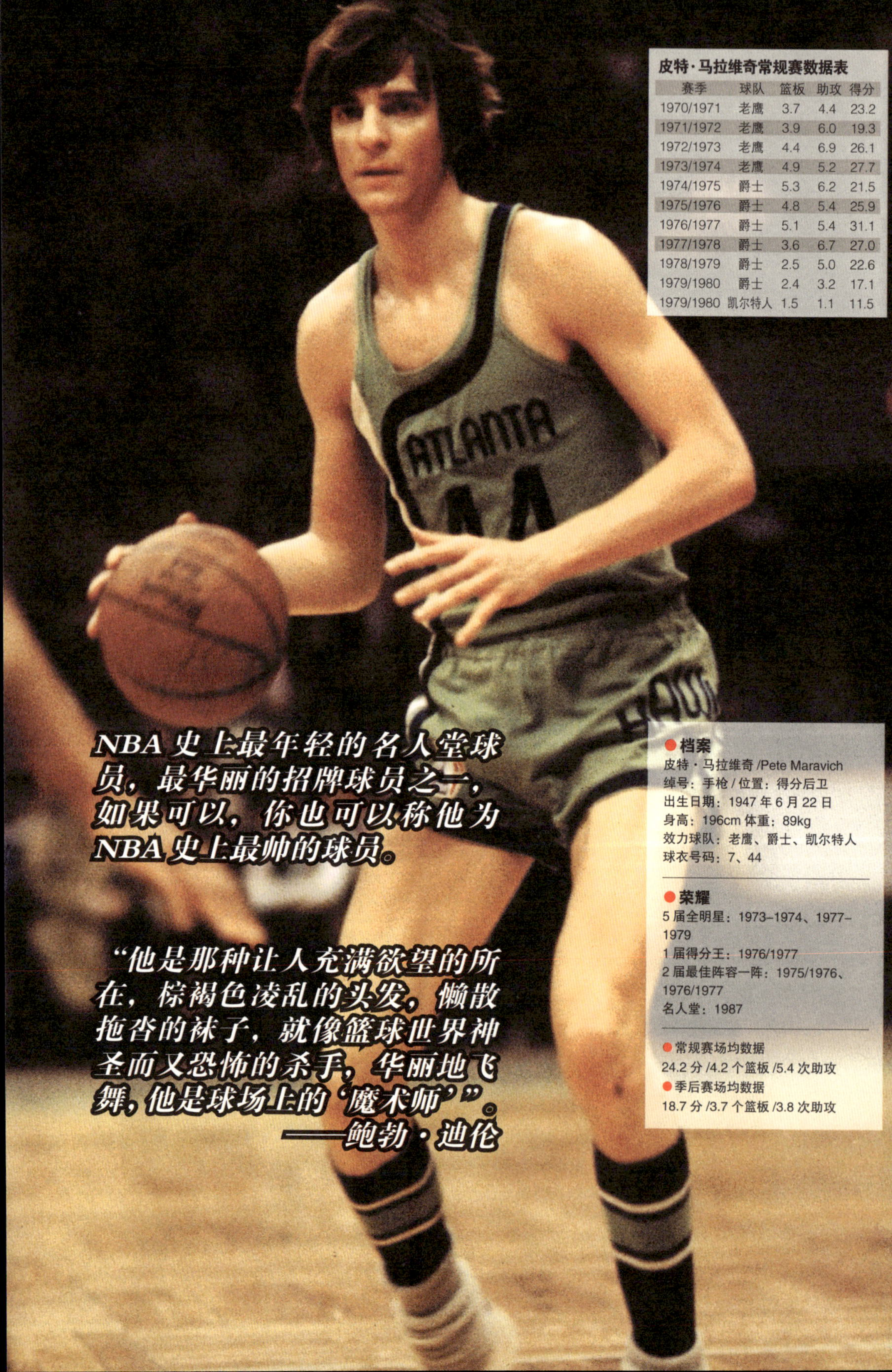

皮特·马拉维奇常规赛数据表

赛季	球队	篮板	助攻	得分
1970/1971	老鹰	3.7	4.4	23.2
1971/1972	老鹰	3.9	6.0	19.3
1972/1973	老鹰	4.4	6.9	26.1
1973/1974	老鹰	4.9	5.2	27.7
1974/1975	爵士	5.3	6.2	21.5
1975/1976	爵士	4.8	5.4	25.9
1976/1977	爵士	5.1	5.4	31.1
1977/1978	爵士	3.6	6.7	27.0
1978/1979	爵士	2.5	5.0	22.6
1979/1980	爵士	2.4	3.2	17.1
1979/1980	凯尔特人	1.5	1.1	11.5

NBA史上最年轻的名人堂球员，最华丽的招牌球员之一，如果可以，你也可以称他为NBA史上最帅的球员。

“他是那种让人充满欲望的所在，棕褐色凌乱的头发，懒散拖沓的袜子，就像篮球世界神圣而又恐怖的杀手，华丽地飞舞，他是球场上的‘魔术师’”。

——鲍勃·迪伦

● 档案

皮特·马拉维奇 /Pete Maravich
绰号：手枪 / 位置：得分后卫
出生日期：1947 年 6 月 22 日
身高：196cm 体重：89kg
效力球队：老鹰、爵士、凯尔特人
球衣号码：7、44

● 荣耀

5 届全明星：1973–1974、1977–1979
1 届得分王：1976/1977
2 届最佳阵容一阵：1975/1976、1976/1977
名人堂：1987

● 常规赛场均数据

24.2 分 /4.2 个篮板 /5.4 次助攻

● 季后赛场均数据

18.7 分 /3.7 个篮板 /3.8 次助攻

J♠

皮特·马拉维奇

PETE MARAVICH

一头摇滚歌手般飘逸的长发，加上堪比影视明星的俊逸面容，还有出神入化、殊行绝才的篮球绝技加持，我们试想如果“手枪”活在如今，将是一种如何风靡天下的存在。

40 岁英年早逝，生命中的最后时刻停留在篮球场，这也许就是马拉维奇的宿命，他是唯一一位无法现场接受荣誉的五十大巨星，但球迷永远不会忘记马拉维奇帅气的拔枪动作，那是“手枪”的专利。

背后技巧的由来就源自马拉维奇，从亚特兰大的自由天空到盐湖城的优雅球场，马拉维奇在书写着一部部动人的球场诗篇。

某种程度上，父亲的选择改变了马拉维奇的人生轨迹。20 世纪 20 年代绝大多数塞尔维亚移民成为工人阶级，在生产流水线上度过一生，这几乎是他们唯一的选择。普莱斯·马拉维奇却另辟蹊径，大学毕业后他加入底特律老鹰队开始全国巡演，从海军退役后又重返职业联赛，先后效力 NBL 和 BAA，儿子马拉维奇出生时他已经开始了执教生涯。

马拉维奇很早就开始接受专业训练，流川枫选择湘北是因为离家近，马拉维奇加盟路易斯安那州大多半是因为父亲，彼时普莱斯·马拉维奇的身份是 LSU 的主帅。马拉维奇在路易斯安那州大声名鹊起，因为投篮动作酷似牛仔拔枪，人送绰号“手枪”，强大的得分火力让这个绰号名副其实。

大学时代的马拉维奇就像摇滚明星，发型与约翰·列侬如出一辙，邋遢窝囊的旧袜子一度成为他的招牌，特立独行的表演时刻是他比赛中无法分割的部分。

由于马拉维奇的存在，路易斯安那州大成为全美最受欢迎的客队。“我非常喜欢客场的气氛，甚至更喜欢在客场打球。”马拉维奇的队友里奇·西克曼说，“只有极少几次我们会遇到真正恶毒的球迷。尽管他们会为马拉维奇的失误喝倒彩，但表演正式开始时他们又会毫不犹豫地欢呼，仿佛比赛双方都是他们的主队，那感觉棒极了。”

1968/1969 赛季最后一场比赛，路易斯安那州大和乔治亚激战两个加时，最后时刻马拉维奇为了保住领先优势使用了拖延战术，他与防守球员玩起了捉迷藏，最终在三名乔治亚球员的围追堵截下，在乔治亚球迷的倒计时读表声中扔进一记9.1m 开外的压哨“天勾”，用马拉维奇的话说：“除了氧气，什么都没碰到。”

马拉维奇只用了三个赛季就成为 NCAA 历史得分王，同时霸占了几乎所有跟得分有关的纪录，2005 年 *ESPN* 将他评选为大学历史上最伟大的球员。NCAA 的传奇履历就是 NBA 的敲门砖，1970 年亚特兰大老鹰用第 3 顺位将“手枪”收至账下。

从迈入职业篮坛的第一天起，马拉维奇就跟争议形影不离，批评家们否定他的职业生涯，因为华丽的数据之外他从来都不是一个胜利者，大学三年 LSU 的战绩只有差强人意的 49 胜 45 负，而 NBA 始终遵循胜利至上的篮球哲学。亚特兰大的“老兵们”一开始就不喜欢马拉维奇，因为这个初来乍到的“菜鸟”拿着让人眼红的高薪，还出言不逊，得意地宣扬胸前传球可赚不到百万美元的合同。

马拉维奇炫酷的球风和不羁的态度与整个时代格格不入，他喜欢用华丽的表演取悦球迷，却拒绝向世俗谄媚。*ESPN* 专栏作家罗伯特·雷普斯特如此评价：“马拉维奇是 Show Time 之前的 Show Time。唯一的问题就是他身边还有 4 个人。他从来不考虑其他队友。”人们沉醉于马拉维奇神出鬼没的表演，但职业球队不仅仅需要一个兜售球票的得分机器，在亚特兰大“手枪”与球队的价值观南辕北辙。

“这是我的风格，”马拉维奇对于质疑不以为然，“我这么做是为了球队，为了球迷，为了我自己。使用背后传球从来不是为了卖弄炫耀，而是根据实际情况合理运用，同时让观众兴奋起来。如果妙传和直传都能得分，我一定选择妙传。”

刚刚加入 NBA 的新奥尔良黄蜂没有太多的清规戒律，马拉维奇拥有随心所欲的发挥空间。1976/1977 赛季“手枪”场均贡献 31.1 分，荣膺得分王。1977 年 2 月 25 日，在一场并不常见的电视转播里，马拉维奇砍下 68 分，对手是拥有防守悍将沃尔特·弗雷泽的尼克斯，从比赛一开始直到比赛还剩不到两分钟犯满离场，“手枪”始终没有停止射击。爵士播音员浩特·罗德·亨得利回忆：“马拉维奇高高跃起，一次漂移投篮，裁判判定进攻犯规，如果不是这样，马拉维奇会得到一次罚球，有机会超过 70 分。”

得分盛宴的背后是球队尴尬的战绩，马拉维奇为爵士效力的 6 个赛季里，球队彻底与季后赛无缘。在坊间看来马拉维奇是个人第一、团队第二的反面典型，批评家们认为他从小独自练球，长大以后也习惯单枪匹马，整个职业生涯马拉维奇都没有摆脱这些尖锐的批评。一位联盟官员说：“比尔·沃顿会觉得自己属于波特兰，贾巴尔认定他是个湖人，‘J 博士’觉得自己与 76 人融为一体，但马拉维奇认定自己不属于爵士，他比爵士还要大。”

聚光灯下马拉维奇风光无限，名利双收，内心深处却敏感脆弱，极度缺乏安全感，篮球是他的生活方式，却无法给他快乐。与大多数 NBA 球员一样，伤病成为马拉维奇职业生涯的转折点，那记杂耍一般带有浓烈手枪风格的传球最终撕裂了他的膝盖韧带。

1980 年被爵士放弃的马拉维奇成为凯尔特人的雇佣兵，如同喝醉的“披头士”一样，他身材走样，面目憔悴，却依然是球迷的宠儿，至少在波士顿他还享有众星捧月的待遇，每个进球都让球迷疯狂不已。这一次马拉维奇达到了职业生涯的极限——东部决赛，然而在季后赛中他场均只有 6 分入账。与麦蒂类似，马拉维奇年轻时才华横溢，不知胜利为何物，生涯暮年终于体味到赢球的可贵，却已沦为配角。

1974 年马拉维奇接受采访时说：“我不希望再打 10 年篮球，然后在 40 岁时死于心脏病。”一语成谶，1988 年 1 月 5 日，“手枪”在一场三对三业余比赛中猝死，享年 40 岁。验尸官发现，马拉维奇天生缺少一条重要冠状动脉，类似病例的病人通常活不过 20 岁，更别提在球场上来回奔跑 20 年！

马拉维奇的一生也充满遗憾：篮球生涯从未进过总决赛，有一手出众的传球技巧但队友弱势，超远投篮精湛但那时 NBA 还没有划分三分线。英年早逝，如今马拉维奇已静静地躺在地下，留下的是那一片片华丽的篮球乐章。

〈生涯高光闪回 / “手枪”永耀〉

高光之耀：马拉维奇在 12 岁时就已经得到“手枪”这个绰号，也许是他投篮时的动作像手枪上膛。也有另解因为其闪电般的出手速度和弹无虚发的命中率而从中学时代起被人们称作“手枪”。

马拉维奇充满激情，善于表演，他将背后运球和腿间传球的技术发扬光大并日臻成熟，虽然这两项技术在当时不被认可，认为马拉维奇似乎有点亵渎篮球，但是这位敢于创新的天才用事实证明了他这种随心所欲的技术发挥不但具有观赏性，而且更有实战性。

手枪由于短小轻便，携带安全，准确率一直很高，而马拉维奇一直都以精确的中远投篮著称，但在他的职业生涯里，还没有 3 分球的规定，他所有的得分，不管出手点多远，都被算成 2 分。

在马拉维奇最后一个赛季（1979/1980），NBA 终于启用三分机制。尽管马拉维奇的技巧已经钝化，膝盖已经废掉，但他尝试三分的表现是 15 中 10。虽然“手枪”已老，但仍弹无虚发，他形似手枪上膛的投篮姿势将永远留在广大球迷的记忆中。

帕特莱利说马拉维奇太醉心于把球场当作自己的舞台，无视队友。其实个人能力是一码事，历史地位又是一码事，如果，1978 年他没有撕裂膝盖韧带，那么 30 岁的他将会有怎样的命运殊途？

那时的马拉维奇连续两年入选联盟第一阵容，刚刚夺取得分王，在“20 世纪 70 年代的佩顿”弗雷泽头上砍下职业生涯最彪炳的纪录——68 分，但伤病令这位绝世的天才辉煌之路戛然而止……

档案

鲍勃·库西 /Bob Cousy
位置：控球后卫
出生日期：1928 年 8 月 9 日
身高：185cm 体重：79kg
效力球队：皇家、凯尔特人
球衣号码：14、19

荣耀

6 届总冠军：1957、1959、1960、1961、1962、1963
1 届常规赛 MVP：1956/1957
2 届全明星 MVP：1954、1957
13 届全明星：1951–1963
8 届助攻王：1952/1953、1953/1954、1954/1955、1955/1956、1956/1957、1957/1958、1958/1959、1959/1960
10 届最佳阵容一阵：1951/1952、1952/1953、1953/1954、1954/1955、1955/1956、1956/1957、1957/1958、1958/1959、1959/1960、1960/1961
名人堂：1970

常规赛场均数据
18.4 分 /5.2 个篮板 /7.5 次助攻
季后赛场均数据
18.5 分 /5.0 个篮板 /8.6 次助攻

“斯托克顿与‘魔术师’，两个人综合起来你就知道鲍勃·库西是一名什么样子的球员了。”
——汤米·海索恩

鲍勃·库西常规赛数据表

赛季	球队	篮板	助攻	得分
1950/1951	凯尔特人	6.9	4.9	15.6
1951/1952	凯尔特人	6.4	6.7	21.7
1952/1953	凯尔特人	6.3	7.7	19.8
1953/1954	凯尔特人	5.5	7.2	19.2
1954/1955	凯尔特人	6.0	7.8	21.2
1955/1956	凯尔特人	6.8	8.9	18.8
1956/1957	凯尔特人	4.8	7.5	20.6
1957/1958	凯尔特人	5.0	7.1	18.0
1958/1959	凯尔特人	5.5	8.6	20.0
1959/1960	凯尔特人	4.7	9.5	19.4
1960/1961	凯尔特人	4.4	7.7	18.1
1961/1962	凯尔特人	3.5	7.8	15.7
1962/1963	凯尔特人	2.5	6.8	13.2
1969/1970	皇家	0.7	1.4	0.7

J♥

鲍勃·库西

BOB COUSY

作为一个控球者和传球手，库西的理念和动作领先于同时代其他球星。他两只手都能运球，他可以从后场传球，也能送出不看人传球给队友。在引领篮球走向“摩登时代”方面，这位硬木地板上的“魔术师”早在圣十字学院时，就已经在用背后运球这种“后现代主义”招式打球了，相比于他的时代，他实在是太超前了。

库西的童年并没有多少欢声笑语。他出身贫穷，在东曼哈顿的约克维尔长大。他的父亲是法国移民，也是一名“二战”老兵，为了维持生计，父亲一边开出租车一边打黑工。库西5岁之前只会说法语，上了小学才开始学英文。一开始他在约克维尔的街头打棍球，后来改打篮球。跟他打球的小伙伴们也大多来自五湖四海，文化背景、宗教信仰各不相同。童年的这种经历让库西从小就产生了强烈的反种族歧视的态度，这一态度也贯穿了他职业生涯的始终。

库西的篮球天赋和才华很快就显现了出来，他在皇后区的安德鲁·杰克逊高中上学的时候就入选了校队预备队。他技惊四座，球队也战绩斐然，给人留下极为深刻的印象，波士顿学院也因此为他提供了奖学金。不过最终库西还是选择了波士顿以西60km的伍斯特的圣十字学院。有了库西的加盟，再加上他那神乎其神的篮球技艺，十字军战士队当年就夺得了NCAA冠军。但库西在总决赛的罚球仅有13投2中。

主教练道吉·朱利安对这个徒弟的表现不甚满意，因此在下赛季限制了他的上场时间。在一次与芝加哥洛约拉大学漫步者的比赛中，球迷们高喊“我们要库西”，要求把库西换上场。最终朱利安把这个核心控卫重新派到了场上。作为报答，库西在5分钟内砍下 11 分，并在一次背后运球后，出手命中了一记绝杀球。

在 1950 年带领十字军战士取得 26 连胜之后，库西准备进入 NBA。凯尔特人的球迷们想要选择库西，伟大的“红衣主教”奥尔巴赫对此持反对意见。不过，上天又给了凯尔特人一次机会：“三城黑鹰”用他们的首轮选秀签选了库西，但没能和他达成签约，三城把库西的签约权转给了芝加哥公鹿，而公鹿随即解散了，波士顿是三支参与抽签决定公鹿最好球员去向分配的球队中最后那支——他们从一顶帽子里抓出了库西的名字。

在“红衣主教”奥尔巴赫的职业生涯中，能让他彻底无语的人和事并不多。库西就是其中之一，他让这个在选秀前认定他是“绣花枕头”的传奇教练无话可说。

1953 年季后赛，凯尔特人对阵锡拉丘兹民族队的系列赛第二场。凯尔特人有能力捍卫主场，从而取得进入 20 世纪 50 年代以来球队的第一次季后赛胜利。胜利的希望都寄托在库西身上，他自 1950 年开始为球队效力，担任控球后卫。虽然库西当时受到了腿伤困扰，但仍然咬牙坚持，将比赛拖入了加时。

然后就是库西伟大的表演时刻了。他在四个加时中总共砍下了 25 分，其中在第二个加时包揽了全队的得分，并以一记超远压哨球将比赛拖入第三个加时。最终库西在 66 分钟内豪揽 50 分，帮助球队获胜。此外，他罚球 32 投 30 中，这也是迄今为止 NBA 的单场罚球命中纪录。“主教”大人傻眼了，因为每个人都记得他曾经的嘴炮：“我拿着主教练的薪水是为了赢球的，可不是为了签一个华而不实的“二货”来哗众取宠的。”

年轻的库西成了全联盟最激动人心的球员，他的比赛风格是如此独特，与球迷们之前所看的球赛都截然不同。他有华丽的背后运球，令人捉摸不定的不看人传球以及娴熟的左右开弓，这在当时没几个人能做到。而这背后的故事却既稀奇古怪又痛苦心酸。库西小时候一次不慎从树上跌落，摔断了右臂，此后不得不练习用左手运球。多年后重提此事，库西不禁感慨：“事后看来，我觉得那是幸运之神给我的馈赠。”

事实上，传奇在新秀赛季就开始了，这位 22 岁的“菜鸟”控卫场均 15.6 分 4.9 次助攻，由此开启了他的连续 13 届全明星之旅，并把凯尔特人当年东部垫底的 22 胜提高到了 39 胜，然后是阔别已久的季后赛。

第三个赛季， 库西的数据呈井喷式爆发，他场均能送出 7.7 次助攻，联盟第一。当时联盟的普遍打法是把球喂给篮下的大个子去搏杀，而库西那种前无古人的凌厉风格跟当时联盟这种静态缓慢的打法形成了鲜明对比。此后八年一直领衔联盟助攻榜。然而到了季后赛，在第二轮对阵纽约尼克斯队时，他们又一次败下阵来。

库西的个人能力变得越来越强，而奥尔巴赫也充分利用了自己的当家控卫的优势，打起了快攻战术。但之后三年凯尔特人又都负于了锡拉丘兹民族。库西对此表示：“我们总是在赛季末后继乏力，必须得有所改变。”

奥尔巴赫也看出来了，要想夺得总冠军还缺少几个重要的球员作拼图。库西，这个被球迷们称为“硬木地板上的胡迪尼”的王牌控卫，还需要一些帮手才能走得更远。

而帮手很快就来了，他就是拉塞尔，他抄截横传球或是展开大鸟一样的臂展封盖和恐吓投篮的手段无人能及。凯尔特人其他防守队员开始把盯防的球员逼往拉塞尔的区域，而且对中距离防守变得更加有自信，因为他们知道拉塞尔就在自己身后。

每当对手投篮，库西就做好了快下的准备，拉塞尔会直接将球盖到他的手中或者抓下篮板长传，然后库西和比尔・沙曼杀向前场，一个控纵全局，一个百步穿杨。这流水线般的流畅协作让凯尔特人所向披靡，最巅峰的他们场均 80 个篮板 119 次投篮，足以战胜任何对手。这同样被后世所模仿，中锋保护禁区 + 控制篮板 + 一传和明星后卫快下反击的戏码，至今不曾从 NBA 消失。

除了中锋拉塞尔，波士顿还签来了汤姆・海因索恩。库西以赛季场均 20.6 分 4.8 个篮板和 7.5 次助攻的数据首次当选常规赛 MVP。在总决赛和鲍勃・佩蒂特率领的圣路易斯老鹰鏖战七场，终于拿下了对手。库西终于得到了他第一个总冠军。下一个赛季凯尔特人又轻松杀进了总决赛，但由于拉塞尔在第三场脚部不幸受伤，最终凯尔特人遗憾负于圣路易斯老鹰。但这也是库西最后一次在季后赛系列赛中失利。

在接下来的三季总决赛里，凯尔特人先横扫湖人，又以“4 比 3”和“4 比 1”两次战胜老鹰。库西在对阵湖人的比赛中创下了单场 28 次助攻的联盟纪录。虽然这一纪录在 17 年后被打破，但他半场 19 次助攻的纪录至今仍无人能望其项背。

1961/1962 赛季，33 岁的库西已经感受到了岁月的压力。在连续十次雄踞联盟一阵之后，当季他仅入选了第二阵容。之后的一个赛季库西数据有所下滑，对阵湖人的总决赛里，他们直到最后才分出胜负。在抢七大战里，湖人后卫弗兰克・塞尔维错失绝杀，凯尔特人涉险连续第四次捧杯，四连冠！崭新的历史诞生了。

库西的最后一次季后赛之旅是在 1962/1963 赛季，戏剧性的一幕再次上演。在总决赛第六场的第四节比赛中，库西不幸扭伤脚踝，却在最后的关键时刻“王者归来”。虽然他没有再得分，但他的返场极大地鼓舞了球队。最终凯尔特人以 112 比 109 取胜，库西在终场哨音响起时把球用力抛向花园球馆的穹顶。五连冠以及第六冠到手，完美谢幕。

库西的退役仪式在花园球馆举行，当日球馆里人山人海，一票难求。原本计划 7 分钟的告别典礼被延长到了 20 分钟，球迷们只是不停地鼓掌，掌声经久不息。库西也情难自禁，任眼泪肆意流淌，这就是后来传奇的“波士顿眼泪派对”。但是库西并没有就此把篮球放下，他退役后担任了波士顿学院校队的主教练。而他的凯尔特人继续一路呼啸向前，席卷着那个时代的一切荣耀——八连冠，以及 13 年里 11 个总冠军，成就了空前绝后的“绿衫王朝”。

“我喜欢科比，因为他和我一样偏执，一样为胜利付出一切！只有这样的人才有可能获得成功。”

——埃尔文·海耶斯

档案

埃尔文·海耶斯 /Elvin Hayes
位置：大前锋
出生日期：1945 年 11 月 17 日
身高：206cm 体重：107kg
效力球队：火箭、子弹
球衣号码：11、44

荣耀

1 届总冠军：1978
12 届全明星：1969–1980
1 届得分王：1968/1969
2 届篮板王：1969/1970、1973/1974
3 届最佳阵容一阵：1974/1975、1976/1977、1978/1979
名人堂：1990

常规赛场均数据
21.0 分 /12.5 个篮板 /1.8 次助攻

季后赛场均数据
22.9 分 /13.0 个篮板 /1.9 次助攻

埃尔文·海耶斯常规赛数据表

赛季	球队	篮板	盖帽	得分
1968/1969	火箭	17.1	–	28.4
1969/1970	火箭	16.9	–	27.5
1970/1971	火箭	16.6	–	28.7
1971/1972	火箭	14.6	–	25.2
1972/1973	子弹	14.5	–	21.2
1973/1974	子弹	18.1	3.0	21.4
1974/1975	子弹	12.2	2.3	23.0
1975/1976	子弹	11.0	2.5	19.8
1976/1977	子弹	12.5	2.7	23.7
1977/1978	子弹	13.3	2.0	19.7
1978/1979	子弹	12.1	2.3	21.8
1979/1980	子弹	11.1	2.3	23.0
1980/1981	子弹	9.7	2.1	17.8
1981/1982	火箭	9.1	1.3	16.1
1982/1983	火箭	7.6	1.0	12.9
1983/1984	火箭	3.2	0.3	5.0

J ♣

埃尔文·海耶斯

ELVIN HAYES

海耶斯，他恐怕是联盟历史上最具天赋的大前锋了，他篮下 BUG 一般的翻身跳投和各种假动作，几乎是奥拉朱旺和马龙的完美融合。此外他在禁区的防守只能用“可怕”来形容。不仅如此，他强壮的体魄，让他成为 NBA20 世纪 70 年代的“铁人王者”。在他长达 16 年的 NBA 生涯里，他累计出场了 1303 场比赛，仅仅缺席 9 场比赛。

说起海耶斯，他无疑是 NBA 乃至整个篮球历史长河里最伟大前锋之一。在进攻技巧上，他虽然没有现代前锋群那些花里胡哨的面框手段，但翻身后仰跳投的技术却炉火纯青。如果说今天看格里芬打球，你会为他技术手段的丰富多样而惊讶，那么海耶斯的打法就朴实得多了，在比赛中他基本就是在禁区附近接球，然后凭借娴熟的背身试探，摸准对手的防守重心，一个转身轻松甩掉对手，将球命中。他似乎只有这一招，如果不是 1973 年昂塞尔德因伤缺席了很多比赛，他必须挑起进攻重担，因而展现出了无数攻击手段，你或者会误以为他是一个“一招鲜吃遍天”的球员了。

或者，他在对阵张伯伦时，全场只依靠这一招砍下 30 分之后的采访说明了这一问题的内幕：打球就是要依仗最稳妥的进攻方式把球放入篮筐嘛！如果这招好用，我干嘛要换？活脱脱一副“老子就是这么干，你爱咋咋地”的“偏执狂”架势。

海耶斯的这股子“拧劲儿”与生俱来。开始与篮球接触的时候，很多人嘲笑他运球的笨拙，结果他一门心思扑在了篮球上，硬生生把自己练成了“灌篮高手”。进入 NCAA，更是带着休斯敦大学的“美洲狮”从一支平庸的球队成为全美万众瞩目的焦点。1986 年 1 月 20 日，他更是带着美洲狮力压贾巴尔带队的熊队，自己狂揽 39 分 15 个篮

板的同时把 NCAA 史上第一球星贾巴尔的数据限制在 15 分 12 个篮板，可谓居功至伟。

海耶斯该赛季场均贡献 36.8 分 18.9 个篮板，并在赛季末的 NCAA 年度最佳球员的评选中压倒“天勾”成功当选。1968 年夏天，留下一串辉煌纪录的海耶斯告别休斯敦大学，圣地亚哥火箭则迫不及待地用状元签将海耶斯招入帐下！

当时的火箭是一支前一年刚刚加入 NBA 的新军，第一个赛季战绩仅为 15 胜 67 负联盟垫底，海耶斯的到来成为球队崛起的全部希望。因为阵中没有合适的中锋，海耶斯被迫以 206cm 的身高出任先发中锋。即便他每天都要“低人一头”地与张伯伦、拉塞尔、里德、昂塞尔德等超级中锋对抗，但凭借不服输的性格，他还是死扛了下来，赛季场均砍下 28.4 分成为联盟新科得分王，同时场均 17.1 个篮板也名列第四。在他的强势带领下，休斯敦摇身一变赛季 37 胜 45 负，成功杀入季后赛，虽然首轮便遭淘汰，但火箭的球迷还是在海耶斯身上看到了球队崛起的希望。

可惜好景不长，接下来的赛季，虽然海耶斯表现依旧强势，但火箭的战绩却是联盟垫底。1970 年海耶斯的表现也依旧无可挑剔，场均得到 28.7 分 16.6 个篮板，但火箭依旧无缘季后赛。非议在困境中总会出现，海耶斯“偏执”的性格也给这些非议火上浇油。在 1970 年无缘季后赛之后，海耶斯将自己的队友挨个批评了一番。尽管他个人仍有场均 25.2 分 14.6 个篮板 3.3 次助攻的不错表现，但球队仅取得 34 胜 48 负，连续第三年无缘季后赛。赛季结束后，无休无止的争吵，已经转化成了彼此之间的相看两厌，休斯敦果断地将海耶斯送往巴尔的摩子弹，换来跳投手杰克·马瑞。

在交易到子弹之后，海耶斯终于回到他最适合的大前锋位置，他和昂塞尔德搭档的内线组合在整个联盟也堪称顶尖水准。1972/1973 赛季，海耶斯在常规赛中场均得到 21.2 分 14.5 个篮板，带领子弹取得 52 胜 30 负，排名中部赛区第一。不过在季后赛阶段，他们首轮就被名将云集的纽约尼克斯以 4 比 1 淘汰，早早打道回府。接下来的赛季，昂塞尔德受伤病困扰，频繁缺阵，海耶斯必须在内线承担起更多的责任。他场均贡献 21.4 分 18.1 个篮板 2.0 次助攻 3.0 个封盖和 1.1 次抢断，带领子弹取得 47 胜 35 负，再夺中部赛区头名。其中篮板一项不仅创造了个人职业生涯的最高纪录，同时也使他第二次成为联盟篮板王。季后赛首轮，子弹又遇上老冤家尼克斯，海耶斯场均掠下 25.9 分 15.9 个篮板以及 3.0 次助攻表现抢眼，但仍然无法帮助球队摆脱以 3 比 4 被淘汰的命运。

1974/1975 赛季，球队再度更名为华盛顿子弹，这似乎给他们带来了好运气。子弹在常规赛中取得 60 胜 22 负的佳绩，和凯尔特人并列全联盟第一，海耶斯也凭借场均 23.0 分 12.2 个篮板 2.5 次助攻 2.3 个封盖 1.9 次抢断的优异表现，首次入选年度最佳阵容一队。季后赛阶段，子弹被视为夺标的最大热门，他们接连淘汰勇敢者和凯尔特人两支劲旅，与巴里领衔的金州勇士会师总决赛。出乎所有人意料的是，虽然理论上看子弹的实力要更胜一筹，结果却是他们被勇士以 4 比 0 横扫，巴里后来称之为“NBA 总决赛史上最伟大的一次颠覆”。

也许是这一次总决赛的惨败导致子弹元气大伤，随后两个赛季他们表现平庸。

直到 1977/1978 赛季，子弹再度迎来转机。常规赛中他们以 44 胜 38 负杀入季后赛，先后淘汰亚特兰大老鹰、圣安东尼奥马刺、费城 76 人，晋级总决赛。这也是子弹在 20 世纪 70 年代第三次入围总决赛，前两次他们都被对手以 4 比 0 横扫。事不过三，子弹这一次没有再让夺冠的机会溜走，在和超音速的决战中，尽管他们一度以大比分 2 比 3 落后，但最终还是顽强地连扳两场，以 4 比 3 涉险登顶。

终于，在 NBA 打拼了整整 10 个赛季后，海耶斯拥有了一枚属于自己的总冠军戒指。对于这位经受了无数次媒体质疑的巨星而言，这枚戒指显得尤为珍贵。“现在我的球员履历终于完整了，没有人可以再说我不是一名冠军级球员。”海耶斯这样评价道。

随后的岁月，海耶斯也逐步走下巅峰，1983/1984 赛季末，39 岁的海耶斯宣布退役，结束其长达 16 年的 NBA 职业生涯。而在他效力的 16 个赛季中，总共只缺席了 9 场比赛，没有一个赛季的常规赛出场数低于 80 场，成为 NBA 赫赫有名的“铁人”。

回顾自己的职业生涯，或者，海耶斯对科比的那段评价最耐人寻味：“我喜欢科比，因为他和我一样偏执，一样愿意为胜利付出一切！只有这样的人才有可能获得成功！”

〈生涯高光闪回 / 得分狂人〉

高光之耀：职业生涯的 16 个赛季中，有 7 个赛季场均得分排在联盟前十位，除去效力 NBA 最后一年的 1983/1984 赛季，海耶斯在其余 15 个赛季中 10 个赛季的场均得分超过 20 分。

对于一名内线球员来说，45.2% 的命中率不能算是一个合格的成绩。尽管如此，海耶斯仍然是 NBA 历史上毋庸置疑的得分能力最出色的内线之一，他的生涯总得分高居 NBA 历史第八。

1968 年的选秀状元海耶斯在自己的新秀赛季，凭借场均 28.4 分的得分拿到赛季得分王，当时力压张伯伦、贝勒以及门罗等众多得分高手。

档案

伯纳德·金 /Bernard King

位置：小前锋

出生日期：1956 年 12 月 4 日

身高：201cm 体重：93kg

效力球队：篮网、爵士、勇士、尼克斯、子弹

球衣号码：22、30

荣耀

4 届全明星：1982、1984–1985、1991

1 届得分王：1984/1985

2 届最佳阵容一阵：1983/1984、1984/1985

名人堂：2013

常规赛场均数据

22.5 分 /5.8 个篮板 /3.3 次助攻

季后赛场均数据

24.5 分 /4.3 个篮板 /2.3 次助攻

“我们一致认为在那三年里他是联盟最出色的小前锋。其他人砍下45分可能需要投篮40次，而他只需要出手22次。”

——伊塞亚·托马斯

J♦

伯纳德·金

BERNARD KING

作为 20 世纪 80 年代最好的得分手之一，前乔丹时代的得分王，伯纳德·金退役 20 年才入选名人堂多少有些尴尬，原因在于他并非绝对意义上的球场赢家，他的生涯履历表里没有冠军史诗，只有肆意砍分的快意恩仇，这是一个得分狂人的故事。

伯纳德·金是那个混乱时代的一个著名的牺牲品，在 20 世纪 70 年代末到 80 年代初经历了两次交易（其中一次只换了韦恩·库珀和一个二轮签），然后和尼克斯签约，才成功找到了生涯的正确方向，之后又悲剧地在 1985 年弄爆了膝盖，当时他场均 35 分。

加盟纽约之前，伯纳德·金不过是一个有些得分天赋的酒鬼，篮网忍受了两年将其一脚踢开，1979/1980 赛季他因为酗酒和心理问题在盐湖城只打了 16 场，1980/1981 赛季辗转至勇士后总算洗心革面，凭借场均21.9分、命中率58.8%的表现荣膺“年度回归奖”。

浪子回头金不换，“大苹果城”见证的是一个脱胎换骨的金，整个联盟也开始领教这个得分机器的残暴。在场上伯纳德·金始终不苟言笑:“每到比赛的夜晚，一旦踏上球场，我的表情就会很严肃，我想让防守人望而却步。”尼克斯资深广播员约翰·安达瑞斯认为金是个十足的演技派：“如果在比赛前看到他的表情，你绝对不敢靠近他，会担心他拧下你的脑袋，这种狰狞前所未见。每场比赛他都精心准备，他真的入戏了，而且无法自拔，他太了不起了。”

相对于狰狞的面容，伯纳德·金的砍分能力更让对手胆寒，与精通各种招式的得分万花筒不同，他属于“一招鲜吃遍天”的典型。马克·阿奎尔如此评价伯纳德·金：“其实他就那么三板斧，但是哪招你都防不住，他会干掉你，一点儿也不温柔。”

伯纳德·金常规赛数据表

赛季	球队	篮板	助攻	得分
1977/1978	篮网	9.5	2.4	24.2
1978/1979	篮网	8.2	3.6	21.6
1979/1980	爵士	4.6	2.7	9.3
1980/1981	勇士	6.8	3.5	21.9
1981/1982	勇士	5.9	3.6	23.2
1982/1983	尼克斯	4.8	2.9	21.9
1983/1984	尼克斯	5.1	2.1	26.3
1984/1985	尼克斯	5.8	3.7	32.9
1986/1987	尼克斯	5.3	3.2	22.7
1987/1988	子弹	4.1	2.8	17.2
1988/1989	子弹	4.7	3.6	20.7
1989/1990	子弹	4.9	4.6	22.4
1990/1991	子弹	5.0	4.6	28.4
1992/1993	篮网	2.4	0.6	7.0

翻身跳投是金的撒手锏，也被誉为史上出手最快的球员，能够凭借此招横行联盟，金依靠的是自己的独门秘笈：“转身时我不用脚尖做支点，而是以脚后跟为轴，这样转身会更快。转身之后我也不会完全正对防守人，而是立即起跳，这就是最快投篮的秘诀。”

1984 年伯纳德·金开启了职业生涯最华丽的飚分狂想曲，1 月 31 日对阵国王、2 月 1 日对阵小牛客场背靠背砍下 50 分，第二次入选全明星，MVP 评选中仅次于拉里·伯德排名第二，季后赛首轮面对活塞大杀四方，5 场比赛场均砍下 42.6 分。伯纳德·金大战活塞第五战的照片登上了《体育画报》的封面，标题霸气十足——“国王殿下”。

至少在 1984 年，伯纳德·金的表现足以和“魔术师”、伯德比肩，著名说唱歌手柯蒂斯·布劳当年创作了一首名为《篮球》的 RAP 曲目，歌词这样写道：“篮球已经成了我的一部分，我喜欢‘魔术师’、‘大鸟’和金。”

伯纳德·金认为在麦迪逊花园打球，不仅仅是比赛，同样也是一场秀，1984 年 12 月 25 日，他送给纽约球迷一份圣诞大礼，面对旧主篮网他砍下了 60 分，这是 1978 年乔治·格文以 63 分抢夺得分王头衔一役后，联盟的单场最高分，如专栏作家史蒂夫·阿什伯纳所说：“他就像圣诞老人一样，从来不觉得圣诞节是个休息的时间。”

“那场比赛我们的开局不错，这对我非常重要。”伯纳德·金回忆道，“我不停地得分，即使像篮网这么优秀的球队，也没有一套可以阻止我得分的防守体系。”被蹂躏半场之后，篮网主帅奥尔贝克终于改变了策略：“半场休息时，我看了一下技术统计，金已经拿到了 40 分，我们在下半场就是想方设法不让他拿球。”

篮网为此祭出了车轮战，5 个人轮流防守金。“我不记得有多少人防守过我，”金说，“但是我记得他们不停轮换防守，从巴克·威廉姆斯到迈克尔·雷·理查德森，再到其他人。”奥尔贝克将手下诸将试了一圈之后换上了乔治·约翰逊，“乔治的长臂在下半场影响到了金，但这仍然是一个伟大的个人成就。”

遗憾的是伯纳德·金的 60 分没有为纽约换来一场胜利，这多少让他有些沮丧。“我希望自己只得 10 分，而球队赢球。”伯纳德·金说，“我们掌控一切，却输掉比赛，这太让人抓狂了，我也没有办法享受 60 分带来的喜悦。”这几乎是当季纽约的缩影，伯纳德·金疯狂砍分，场均 32.9 分，荣膺得分王，尼克斯却仅有 24 胜，无缘季后赛，某种程度上这是对“得分狂人”的反讽。

1985 年 3 月 23 日，对阵堪萨斯国王被伯纳德·金称为重新定义自己职业生涯的时间节点，在那场比赛中他的右膝前十字韧带撕裂，在任何年代这样严重的伤病都可能宣判一个运动员的“死刑”，而伯纳德·金在缺席几乎两个赛季后神奇归来。“第一次手术时三位医生异口同声地告诉我不可能再打球了，”伯纳德·金说，“我是这样想的，我有毅力每天坚持 5 小时的治疗，每周 6 天，这样坚持两年，而我，最终回来了。”

被纽约放弃的伯纳德·金在华盛顿重新找到了自我，加盟子弹第二年后连续三个赛季场均“20+”，1990/1991 赛季甚至达到场均 28.4 分。那一年 34 岁的金入选全明星，出场 64 次，29 场比赛得分超过 30 分，11 场比赛 40+。厄尔尼·格伦菲尔德回忆：“受伤之后他的爆发力不及当年，但是找到了更有效率的方法。”

然而在这个返老还童的故事之后，伯纳德·金擅自做了一次手术，也终结了自己在子弹的生涯，他的理由是再多打几年。在新泽西打了一个赛季后，伯纳德·金正式退役，媒体始终疑惑他为什么坚持打最后一年？当事人在 1993 年揭晓了谜底：“我有两个理想，一个是得一枚戒指，未能如愿，另一个是拿到 20000 分，我退役时是 19655 分。但是你知道我会做什么吗？我会在冬天到来时，在我们家后院投进 350 分，我就能进入‘20000 分俱乐部’，这就是我一直想继续打的原因。”这就是伯纳德·金经历 6 次提名才进入名人堂的原因，他的盛名都来自于疯狂的得分数据，而不是冠军荣耀，他对得分的极度渴望也催生了不少偏见，但毋庸置疑他的得分戏码永载史册。老队友格伦菲尔德说：“他是最伟大的得分手之一，在巅峰时期不可阻挡。”

〈生涯高光闪回 / 不可阻挡的得分手〉

高光之耀：如果我们简单地用球员们的巅峰表现来评价他们，那么伯纳德·金就是“后拉塞尔时代”最不可阻挡的五个得分手之一，另外四人是乔丹、科比、格文和奥尼尔。从 1983 年秋天到 1985 年春天，没有人能防住他。

1984 年东部半决赛第四场尼克斯对阵凯尔特人，后来成为当年总冠军的那支凯尔特人用三人包夹对付金，最后他还是砍下 46 分。

伯纳德·金在 1984 年季后赛首轮和活塞队打满五场，场均 42.6 分，后四场全部“40+”。这也是联盟合并后的季后赛连续“40+”纪录，和乔丹并列（历史纪录最多的是杰里·韦斯特，连续 6 场“40+”）。

档案

克里斯・韦伯 /Chris Webber
位置：大前锋
出生日期：1973 年 3 月 1 日
身高：206cm 体重：111kg
效力球队：勇士、奇才、国王、76 人、活塞
球衣号码：2、4、84

荣耀

5 届全明星：1997、2000–2003
1 届篮板王：1998/1999
1 届最佳阵容一阵：2000/2001

常规赛场均数据

20.7 分 /9.8 个篮板 /4.2 次助攻

季后赛场均数据

18.7 分 /8.7 个篮板 /3.6 次助攻

克里斯·韦伯常规赛数据表

赛季	球队	篮板	助攻	得分
1993/1994	勇士	9.1	3.6	17.5
1994/1995	子弹	9.6	4.7	20.1
1995/1996	子弹	7.6	5.0	23.7
1996/1997	子弹	10.3	4.6	20.1
1997/1998	奇才	9.5	3.8	21.9
1998/1999	国王	13.0	4.1	20.0
1999/2000	国王	10.5	4.6	24.5
2000/2001	国王	11.1	4.2	27.1
2001/2002	国王	10.1	4.8	24.5
2002/2003	国王	10.5	5.4	23.0
2003/2004	国王	8.7	4.6	18.7
2004/2005	国王	9.7	5.5	21.3
2004/2005	76人	7.9	3.1	15.6
2005/2006	76人	9.9	3.4	20.2
2006/2007	76人	8.3	3.4	11.0
2006/2007	活塞	6.7	3.0	11.3
2007/2008	勇士	3.6	2.0	3.9

他是曾经萨克拉门托的“国王”，也是昔日威名赫赫的“密歇根五虎”。
他是世纪之交最华丽优雅的大前锋，还是气定神闲的助攻高手，他总能让球队打出赏心悦目的进攻。

10 ♠

克里斯·韦伯

CHRIS WEBBER

他是华丽和优雅球技的代名词，很多人都赞誉他为 NBA 历史上最华丽优雅的大前锋。韦伯力量和速度并存，掌控力和灵性兼备，每一记击地传球都仿佛能够穿越时光、灵魂，每一次抖动灵活的指尖将球送出，都孕育着那种超凡脱俗的味道。由于他的存在，国王才打出水银泻地一样华丽的进攻，“普林斯顿”才得以大放异彩，成为与“三角进攻”一争天下的战术。在世纪之交，他的名望甚至在邓肯和加内特之上，虽然他受制于伤病，无法百尺竿头更进一步，但“历史上最为优雅华丽的大前锋”之名非他莫属。

犹记得 1993 年，克里斯·韦伯意气风发，第一个接过斯特恩手里的球帽。

那时候，他是“密接根五虎”之中最最凶猛的一只，有无数种把敌人击败的方式——中距离跳投、战斧式劈扣、半转身小勾手，等等，他的火力遍及整个半场，是那一年选秀中的一枝独秀。更可怕的是，他的传球精妙、大局观连联盟大部分的后卫都无法比拟，如果他不是有 2m 那么高的话，很可能成为一个媲美德隆·威廉姆斯的控球后卫——力量和速度并存，掌控力和灵性兼备，每一记击地传球都仿佛能够穿越时光、灵魂，每一次抖动灵活的指尖将球送出，都孕育着那种超凡脱俗的味道。

这些却远非韦伯的全部，如今当所有人都惊叹格里芬对篮筐如野兽一般的肆虐的时候，我们却开始感怀他的离开，他带走了和所有人都不同的打球方式，那种方式叫作优雅。

韦伯的第一年非常成功：那一年的每个夜晚他和斯普雷维尔都能贡献异常精彩的比赛。而他的表现更加令人神迷：犹记得他轻灵地甩开“大梦”的防守，在篮下一晃两晃，待身边所有的防守队员一个个地跳起，他才轻轻一挑，将皮球放入篮筐。还有他优雅地

将皮球从胯下带进带出，然后在罗宾逊面前，舒展“猿臂”，中距离命中，半空中留下的那痕迹，弧度，那般的完美，就和他对信念的坚持一般。

金州却非韦伯的福地，第二年，他就去了华盛顿，成了子弹的当家“花旦”，和他并肩而战的是他大学时的老战友、好伙伴朱万·霍华德，以及那个自信速度在某个瞬间能超越音速的斯德里克兰。他们一起并肩作战了整整四年，直到 1998 年他离开首都，前往纸醉金迷的拉斯维加斯旁的城市——萨克拉门托。

在子弹的四年，韦伯并不快乐。所有的媒体似乎都因为他作为新秀公然要求球队将之交易，而对其心存不满。镁光灯下的他，总是顶着“挥霍天分”的帽子，几乎所有的相机都忽略了他英俊无比的外形，想要捕捉其“肮脏”的内心——他的缺点开始被无限放大，没人在意他那场比赛得了多少分，拿下多少个篮板，球队是赢还是输。他们在意的，不过是他哪一天有没有训练迟到，和教练有没有再次发生争执，又或者晚上的时候，他在哪里因为酒后驾车被捕。没有人寄望他能带着残破不堪的子弹走出泥潭，所有人都面带不明所以的笑容看着他在泥潭中翻滚、挣扎，直到丧失信心，沉沦下去。

1998 年，朱万·霍华德和奇才签下 7 年 1.05 亿美元的长约，而韦伯却被交易到萨克拉门托国王，并在开创属于自己的“王朝”。

然后，就是韦伯的时代，在阿科球馆的紫色背景下，他的潜力完全爆发出来，20 分 13 个篮板 4.1 次助攻 1.4 次断 2.1 次盖帽，值得一提的是，他终结了丹尼斯·罗德曼篮板王称霸的年代，成为那一年的篮板王。但从数据上来讲这并不是他进入联盟之后最棒的一季，身披花里胡哨的首都球衣时，他哪一季也不比这一季差。但这一季却是他翻身的一季，首先他在场外没再闹出任何让球迷难堪的事情，其次他带领球队杀入季后赛，在篮筐以下禁区以内展现了无与伦比的统治力。

老天终于遂了韦伯的心愿，球迷奉他的战袍为帝王的御袍，他成了那里独一无二的王者，也终于找到了全面展现自己的理由。

出色的移动，超长的臂展，富有爆发力的弹跳。韦伯也许不如霍华德之流那般强悍，但足够聪明，手感也更加柔和。接下来的几年，他热情地回应着阿科球馆内震耳欲聋的呼喊，展现出超强攻击力，而且异常华丽，每一种进攻手段都似乎信手拈来。在当时的联盟里，无论是加内特、邓肯，还是“天尊”，没有人能在“1V1”情况下防死他。

“47+18”、“52+26”、“33+19”、“45+21”、“28+22”。

这是那几年，韦伯作为联盟中的超级前锋交出的数据单。

韦伯的面框技术是当时联盟的顶级，没有任何一个身高 2m 以上的大前锋可以像他一样，变向、胯下、转身、虚晃面框突破暴扣。他的低位技术也是联盟数一数二的，小勾手，篮下的脚步，都是顶级。除去这些常规的，背转身后的“baby-hook”手感更是极其出色，手腕柔度好，出球点高，弧度大，入框面积小，是当时联盟最有威力的攻击手段之一。他的中投也相当有准度，那几年最常见镜头就是他挡拆后的快下，和“白巧克力”来个“cross-pick”，然后用中投解决问题。

由于韦伯的存在，国王才打出水银泻地一样华丽的进攻，阿德尔曼的“普林斯顿”才得以大放异彩，成为与“禅师”的“三角进攻”一争天下的战术。看过那几年国王的人们更深深地感受到他极富爆发力的突破，瞬间启动，突入暴扣的强度丝毫不亚于肯扬·马丁。最后，还有他不太稳定的三分球，但最起码，防守队员们会胆战心惊地跟着他出去，为其他队员拉开防守空间，方便“鲍比”们突入敌阵，给敌人咽喉致命一击。

然而美丽的东西往往是易碎的，世纪之初那支进攻令人叹为观止的华丽军团只是昙花一现，然后“国王五虎”各自飘零，辗转在风中……

总体来说，那几年韦伯是无比辉煌的。直到 2002 年，他和湖人会师西部总决赛。那七场大战至今令人耿耿于怀，但大家不想再指责裁判或者“斯大爷”。

想想吧，如果国王赢了，胜利捧起奥布莱恩杯，是不是我们就真的没有任何遗憾了呢？我们会不会突然觉得那样的欢呼不适合韦伯呢？是不是会突然发现他眼中曾经闪烁的忧郁都是骗人的呢？有些人注定了悲情，因为他们是英雄。

这些人，虽然不能成为真正的“帝王”，却比那些“帝王”更让人记忆深刻，他们更丰盈、更有血肉，更上演过无数让人为之癫狂的戏：就像那些年，萨克拉门托潮水涌至的攻势。

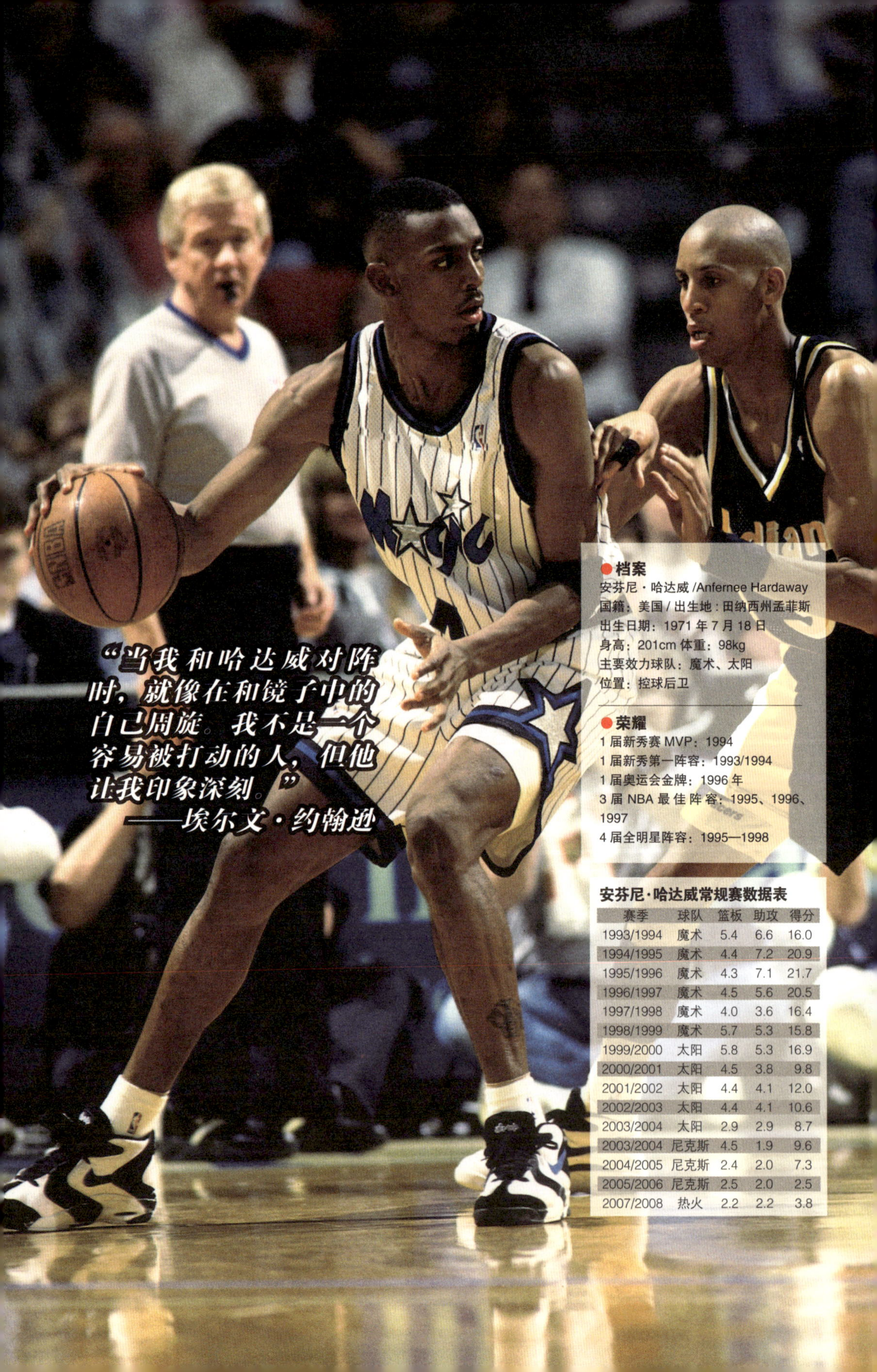

“当我和哈达威对阵时，就像在和镜子中的自己周旋。我不是一个容易被打动的人，但他让我印象深刻。”

——埃尔文·约翰逊

档案

安芬尼·哈达威 /Anfernee Hardaway

国籍：美国 / 出生地：田纳西州孟菲斯

出生日期：1971 年 7 月 18 日

身高：201cm 体重：98kg

主要效力球队：魔术、太阳

位置：控球后卫

荣耀

1 届新秀赛 MVP：1994

1 届新秀第一阵容：1993/1994

1 届奥运会金牌：1996 年

3 届 NBA 最佳阵容：1995、1996、1997

4 届全明星阵容：1995—1998

安芬尼·哈达威常规赛数据表

赛季	球队	篮板	助攻	得分
1993/1994	魔术	5.4	6.6	16.0
1994/1995	魔术	4.4	7.2	20.9
1995/1996	魔术	4.3	7.1	21.7
1996/1997	魔术	4.5	5.6	20.5
1997/1998	魔术	4.0	3.6	16.4
1998/1999	魔术	5.7	5.3	15.8
1999/2000	太阳	5.8	5.3	16.9
2000/2001	太阳	4.5	3.8	9.8
2001/2002	太阳	4.4	4.1	12.0
2002/2003	太阳	4.4	4.1	10.6
2003/2004	太阳	2.9	2.9	8.7
2003/2004	尼克斯	4.5	1.9	9.6
2004/2005	尼克斯	2.4	2.0	7.3
2005/2006	尼克斯	2.5	2.0	2.5
2007/2008	热火	2.2	2.2	3.8

10 ♥

安芬尼·哈达威

ANFERNEE HARDAWAY

他是麦格雷迪之前最惊艳的“魔术 1 号”。
“便士”哈达威，一个迅速陨落的绝世天才。20 世纪 90 年代他被誉为最接近于“神”的人，却以常人不可思议的速度坠落于苍茫，湮灭于浩浩长河，成为一个满怀唏嘘的蹉跎过客。
他拥有一个优秀球员应该具备的一切：身体、技术、头脑。他也拥有超越一般优秀球员的一切素质：活力、创造性、表演欲望。

1971 年 7 月 18 日，哈达威在孟菲斯出生。慈祥的奶奶实在是太爱自己的小孙子了，生怕他在体育运动中受到伤害。但小孩子的天性，你该如何遏制呢？上有政策，下有对策，小哈达威自己偷偷攒了些球，从太阳升起到夕阳西下，他不知疲倦地往篮子里投球。而当夜幕降临之后，他又在自己的家里默默地磨炼控球技术。

也许我们大家都要感谢哈达威的祖母，因为这个老奶奶不仅在不经意间促使小哈达威走上了篮球的道路，还不小心“赐给”了他一个广为流传的绰号。在奶奶眼中哈达威是一位漂亮的孩子，她管他叫“漂亮（Pretty）”，但自己难以纠正的南部口音，让这个词听起来就像是“便士（Penny）”——就这样，我们所熟悉的“便士”哈达威诞生了。

“便士”哈达威，初露锋芒，就让太多的人眼前一亮，惊为天人。

他的举手投足，都是如此地潇洒自如，像一阵轻灵的风，在厚重的赛场上奔驰。风的力量虽然不足以摧枯拉朽，但是当扑面而来的时候，却是任何力量都无可抗拒的。他就这样，席卷了暴力而沉重的球场。给我们带来了一个新的信仰，他告诉大多数人：原来，NBA 的篮球也是可以这样打的。在你死我活的厮杀中，竟也可以拥有一种如此别致细腻的风情。他的传球、他的投篮、他的跑动，无一不让人觉得他就是一个在千万年前就在这球场上衍生着的精灵，一个被这片木地板、被这个球体哺育出来的精灵。

他的动作和临场表现，曼妙轻灵而又不刻意花俏，更赏心悦目，把本该如此的动作，演绎得让观众如痴如醉。他是一个真正的“Player”，是一个最完美的演出者。

1993/1994 赛季，魔术以 50 胜 32 负的成绩首次冲入季后赛，一贯低调的哈达威则默默交出了平均 16 分 5.4 个篮板 6.6 次助攻和 2.3 次抢断的成绩单。虽然在“最佳新人”的争夺中，哈达威以微弱的劣势不敌韦伯，但新秀赛 MVP 的奖杯多少是个安慰。

在 1994 年季后赛中，欠缺经验的魔术以 0 比 3 不敌一年前将他们挤出季后赛的步行者，然而对于哈达威来说，这无疑是一次成功的登台。阵容空前强大的魔术，在 1994/1995 赛季成了所有对手的噩梦，而且人们渐渐发现，纵然奥尼尔这样硕大的身躯也无法掩盖自己身后那个人的光芒！哈达威惊人地打出了 51.1% 的命中率，以每场 20.9 分 4.4 个篮板和 7.2 次助攻的全能表现首次入选全明星，并代替已去追求棒球梦的乔丹进入 NBA 最佳阵容。

此后，哈达威与奥尼尔一起，将魔术队带进了总决赛。在总决赛地板的另一端等着他们的，是老练的火箭。虽然哈达威在木地板上场均怒砍 24.5 分外加 8 次助攻，但步子迈得太大的魔术队还是在 4 场比赛之后被火箭斩于马下。这次失败给他带来了一个心理阴影，但无论如何，他的演出将他推到一个宏伟的舞台上：乔丹接班人——球迷对着复出的乔丹大喊迈克尔，该让位了！但这已经临近哈达威职业生涯的顶峰，之后就是无尽的遗憾和衰落。

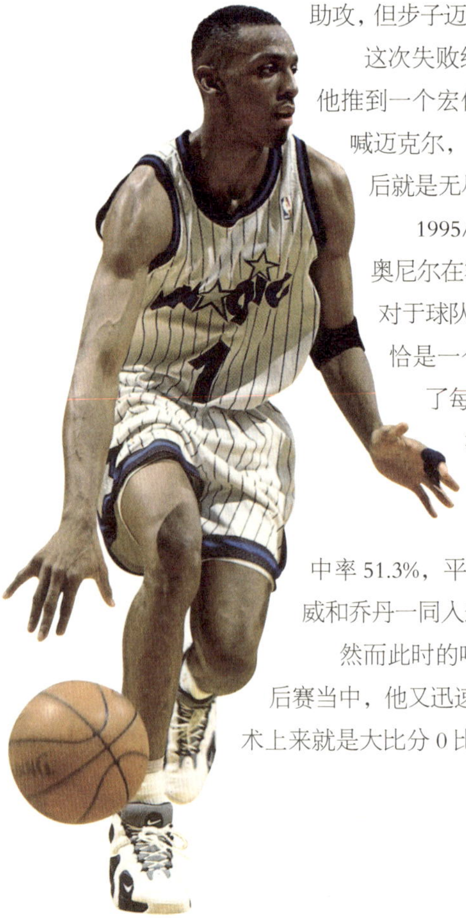

1995/1996 赛季，哈达威迎来自己篮球生涯的又一座高峰。奥尼尔在赛季前的热身赛中不慎弄断了手指，六周内不能上场。对于球队，这无疑是天大的损失，然而对于哈达威来说，这恰恰是一个机会。第一个月他就突破了自己原有的角色，打出了每场 27 分 5.8 个篮板和 6.5 次助攻的骄人成绩，并战胜乔丹获得了自己首次“月最佳球员”的称号。

不仅如此，哈达威还带领球队在当月取得了 13 胜 2 负的佳绩，用事实证明了怀疑者的浅薄。投篮命中率 51.3%，平均 21.7 分 4.3 个篮板 7.1 次助攻和 2.02 次抢断，哈达威和乔丹一同入选了全明星首发阵容。

然而此时的哈达威开始慢慢显露出“玻璃人”的特质。但到了季后赛当中，他又迅速地重整旗鼓，并越战越勇。季后赛首轮对上热火，魔术上来就是大比分 0 比 2 落后，哈达威开始闪光，连续两场砍下“40+”，魔术虽然扳平了大比分，却还是没能实现翻盘。

在 1996 年 11 月 14 日与黄蜂的比赛中，哈达威突然感到左膝疼痛，经队医检查后确诊为左膝软骨损伤，需要接受手术。术后需要至少四周的休养。然而短短 20 天之后，球队就以球队成绩不佳的理由要求膝伤未愈的哈达威披挂上阵，这样做的结果就是哈达威在复出后仅打一场比赛左膝就再度负伤，不得不再休养三周的时间。1997 年 1 月 6 日，哈达威再度复出，但左膝肌腱炎的疼痛却一直伴随着他度过余下的整个赛季。

1999 年 8 月 5 日，魔术宣布他们和哈达威签下 7 年 8668 万的合约，然后将他送往太阳队。当时的太阳已成为联盟总冠军的最有力争夺者之一，人们把哈达威和基德这对可以合力拿下 30 分 15 个篮板和 15 次助攻的搭档称为“超级后场”，又因为即将到来的新世纪，人们也适时地称他们为“后场 2000”。

季后赛首轮，缺少基德、古格利奥塔和查普曼三员大将的太阳碰上卫冕冠军马刺。哈达威得分、助攻、抢断均列全队第一，而难得的是他的篮板也排在全队的第二。尤其哈达威在第三场打出 17 分 12 个篮板和 13 次助攻的个人首次季后赛“三双”。接着太阳队也在第四场比赛中等来了基德，“后场 2000”终于联手将马刺淘汰出局。但哈达威在一次灌篮中不慎与大卫·罗宾逊相撞，造成左膝软骨再次碎裂。于是半决赛成了终点，虽然哈达威在第二、三场面对科比都有着不俗的发挥，但也只能目送科比在第二场最后两秒投中绝杀，湖人把大比分改成 2 比 0，然后是 3 比 0。

2001/2002 赛季首月，他场均 20.4 分 5.3 个篮板和 5.7 次助攻，每场 1.97 次抢断全联盟第二，太阳的成绩也稳定在西部八强之列。然而由于哈达威已经不是球队重建的中心，自己和主帅斯凯尔斯又有矛盾，出场时间大幅度下降。

2002/2003 赛季，铁了心以年轻球员为核心的太阳不但让哈达威出任替补，而且进一步压缩了他的上场时间。2004 年 1 月 5 日，太阳和尼克斯完成了该赛季最惊人的交易。太阳队将斯蒂芬·马布里、哈达威送到尼克斯。

时常发炎的膝盖让哈达威的处境非常不妙：他落在了球队的非激活名单上。2006 年，哈达威被尼克斯“甩”回了魔术。一场未打，他就被魔术裁掉了。2007 年 8 月，哈达威同迈阿密热火签约重新复出。

2007 年 12 月，热火终止与哈达威的合同，哈达威宣布退出 NBA。

在他之后，那张所谓的“乔丹接班人”的名单上，逐渐被写上了很多很多的名字，而最前面的那个人，早已被后来者所覆盖了。

总有些事，是不愿坦然想起的。总有些人，是一想起来就隐隐作痛的。他可能无法带领球队赢得更多的冠军奖杯，他可能无法拿下得分王、助攻王、MVP 中的任何一项，但是，他会让更多的人爱上篮球，爱上真正的篮球。

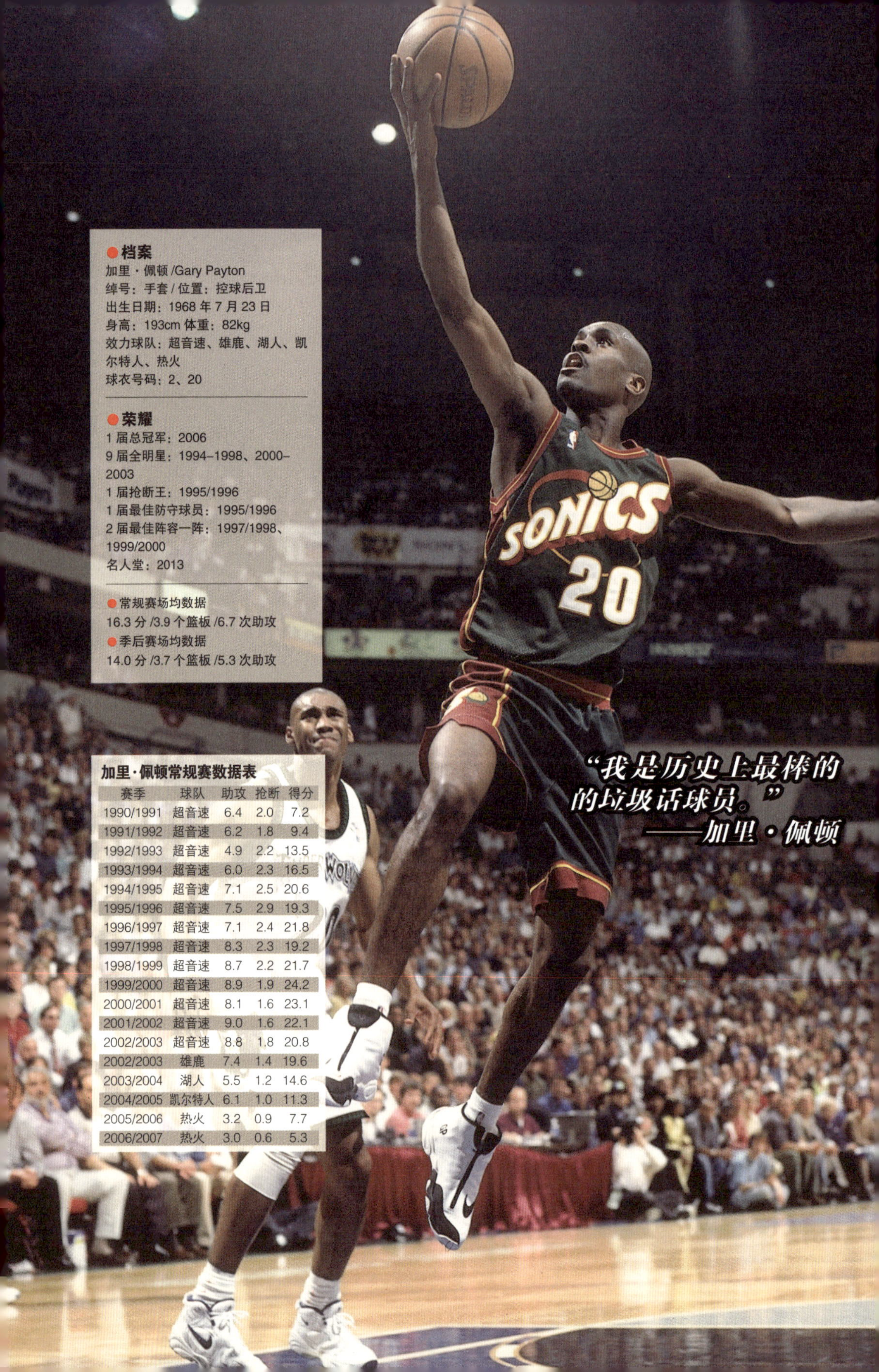

档案

加里・佩顿/Gary Payton
绰号：手套/位置：控球后卫
出生日期：1968年7月23日
身高：193cm 体重：82kg
效力球队：超音速、雄鹿、湖人、凯尔特人、热火
球衣号码：2、20

荣耀

1届总冠军：2006
9届全明星：1994–1998、2000–2003
1届抢断王：1995/1996
1届最佳防守球员：1995/1996
2届最佳阵容一阵：1997/1998、1999/2000
名人堂：2013

常规赛场均数据
16.3分/3.9个篮板/6.7次助攻
季后赛场均数据
14.0分/3.7个篮板/5.3次助攻

加里·佩顿常规赛数据表

赛季	球队	助攻	抢断	得分
1990/1991	超音速	6.4	2.0	7.2
1991/1992	超音速	6.2	1.8	9.4
1992/1993	超音速	4.9	2.2	13.5
1993/1994	超音速	6.0	2.3	16.5
1994/1995	超音速	7.1	2.5	20.6
1995/1996	超音速	7.5	2.9	19.3
1996/1997	超音速	7.1	2.4	21.8
1997/1998	超音速	8.3	2.3	19.2
1998/1999	超音速	8.7	2.2	21.7
1999/2000	超音速	8.9	1.9	24.2
2000/2001	超音速	8.1	1.6	23.1
2001/2002	超音速	9.0	1.6	22.1
2002/2003	超音速	8.8	1.8	20.8
2002/2003	雄鹿	7.4	1.4	19.6
2003/2004	湖人	5.5	1.2	14.6
2004/2005	凯尔特人	6.1	1.0	11.3
2005/2006	热火	3.2	0.9	7.7
2006/2007	热火	3.0	0.6	5.3

“我是历史上最棒的的垃圾话球员。”
——加里・佩顿

10

加里·佩顿

GARY PAYTON

佩顿是个混蛋、刺头、流氓、痞子，但这并不妨碍他连续 8 次入选 NBA“最佳防守阵容”（1994 至 2001 赛季），更荣获 1996 年“最佳防守球员”称号。

面对斯托克顿，他曾让对方整场一分未得；面对“甲壳虫”，他曾让对方全场失误上双；至于后来面对他从小带大的基德，更是让“三双王”没有一项数据过 5。

他，是当时联盟能把人纠缠到窒息的“手套”！

如果有人问 20 世纪 90 年代最杰出的控卫是谁？一定有人回答：“手套”佩顿。

至于佩顿为什么会叫手套，则有这样一则故事：某场球，佩顿单挑凯文·约翰逊，那场球佩顿完全防死对手，然后佩顿的表兄格林，在电话里大吼：“你就跟个棒球手套似的，完全粘住凯文啊！”

从此“手套”的盛名就从 NBA 江湖上流传开来……

佩顿是这么个球员：集卓越的组织能力、一流的进攻水准和顶尖的防守于一身的坚韧不拔的“大心脏”球员。他也是史上防守最强的控卫之一，值得一提的是，他的进攻比绝大多数人都要好。无论是在个人防守还是团队协防上，佩顿都无懈可击。进攻端佩顿能投擅突，他的低位单打更是一大绝技。

确定了这一点之后，我们就可以进一步认识佩顿了：——含蓄点说，他就是喜欢“脏”。

这两者并不矛盾，在最高级别的篮球运动中，根本没有“好好先生”的位置——邓肯同学不会抗议的，因为他立刻想到了布鲁斯·鲍文、罗伯特·霍里这俩“恶人祖宗”。

你知道的，佩顿这个人，曾经的全国最佳大学球员，九次 NBA 防守一阵，两次一阵，

一号位上的年度最佳防守队员，这些华丽的注脚和标签都是浮云。一个脱下“手套”之后赤裸裸的佩顿，才是真正的佩顿——一个实在的，单纯热爱篮球的，爱唠嗑的，有着独特个性的人。这也是为什么他会被称为“加州奥克兰之光”，并且被56万西雅图球迷顶礼膜拜的原因所在。

为了证实这一点，下面继续有请重量级人证：

1993年西部决赛超音速对上太阳，之前两轮几乎无人能挡的太阳控卫凯文·约翰逊在佩顿如影随形的严密盯防下表现得大失水准。赛后佩顿的表兄格林兴奋地打电话跟他说“凯文在你的防守下就像是手套中的棒球一样”，尽管最终超音速3比4惜败，但“手套”的大名从此不胫而走。早已退役的凯文·约翰逊每每在闻及“佩顿”这个名字后就会神色突变，捂住胸口不停地念叨着同一个单词：“Glove，Glove，Glove。”

肖恩·坎普表示当年的幸福像花儿一样，乔丹表示往事不堪回首的。

现在回想起佩顿和乔丹在总决赛上的六场大战更是荡气回肠的经典史诗——1996年总决赛，超音速已经0比3落后公牛。这个时候佩顿站了出来，主动跟教练说：“让我来招呼乔丹吧，我们已经输掉了内裤，裸奔的时候就不要考虑太多了。”

于是超音速连扳两场，佩顿面对史上最杰出的得分手，他的防守造诣得到升华——试想有谁能够封住“帮主”的进攻，如影随形的防守，让乔丹留下了不足四成命中率的最差总决赛表现，“手套”的绰号实至名归。

如你所知，这是1996年总决赛的故事，累垮“飞人陛下”的舌头是不够的，让巴克利爵士服气是必需的，完成篮球史上最具挑战性的任务才是高端大气上档次的。

接下来就是见证奇迹的时刻：佩顿完成了甚至可以被称为篮球史上最具挑战性的任

务——在防守端冻结那个穿着23号的“上帝”。第四场，乔丹在佩顿的防守下得到自己在之前所有总决赛中的单场最低分23分；第五场，超音速赢了公牛21分，佩顿只让乔丹得到26分；第六场，佩顿出场47分钟，让乔丹的19次投篮打铁14次，再次刷新了自己职业生涯的总决赛单场得分最低——22分。最终结果4比2，乔丹拿到了复出后的第一个总冠军，但对于佩顿来说，他赢得了整个世界。

但是他终究没能在那一时代登堂入室。他坏到让一个时代侧目，然后在巅峰的时候给时代的“神”制造了最大的麻烦——但不管反派多么称职，终究是要衬托主角的。1999年，NBA停摆，他的好搭档，暴力美学扣篮手坎普一夜陨落。2003年，“坏蛋”佩顿终于老了，被超音速抛弃，就此开始漫游整个美利坚。

一年后他从密尔沃基去到洛杉矶，但在通往梦想的路上，帕克和比卢普斯都让他力不从心——但他依然是个“刺头”，菲尔·杰克逊能摆平罗德曼和慈世平，唯独对他无语。

又一次追梦未遂，然后一个万里横穿，直接从西海岸的洛杉矶到了东海岸的波士顿！连流浪都这么有型。此时波士顿的昔日王朝早已无影无踪。佩顿在这里，除了留下一个以自己名字命名的条款之外，别无所为。

好吧，佩顿就是喜欢走极端，这一次他去了南海岸的迈阿密。再一次和“鲨鱼”成了队友。然后就是2006年总决赛的故事了：第三场最后时刻的跳投，第五场加时赛诡异的高擦板。韦德带走最佳主角称号，佩顿无愧最佳配角。然后，总冠军。

好了，“坏蛋”终于决定“金盆洗手”了，该有的都有了，该玩儿的也都玩儿了，“刺头”累了，失陪。2008年，离开赛场一年的佩顿宣布退役，五年之后，理所当然地进了名人堂。然后送给世界最后一篇杰作：一位宗师级“坏蛋”的名人堂自白式演讲。

〈生涯高光闪回 / 入选名人堂〉

高光之耀：**2013年9月9日，篮球名人堂典礼在美国马萨诸塞州的春田市举行。“手套”佩顿、前纽约尼克斯超级得分手伯纳德·金、巴西篮球运动员奥斯卡·施密特以及名帅里克·皮蒂诺等12人正式进入了这一篮球运动的最高殿堂。**

入选名人堂，演讲仪式上佩顿向球迷解释为什么斯托克顿比乔丹难防：“自从进入联盟以后，我就一直在观察斯托克顿的比赛。虽然我的运动能力比他更加出色，但是他每场比赛的表现都很稳定。比如：出场32分钟，出手12次命中9或10球，罚球8罚7中，送出15次助攻外加4次抢断。这就是我认为他是最难防守的原因。”

佩顿谈及自己的超音速队友“雨人”肖恩·坎普时，依旧不改幽默本色：“我知道你们都在谈论洛杉矶快船是‘空接之城’，但我们（超音速）才是‘空接之城’的鼻祖。”

厄尔·门罗常规赛数据表

赛季	球队	篮板	助攻	得分
1967/1968	子弹	5.7	4.3	24.3
1968/1969	子弹	3.5	4.9	25.8
1969/1970	子弹	3.1	4.9	23.4
1970/1971	子弹	2.6	4.4	21.4
1971/1972	子弹	2.7	3.3	21.7
1971/1972	尼克斯	1.5	2.2	11.4
1972/1973	尼克斯	3.3	3.8	15.5
1973/1974	尼克斯	3.0	2.7	14.0
1974/1975	尼克斯	4.2	3.5	20.9
1975/1976	尼克斯	3.6	4.0	20.7
1976/1977	尼克斯	2.9	4.8	19.9
1977/1978	尼克斯	2.4	4.8	17.8
1978/1979	尼克斯	1.2	3.0	12.3
1979/1980	尼克斯	0.7	1.3	7.4

●档案

厄尔·门罗 /Earl Monroe
绰号：黑珍珠 / 位置：控球后卫
出生日期：1944 年 11 月 21 日
身高：191cm 体重：84kg
效力球队：子弹、尼克斯
球衣号码：10、15、33

●荣耀

1 届总冠军：1973
4 届全明星：1969、1971、1975、1977
1 届最佳阵容一阵：1968/1969
名人堂：1990

●常规赛场均数据
18.8 分 /3.0 个篮板 /3.9 次助攻
●季后赛场均数据
17.9 分 /3.2 个篮板 /3.2 次助攻

10

厄尔·门罗

EARL MONROE

他是赏心悦目篮球的开创者；是那个时代，让传统“卫道士”跌破眼镜的“叛逆先驱”！

他让篮球灵动了起来，可以在运球者的身边肆意挥洒着这项运动带给世间动感的魅力。他让本来一板一眼的战术，仿佛吸纳了日月灵气般，充满了鼓动性和创造力，让人们为之折服、倾倒，并心甘情愿地效法。

因为他，后世才有了艾弗森、“魔术师”、威廉姆斯等一系列大师；因为他，后世才有“帮主”轻盈挑动的擦筐绝杀，才有文斯·卡特空中360度轻盈豁达的挑篮，才有克劳福德诡异莫名的背后运球上篮，

所有的篮球花式都是因他而生！

他，门罗，是真正篮球艺术的鼻祖！

1967年，值得让人铭记的年份，在那个所有照片都只有黑白色调的岁月里，他明显处在阴暗的一方。但他整整十三年的职业生涯，却散发出夺人双目的光辉。

他是那个年代花式篮球的领航者，更是攻击型后卫浪潮的弄潮儿，他和戴夫·宾、杰里·韦斯特承前启后地缔造攻击型后卫的辉煌时代。要知道，在他们出现之前，所有球迷甚至是球员，都被维尔特对绝比尔的时代所迷惑，认为只有内线才是得分的天下。

但是，门罗很快让人们意识到这种认知的错误，当他穿花绕步地晃过N名防守球员，轻松地将球放入篮筐；当对方的中锋只能像个傻子一样停住脚步，任他在身上骗下“2+1”的时候，人们才恍然大悟，原来，球在小个子手里也能如此高效地被放入篮筐。

更重要的是，这个“黑色”的小个子，弹跳平平、身体素质几乎在纽约大街上一抓一把。而且，他的很多进球，更是在身体完全失去平衡的情况下，他似乎只是很随意地一抛，

球却依然能带来清脆的擦网声。

那个时候，对于整个球场的球迷来说，那个清脆的声音，几乎是整个世界最美妙的音乐！更让所有人惊讶不已的，整个赛季都靠着这种打法的门罗，职业生涯的命中率却依然能保持 46.4% 的高水准。

门罗的得分能力早在 NCAA 时期就是全美聚焦的焦点，他是北卡州的温斯顿·塞勒姆州立大学的学生，那是一所小型的传统黑人学校。在那里他遇见了生活中的“严父”角色黑人大学体育圈鼎鼎有名的教练克拉伦斯·盖恩斯。门罗发展成了一流得分高手，1966/1967 大四那个赛季，他率队拿下 NCAA 二级联赛冠军，场均 41.5 分。一位当地体育评论员用“Earl 的珍珠”来形容他得到的每一分，绰号就这样诞生了。

1967 年选秀，门罗以榜眼身份加盟巴尔蒂摩子弹，一个未曾尝过成功滋味的球会。第一年子弹几乎没有起色，在东区垫底。但门罗大放异彩，平均 24.3 分，联盟得分榜第三，荣获最佳新秀。

让人印象深刻的是，对阵湖人的一场比赛里，还是新秀的他，一人轰下 56 分。让中锋大行其道的 NBA 彻底跌破了眼镜。

子弹的球迷大呼过瘾，子弹的管理层也看到了球队崛起的希望。那个赛季之后，他们弄来了当时的全明星球员韦斯·昂塞尔德，最原始版本的“绞肉机”前锋锋古斯·约翰逊，以及充满能量的“疯狗” 弗雷德·卡特——巴尔的“摩狼群”正式宣告组建完毕，而门罗正是这群充满天赋的野狼里的“头狼” 。在门罗的带领下，巴尔的“摩狼群”如惊涛骇浪般的攻势正式拉开帷幕，门罗永远是冲在最前线的，每场比赛，他都是第一个扑向敌人，狠狠地“咬住”敌人咽喉，血肉横飞。而昂塞尔德则是他后勤最有利的保障，迅捷的长传、匪夷所思的大局观，都为巴尔的摩和门罗提供着最有利的支撑。

在巴尔蒂摩的光阴里，两人的组合，拥有着堪称那个年代最天衣无缝的配合，他们连续三个赛季杀入季后赛，为巴尔蒂摩的球迷献上一场场精彩绝伦的表演。

然而，球队的管理层却对门罗的表现无动于衷，习惯了观赏“纯粹篮球”的他们，对门罗街头杂耍一般的表演嗤之以鼻，他们喜欢球员按部就班地执行战术，减少运球，如果能靠手递手的传球，把球送到篮筐，那才是他们最好的打算。

因此，在门罗合同期即将结束的时候，

他们非但没有表现出丝毫续约的热情，更四处“勾搭”着其他球队，来兜售他们的头号球星。

1971年11月10日，不可思议的事情发生了：门罗转会大“仇家”尼克斯！那年夏天，门罗和子弹管理层为了薪水吵得不可开交，他甚至考虑过加盟ABA的印第安纳步行者。

为了得到门罗，尼克斯让出了麦克·莱尔登，戴夫·史托沃斯和一些现金，他们成功留住了1969/1970赛季冠军队的主要成员，但不是每个人都赞同这笔交易。许多批评家说门罗的单打风格会毁掉团队至上，强调防守和奉献的尼克斯，也无法成为原宿敌现巨星队友沃尔特·弗雷泽的好搭档。

一开始，门罗似乎不太适应纽约的新系统。后场有弗雷泽领衔，门罗的控球时间前所未有的少。1971/1972赛季他一直受到膝盖和脚踝伤势的困扰，平均每场只上21.2分钟，结果平均得分跌至11.9分。但在这对搭档的第二年，门罗和弗雷泽协力共进，赛季末端他们的威力完全显现，记者们称这对巨星是——“劳斯莱斯后场”。

取得大西洋区第二名后，尼克斯与巴尔蒂摩再次相遇季后赛。球迷打出“新婚的门罗”标语来迎接这位前子弹球员，最后尼克斯用五场比赛结果了子弹。其中一场门罗拿下32分，是他在尼克斯的最高得分。之后纽约击败赛季68胜的波士顿“军团”，第七战历史性的以94比78在波士顿花园广场击败凯尔特人（波士顿花园广场有第七场不败的神话）。总决赛，尼克斯4比1拿下洛杉矶湖人，捧得1973年NBA总冠军奖杯，门罗在最后一场取得23分。

1972/1973赛季中，门罗已经成为麦迪逊花园广场最受欢迎的球员。虽然他场均得分只有平庸的15.5分，但他的动作还是那样华丽。记者们看到他无私的一面，经常放弃自己投篮机会，传给位置更好的队友。他常常被派去盯防对方后场得分尖刀，从而解放弗雷泽，使后者能够有更多机会阻截传球线路。“我变得更加专注，自信，和以往不同。”门罗对*HOOP*杂志说：“有沃尔特·弗雷泽，我控球任务减少了。但即使是尼克斯那么伟大的球队，也无法忽视每个人的贡献和战力。”

20世纪70年代中期，门罗对球队的贡献一直无法衡量，他在1974/1975赛季平均20.9分，1975/1976赛季20.7分，1976/1977赛季19.9分。1975年和1977年入选全明星，但尼克斯战绩一直在下滑，门罗最后的两个赛季，1979和1980都无缘季后赛。

1980年，门罗因为腿伤宣布了退役，整个职业生涯一直饱受腿伤和脚踝伤势困扰的他，依然能在长达13年的职业生涯里场均贡献18.8分，可谓一个奇迹。

这就是门罗，尽管缺乏惊人的速度和弹跳，却总能靠着匪夷所思的急停变奏，连续两次，甚至三次投篮假动作，最后穿过茫然的防守者，轻舒猿臂，挑篮入筐。

他是上帝最钟爱的“黑珍珠”，无可比拟！

6–9

黑桃 9 克里斯 · 穆林 / **红桃 9** 扬尼斯 · 阿德托昆博 / **梅花 9** 乔尔 · 恩比德 / **方片 9** 鲁迪 · 汤姆贾诺维奇
CHRIS MULLIN　GIANNIS ANTETOKOUNMPO　JOEL EMBIID　RUDY TOMJANOVICH
黑桃 8 拉简 · 隆多 / **红桃 8** 拉玛库斯 · 阿尔德里奇 / **梅花 8** 吉尔伯特 · 阿里纳斯 / **方片 8** 凯文 · 约翰逊
RAJON RONDO　LAMARCUS ALDRIDGE　GILBERT ARENAS　KEVIN JOHNSON
黑桃 7 内特 · 瑟蒙德 / **红桃 7** 克里斯 · 波什 / **梅花 7** 凯文 · 麦克海尔 / **方片 7** 罗伯特 · 帕里什
NATE THURMOND　CHRIS BOSH　KEVIN MCHALE　ROBERT PARISH
黑桃 6 格兰特 · 希尔 / **红桃 6** 阿玛雷 · 斯塔德迈尔 / **梅花 6** 本 · 西蒙斯 / **方片 6** 肖恩 · 坎普
GRANT HILL　AMARE STOUDEMIRE　BEN SIMMONS　SHAWN KEMP

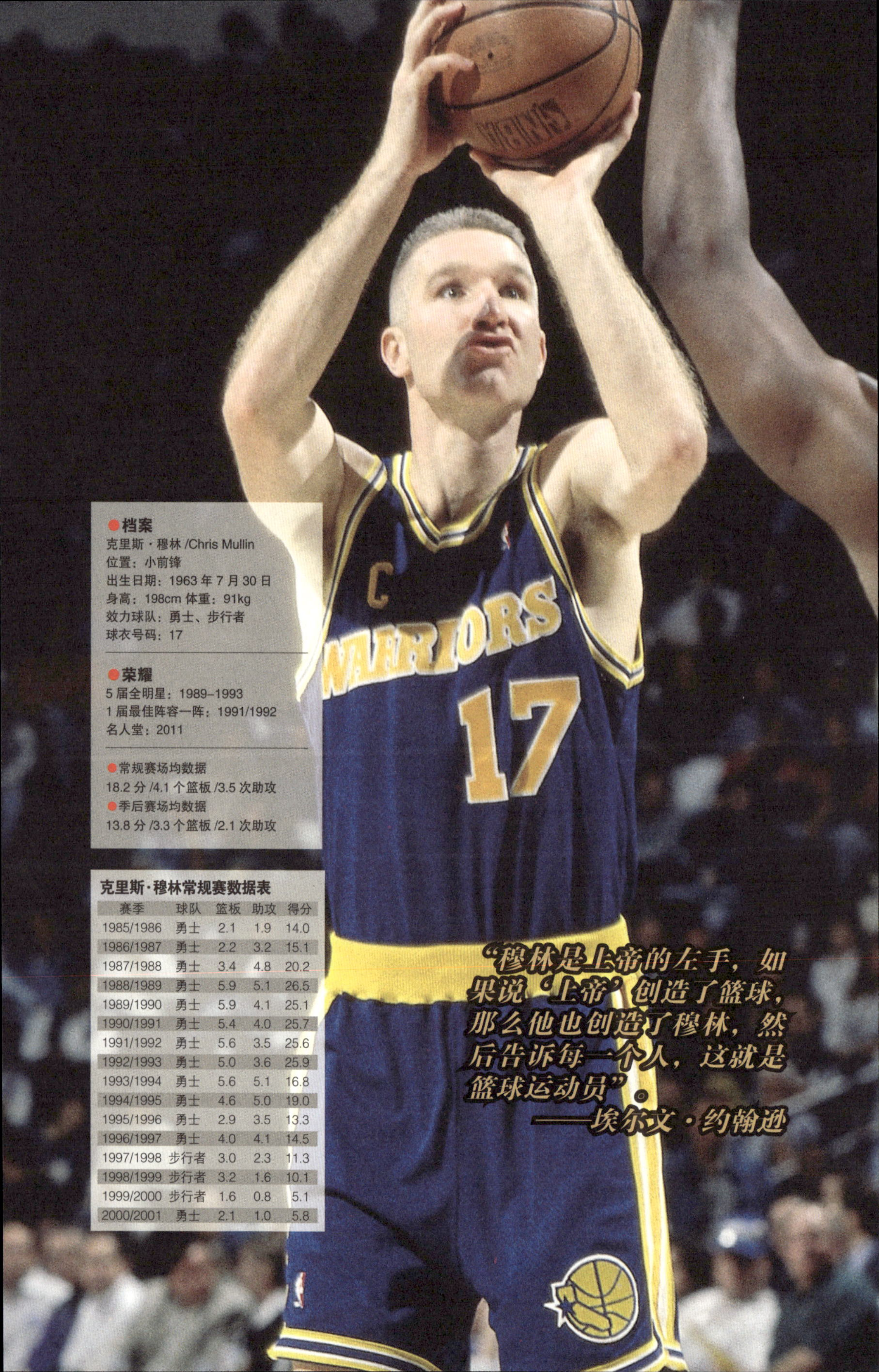

档案

克里斯・穆林 /Chris Mullin
位置：小前锋
出生日期：1963 年 7 月 30 日
身高：198cm 体重：91kg
效力球队：勇士、步行者
球衣号码：17

荣耀

5 届全明星：1989–1993
1 届最佳阵容一阵：1991/1992
名人堂：2011

常规赛场均数据

18.2 分 /4.1 个篮板 /3.5 次助攻

季后赛场均数据

13.8 分 /3.3 个篮板 /2.1 次助攻

克里斯・穆林常规赛数据表

赛季	球队	篮板	助攻	得分
1985/1986	勇士	2.1	1.9	14.0
1986/1987	勇士	2.2	3.2	15.1
1987/1988	勇士	3.4	4.8	20.2
1988/1989	勇士	5.9	5.1	26.5
1989/1990	勇士	5.9	4.1	25.1
1990/1991	勇士	5.4	4.0	25.7
1991/1992	勇士	5.6	3.5	25.6
1992/1993	勇士	5.0	3.6	25.9
1993/1994	勇士	5.6	5.1	16.8
1994/1995	勇士	4.6	5.0	19.0
1995/1996	勇士	2.9	3.5	13.3
1996/1997	勇士	4.0	4.1	14.5
1997/1998	步行者	3.0	2.3	11.3
1998/1999	步行者	3.2	1.6	10.1
1999/2000	步行者	1.6	0.8	5.1
2000/2001	勇士	2.1	1.0	5.8

“穆林是上帝的左手，如果说‘上帝’创造了篮球，那么他也创造了穆林，然后告诉每一个人，这就是篮球运动员”。

——埃尔文・约翰逊

9 ♠

克里斯·穆林
CHRIS MULLIN

穆林可以用各种方式打球，他有着非凡的领导力，很有运动能力，他的投篮都让人吃惊，在 NBA，不，在任何地方，都没见过比他更好的左手射手。伯德说过：“篮球是黑人的运动，我只是尝试适应它。”穆林没有成为这项运动的征服者，但是他凭借那只“上帝”赐予的左手，书写了白人球员的传奇。

穆林出生于纽约的布鲁克林区，从小他就喜欢研究尼克斯名宿沃尔特·弗雷泽和厄尔·门罗的录像，对篮球的所有技术都充满好奇心。

高中毕业后穆林选择了圣约翰大学，成为校队里知名的训练狂人，大强度的球队训练之后，他也会留在球馆加练投篮。大一赛季穆林场均砍下 16.6 分，刷新队史纪录。大学四年，穆林场均贡献 19.5 分 4.1 个篮板 3.6 次助攻 1.7 次抢断，三次入选全美最佳阵容，三次荣膺大东区年度最佳球员。1984 年，穆林入选美国国家队，为美国赢回了最后一个由大学生组队的奥运会冠军。1985 年，大四的穆林率领圣约翰大学杀入 NCAA 四强，荣获约翰·伍登奖。

穆林参加 NBA 选秀之前，拉里·伯德蝉联常规赛 MVP，人们将他视作“大鸟”的投影，除了精于投篮外两人最相似的一点是，他们竭尽全力，用近乎疯狂的训练来弥补与黑人之间的身体差距，也因此成为白人球员中的黑人。

唯一让人担心的是，穆林的血管里流淌着酗酒的基因，他的父亲罗德·穆林是出了名的酒鬼，整个家族都嗜酒如命。“高兴的时候喝酒，难过的时候也喝酒。”穆林说，“有新人结婚，你要向他祝酒，如果有人去世，你也要端起酒杯，祝他安眠。”在圣约翰大学读书时穆林就是酒吧的常客，大多数时候他都低调地躲在吧台边上，然而对职业球员而言这可不是一个好习惯。

1985 年穆林被勇士选中，然而在旧金山的新环境里他显得格格不入。勇士正处于“可卡因”时代，球队内部被“瘾君子”和自私鬼搞得乌烟瘴气，传说奥克兰凯悦酒店是全联盟最著名的毒窝，从 1978 年到 1986 年，奥克兰的每个人都是输家。

新秀赛季，穆林就领教了职业联赛“肮脏”的一面，队里的老将威胁穆林不要努力训练，因为这让他们看上去很懒，球队老大卡罗尔和从不传球的弗洛伊德拒绝给这个“菜鸟”提供任何帮助。颓废的勇士不需要一个充满热情的“菜鸟”，他们本能地排斥一切积极进步的态度。被孤立的穆林陷入挣扎，他没法扬长避短，地球人都知道他擅长投篮，但在二号位的位置上，他防不住任何人，人们讽刺他的速度比银行的退款还慢。

没有家人和大学教练卢·卡耐塞卡的支持，独自闯荡西海岸的穆林丧失了训练的热情，转而在酒桌上寻找慰藉，他频繁参加聚会，借酒消愁。不少球迷在比赛后的夜晚发现穆林在酒吧枯坐到凌晨，面前摆满了喝光的啤酒瓶。酗酒对穆林的影响显而易见，他的体重飙升，脂肪含量达到 16%，成为职业球员的反面典型。

1987 年勇士经历了大转折，球队易主，老尼尔森成为新任总经理，他大刀阔斧地改革，将队内两大毒瘤卡罗尔和弗洛伊德送到休斯敦，几乎一半的球员遭到清洗。深陷酒瘾而无法自拔的穆林也差点儿被送走，权衡了所有的交易报价之后，老尼尔森下了最后通牒：“我们打个赌，你真有本事就一个月滴酒不沾。”

争强好胜的穆林坚持了两天就举起白旗，反复的谈话、惩罚和禁赛之后，忍无可忍的尼尔森将他扔进了南加州的桑提奈拉医院，告诉他要在那里过圣诞节了。几年以来一直沉睡的羞愧感在穆林的身体里突然复活了，他终于意识到如果在篮球和酒中二选一，他还是会选择篮球，为了打球他可以抵御酒的诱惑。从 12 岁开始每天球不离手的穆林被隔离了整整 48 天，从医院解禁的第一时间他给体能教练马克·格拉波打了电话，在深夜迫不及待地开始训练，一口气连续投进了 91 球，一旁观战的格拉波意识到，穆林的灵魂总算归位了。

戒酒后的第一个赛季穆林场均砍下 26.5 分 5.9 个篮板 5.1 次助攻，当季另外两个打出“25+5+5”的球员是迈克尔·乔丹和德雷克斯勒。

穆林在小前锋的位置上如鱼得水，他总是慢吞吞的，但从不吃“火锅”。他面前的防守就像沼泽地，但他总能想办法穿越过去，轻松上篮。1989 年尼尔森将蒂姆·哈达威招致麾下，“RUN-TMC”组合声名鹊起，勇士也成为当时联盟最赏心悦目的球队。托尔伯特对那段美好的时光记忆犹新：“尼尔森的目标就是全联盟得分第一，单节 47 分、半场 74 分都不是事儿。那时候只要主场得分超过 120 分，球迷就能得到免费比萨，结果球迷每天都能大快朵颐，简直太可怕了。”

1989/1990 赛季勇士打出 9 年来最佳常规赛战绩，季后赛首轮凭借变态的小个阵容完成以下克上，淘汰马刺。第二轮与湖人相遇，穆林因伤错过第一场，第二场完成大爆发，21 投 16 中砍下 41 分，几乎凭一己之力抵消了“魔术师”的 44 分，勇士赢得系列赛里的唯一一场胜利，赛后“魔术师”对《洛杉矶时报》说：“穆林是‘上帝的左手’，当‘上帝’创造篮球运动员时，他创造了穆林。”“上帝的左手”由此得名。

1990/1991 赛季勇士再次止步第二轮，管理层意识到跑轰战术的局限性，最终拆散了“RUN-TMC 组合”，将里奇蒙德送至国王。1991/1992 赛季成为穆林最后的狂欢，当季勇士凭借联盟第一的进攻和最烂的防守轰下 55 胜，穆林入选第一阵容，同时成为张伯伦之后第二个连续四个赛季场均砍下 25 分的球员。然而季后赛里穆林依然独木难支，勇士首轮出局，“跑轰时代”彻底拉下帷幕。

1992/1993 赛季勇士被伤病彻底击倒，全队 14 名球员累计缺阵 312 场，只赢了 34 场。1993/1994 赛季取得 50 胜之后，勇士彻底沦为鱼腩，在金州的最后一个赛季穆林飚出了 55.3% 的命中率。1997 年穆林被送到步行者，《纪事报》为此叫好：“球员合同里应该有一条不成文的好战士条款，当球队处于低迷或声名狼藉时，应该尽力把那些曾经努力奋战的球员送到可以展示才华的球队。”

转投步行者的第一年，穆林占据先发位置，然而进步飞速的贾伦·罗斯取代了他的位置，唯一让人欣慰的是他在 2000 年体验了一次总决赛。随后穆林落叶归根，回到梦开始的地方，一个赛季后他在金州结束球员生涯。

2012 年 3 月 19 日，穆林的球衣在勇士正式退役，比赛开始前勇士球员都穿上 17 号 T 恤，当硕大的 17 号球衣在球馆上空亮相时，甲骨文球馆掌声雷动。“感谢球队能给我这样的荣誉，但是我首先要感谢球迷。”穆林动情地说，“能够站在这里是我的荣耀，我们永远在一起。很骄傲我能成为球队传奇历史的一部分。”

〈生涯高光闪回 / “上帝的左手”由来〉

高光之耀：这位身高 1.98m 的左撇子，成了一个全明星常客，是联盟的罚球和三分球命中率榜上的领袖。他也是 NBA 非官方的“单场比赛跑动距离”之王，他能从任何角度，利用掩护摆脱防守者。

1990 年西区半决赛，勇士对阵湖人首战，穆林因膝盖扭伤被迫休战，那一场洛杉矶轻取勇士，第二战穆林决心不让悲剧重演，他一路蹒跚着走上洛杉矶大西洋论坛球场，在这一场勇士以 125 比 124 取胜的比赛中，穆林带伤暴砍 41 分。

赛后，“魔术师”约翰逊对《洛杉矶时报》说：“当‘上帝’创造篮球运动员时，他创造了穆林。穆林是‘上帝的左手’！”

扬尼斯·阿德托昆博常规赛数据表

赛季	球队	篮板	助攻	得分
2013/2014	雄鹿	4.4	1.9	6.8
2014/2015	雄鹿	6.7	2.6	12.7
2015/2016	雄鹿	7.7	4.3	16.9
2016/2017	雄鹿	8.8	5.4	22.9
2017/2018	雄鹿	10.0	4.8	26.9
2018/2019	雄鹿	12.5	5.9	27.7

“他就像一个身高 2.13m 的拉塞尔·威斯布鲁克。”

——沙克·奥尼尔

档案

扬尼斯·阿德托昆博 /Giannis Antetokounmpo

绰号：字母哥 / 位置：小前锋

出生日期：1994 年 12 月 6 日

身高：211cm 体重：98kg

效力球队：雄鹿

球衣号码：34

荣耀

3 届全明星：2017-2019

1 届最佳防守阵容二阵：2016/2017

2 届最佳阵容二阵：2016/2017、2017/2018

常规赛场均数据

21.1 分 /10.6 个篮板 /3.0 个盖帽

季后赛场均数据

18.1 分 /10.6 个篮板 /2.5 个盖帽

字母哥就是这样一个不可思议的，神奇的，矛盾的集合体，是上帝造物时无意间弄出的 BUG。

9♥

扬尼斯·阿德托昆博

GIANNIS ANTETOKOUNMPO

天赋异禀，身高臂长，行动如流星赶月，以内线的体格，行外线之实，以他的身高、敏捷、单打技巧，几乎可以横行内外线。除了远射技巧，他已无任何短板。他那旷古绝伦的天赋，是任何人都练不出来的，即便是詹姆斯和杜兰特，也不能像他那样“横行霸道”地打球。

1991 年，“字母哥”阿德托昆博的父母为了逃避战乱，从尼日利亚偷渡来到希腊，由于没有合法身份，他们一直过着贫困且颠沛流离的生活。母亲当保姆，父亲做杂工，一家人过着紧巴的生活，挣扎在温饱线边缘。1994 年 12 月 6 日，“字母哥”在雅典出生，他是家中的第三个儿子。

由于家境贫寒，年少时的“字母哥”曾和大哥一起在雅典街头摆摊，靠卖太阳眼镜、手表、玩具和书包赚取微薄收入以补贴家用。直到 2008 年，兄弟二人被希腊当地的篮球教练看中，并带到俱乐部中进行专业的篮球培训，“字母哥”过人的身体天赋，让他很快脱颖而出，但他们依然会因为只有一双破旧的篮球鞋而无法同时上场比赛。

2012 年，“字母哥”加盟希腊乙级联赛菲拉斯里迪克斯队，2012/2013 赛季，“字母哥”在 26 场中，场均得到 9.5 分 5 个篮板 1.4 次助攻 1.0 个盖帽 0.7 次抢断，投篮命中率 46.4%，并入选希腊全明星赛，得到 8 分。他全面的表现吸引了多支欧洲俱乐部的注意，也有很多人建议他去 NBA 淘金，但谨慎的“字母哥”认为自己还无法达到去美国“试水”的水准，保险起见，他同西班牙篮球联赛萨拉戈萨俱乐部签订了一份 3 年 325000 美元的合同。

然而，2013 年选秀大会上，“字母哥”被密尔沃基雄鹿队在首轮第 15 顺位选中。时任球队主帅拉里·德鲁则被“字母哥”2.07m 的身高和 2.21m 的臂展所吸引。

因为身材瘦长且拥有出色的控球技术，NBA 很多球探称“字母哥”为穷人版的凯文·杜兰特。2013 年 7 月 30 日，“字母哥”同雄鹿正式签订了 4 年 861 万美元的新秀合同。他终于实现了当初的诺言，凭借自己的努力拿到百万美元的合约，改变穷苦的家庭生活。

18 岁的希腊男孩，人生中第一次长时间离开家，离开家人，从爱琴海岸的希腊独自一人来到北美大陆打拼，这对于很多同龄的孩子来说，都无异于是一次巨大的挑战。

2013 年 12 月 18 日主场再战尼克斯，是“字母哥”第一次以首发身份亮相，得到 10 分 7 个篮板 2 次助攻 2 次抢断，但由于太拼，最终六犯离场。

2014 年 1 月 11 日，虽然雄鹿客场惨败雷霆 16 分，但“字母哥”在模板先生杜兰特面前打出了 13 分 11 个篮板 5 次助攻 2 次抢断 2 次盖帽的全面数据，并在第三节临近尾声时送给了“阿杜”一次遮天蔽日般的“血帽”。“他简直就是部分巴图姆，部分保罗·乔治，还有杜兰特一般猎人直觉的综合体。怎么还需要等三年等到他成为足够吸引你的顶级球员？”*ESPN* 专栏作家大卫·索普如是说。

整个新秀赛季，他在 77 场比赛中首发 23 场，场均 6.8 分 4.4 个篮板 1.9 次助攻。期间，他还报名参加了 2014 年 NBA 全明星赛技巧挑战赛，成为有史以来参加该赛事最高的球员。赛季结束后，他入选了最佳新秀阵容二队。

雄鹿在 2014 年夏天聘请了贾森·基德挂帅，这位殿堂级控卫出身的年轻教练，擅长打快节奏的比赛，而且在季前赛的比赛中，他首次让“字母哥”尝试在 NBA 的比赛中担纲控卫，改打后卫，无疑让“字母哥”找到了正确的比赛模式，他开始在场上迸发出惊人的能量。2014 年 11 月 23 日，在与奇才的比赛中，“字母哥”全场贡献 20 分 4 个篮板 5 次助攻 3 次抢断，刷新生涯单场得分纪录。2015 年 2 月 7 日，在与火箭的比赛中，他又将得分纪录和篮板纪录提升到一个新的高度，27 分 15 个篮板 4 次助攻 1 个封盖。2 月份，他还获得了生涯首次“周最佳球员”称号。

职业生涯第二季，“字母哥”场均得分提升到了 12.7 分 6.7 个篮板 2.6 次助攻。该赛季，雄鹿杀进阔别多年的季后赛，在同公牛的 G3 比赛中，尽管雄鹿双加时憾负对手，但“字母哥”在 51 分钟的出场时间里砍下 25 分 12 个篮板，成为 NBA 季后赛史上得到如此数据的最年轻球员（20 岁 139 天）。遗憾的是，雄鹿最终 2 比 4 不敌公牛，惨遭淘汰。

2015/2016 赛季，成了“字母哥”全面爆发的一年，在这个赛季，基德正式让他出任球队主力控卫，而他也拿出了让所有人信服的成绩单。整个赛季，他五次拿下“三双”，打破了雄鹿单赛季队员获得“三双”的历史纪录。整个赛季，他场均 16.9 分 7.7 个篮板 4.3 次助攻 1.2 次抢断 1.4 次盖帽，投篮命中率高达 50.6%。

凭借合同年全能的表现，2016 年夏天，“字母哥”和雄鹿达成 4 年 1 亿美元的续约协议，他一跃成为希腊身价最高的运动员，并被评选为联盟最佳国际球员。

2016/2017 赛季，“字母哥”已经是雄鹿队无可争议的当家球星，他在拿到人生中第一笔亿元大单之后，彻底崛起，整个赛季他场均得到 22.9 分 8.8 个篮板 5.4 次助攻 1.6 次抢断 1.9 个盖帽，五项数据统计均为队内第一，成为 NBA 历史上第五位取得如此成就的球员。他因此入选了联盟最佳阵容二队，同时荣膺年度进步最快奖。

遗憾的是，雄鹿在季后赛首轮 2 比 4 不敌猛龙，“字母哥”人生的第二次季后赛之旅仍以一轮游结束，但他场均 24.8 分 9.5 个篮板 4 次助攻 2.2 次抢断 1.7 次盖帽的系列赛表现，却让他赢得了所有人的期待。

或许正如他自己说的那样：“下个赛季我会提升自己的领导力，然后变得更加成熟。”

所以，MVP，why not？ 2017/2018 赛季初期，科比就给他定下了本赛季的挑战目标——MVP，这个赛场似乎已经无法阻挡“字母哥”实现目标的步伐。

在技术上，他除了远距离投篮，已没有任何短板，他是一个全力求胜、痛恨失败的球员，所以你看他每一次攻防，都是竭尽全力，能冲进去肉搏。2017/2018 赛季，“字母哥”均得到 26.9 分 10 个篮板 4.8 次助攻，率雄鹿打出 44 胜 38 负不俗战绩。

2018/2019 赛季七轮过后，“字母哥”率领的雄鹿成为联盟唯一一支全胜的球队！

“字母哥”表现抢眼，一度成为继 1965/1966 赛季张伯伦之后首位在赛季开局前四场每场都得到至少 25 分 15 个篮板的球员。他带领雄鹿所向披靡，傲居东部榜首。

经历了几年的沉淀和积累，“字母哥”是时候兑现他那超绝天赋。只有 24 岁的他，已可以觊觎联盟第一人的“王座”了。

〈生涯高光闪回 / 力压“双枪”〉

高光之耀：首战对骑士砍下 34+8+8 后，“字母哥”带着密尔沃基的殷殷期望，迎来了新赛季的第二战，这次横在他面前的拥有后场“双枪”的波特兰开拓者。和“字母哥”生突猛凿的霸道球风不同，利拉德和麦科勒姆向来以犀利的快攻远投闻名遐迩。所谓剑走偏锋，刀行厚重，这两支球队的碰撞必然会演绎出一幕刀剑乱舞的铿锵之战。

2017 年 10 月 22 日，“字母哥”领衔的雄鹿叩开摩达球馆。此前两战全胜的开拓者派出哈斯勒姆盯防“字母哥”。第二节“字母哥”开始找到感觉，蛰伏野兽渐渐显露獠牙，双方的厮杀开始进入白热化状态。半场过后，开拓者 55 比 60 落后雄鹿 5 分。

下半场的“字母哥”状态起伏不定，开拓者抓住时机展开追分大战。终场前 14 秒，“字母哥”一展霸道风姿，他在开拓者三人追防下一条龙快攻扣篮，引爆全场。

而开拓者在随后的进攻中惨遭“字母哥”盖帽，最终以 110 比 113 不敌雄鹿，成了“字母哥”（砍下 44 分、8 个篮板）高光表现的背景墙，值得一提的是，44 分也创造了字母哥职业生涯的得分新高。

恩比德打球像是新时代的“大梦”奥拉朱旺：身为一个2.13m的巨人，协调性却好得惊人。恩比德有着与生俱来的古典内线篮球天赋，他能从一个动作随时开始、终止或者流畅地变化成下一个动作，无缝衔接、圆润自然。

乔尔·恩比德常规赛数据表

赛季	球队	篮板	盖帽	得分
2016/2017	76人	7.8	2.5	20.2
2017/2018	76人	11.0	1.8	22.9
2018/2019	76人	13.6	1.9	27.5

●档案

乔尔·恩比德 /Joel Embiid
绰号：大帝 / 位置：中锋
出生日期：1994年3月16日
身高：213cm 体重：113kg
效力球队：76人
球衣号码：21

●荣耀

2届全明星：2018–2019
1届最佳阵容二阵：2017/2018
1届最佳阵容二阵：2017/2018

●常规赛场均数据
24.0分 /11.2个篮板 /2.0个盖帽
●季后赛场均数据
27.0分 /12.9个篮板 /4.0次助攻

9 ♣

乔尔·恩比德
JOEL EMBIID

如今已经是 NBA 最大的“网红”，人人都爱“恩比德大帝”。在篮球层面，恩比德也是一个真正意义上的天才，他有着 2.13m 身高，却有足球运动员般的敏捷。他在赛场上的背身单打，在篮下的那些精巧而神奇的脚步，令人想起曾经的传奇“大梦”哈基姆·奥拉朱旺，他没有老师，他一切的技巧，居然都是在 YouTube 上看视频学来的，没有人有这样的天赋和学习能力。

1994 年 3 月 16 日，恩比德出生于喀麦隆首都雅温德市一个富裕的黑人家庭中，他的父亲是一个专业的手球运动员。体育世家出身的恩比德，从小就展现出了过人的运动天赋，但他最先接触的并非篮球，而是足球。司职中场的恩比德对于绿茵场有着浓厚的兴趣，他希望自己有朝一日能够像喀麦隆传奇巨星“米拉大叔”一样驰骋赛场。

然而身高暴涨，让恩比德的足球梦变得不再现实，他开始改打排球，父亲更是一度打算把他送到欧洲学习更专业的排球技术。15 岁之前，恩比德的青春字典里没有“篮球”二字，直到 2009 年夏天，他通过电视转播看到了湖人与凯尔特人的总决赛，并第一次尝试将排球投进篮筐，恩比德才知道原来有一项运动可以如此有趣。

2010 年夏天，恩比德参加了家乡一个篮球训练营，这是他第一次接受专业训练。组织此次活动的人名字叫卢克·巴莫特，一个在 NBA 只能算角色球员但在喀麦隆却拥有类似“王子”身份的家伙。当恩比德第一次走进训练馆，巴莫特就被他出众的身材所吸引，而在看过他的比赛之后，巴老师更是喜出望外：“他会成为巨星，毫无疑问。”

彼时的恩比德还非常羞涩，在巴莫特面前他一言不发。但后者看得出，这个孩子身上有着太多的可能性和可塑性。“虽然他还没怎么打过球，但我相信只要稍加训练，恩比德就会让所有人目瞪口呆。”于是，巴莫特带着恩比德参加了美国“篮球无疆界运动”，一举震惊美国篮坛。此后，他又说服老恩比德，让后者同意自己带恩比德去美国深造。

就这样，恩比德在 2011 年来到了美国佛罗里达州，进入了巴莫特的母校蒙特沃高中学习。虽然面临语言和生活习惯上的困难，但恩比德还是坚持了下来，并在“高四”那年转学去了洛克高中，率队打出了 33 胜 4 负的战绩，获得了校史上第一个州冠军。

至此，他渐渐进入了媒体的视野，高中毕业时，恩比德的身高达到了 210cm，体重达到 104kg，整个美国篮球界都在关注着他。2013 年 5 月，*ESPN* 推出了全美高中毕业生 TOP100 的排名，恩比德位列第六，在中锋位置上一骑绝尘。

堪萨斯大学、佛罗里达大学、德克萨斯大学等名校纷纷向他伸出橄榄枝，但最终恩比德选择了堪萨斯。在大一恩比德仅仅打了一个赛季，就让美国篮坛惊呼：“他一定会是 2014 年的状元秀。”遗憾的是，2014 年 6 月 21 日，选秀大会前夕，恩比德右脚硬力性骨折，不得不接受手术治疗。这让他的选秀顺位滑落到了第 3 位，即便如此，费城 76 人还是将手中宝贵的探花签押到了恩比德身上。

选秀大会前的骨折，让恩比德不得不接受 4 至 6 个月的恢复期，费城管理层出于保险起见，直接宣布了恩比德的赛季报销。他们希望一个 100% 健康的大个子走进训练营，去带领球队完成复兴。漫长的恢复期，对于大多数养伤者来说都是考验，因为很少有人会去关注一个病号。但恩比德异于常人的地方，在于他总有办法制造存在感。

作为资深推特达人，恩比德热衷于在社交网络上与明星互动，他在 2014 年公开招募詹姆斯加盟 76 人，一度闹出笑话。他在推特上向蕾哈娜发起猛烈攻势，并声称自己正在跟“嘻哈天后”约会，不仅如此，他还在推特上发布了自己心目中未来几年联盟 MVP 的榜单，毫无疑问的，恩比德位列第一，在“大帝”背后的是詹姆斯、科比、保罗等人。通过这些爆笑、浮夸还带些幽默自嘲的动态，恩比德成功俘获了一大批球迷的心。有人调侃他叫“逗比德”，有人则给了他专属于李毅老师的封号——“大帝”。

在 NBA，还从没有一个球员能够在没有通过比赛证明自己之前就赢得了万千拥戴，恩比德算是开了先河。只可惜 2015 年 8 月，76 人官方宣布恩比德将接受脚部足舟骨移植手术，恢复期为 5 至 8 个月，连续第二个赛季报销。

迟迟无法上场比赛，球迷们开始担心恩比德的职业生涯，很多人将他跟奥登放在一起讨论，同样是名噪一时的超级中锋，同样新秀赛季报销，且未能达到预期。但恩比德没有气馁，他相信自己会健康地走上赛场，让质疑他的人闭嘴。

2016 年 10 月 26 日，恩比德终于迎来了自己职业生涯的首秀，对手是雷霆，他首发登场 22 分钟，拿下 20 分 7 个篮板 2 次盖帽，完全不像一个首次打职业比赛的球员。更让人欣喜的是，这个拥有 2.13m 身高和 113kg 体重的“巨无霸”，竟然有着丰富而细腻的篮下技术。最重要的一点，是他有契合这个时代的内线特质——射程开阔，有三分。11 月 5 日，在 76 人主场以 101 比 102 不敌骑士的比赛中，恩比德 13 投 7 中，三分球 4 投 4 中得到了 22 分 6 个篮板 2 次助攻 4 次封盖，将自己全能中锋的标签展现得淋漓尽致。

2017 年 1 月 20 日，恩比德在与开拓者比赛中因扣篮后不慎落地，导致左膝半月板轻微撕裂。76 人让他接受手术治疗，他的新秀赛季并不圆满。31 场比赛，场均 20.2 分 7.8 个篮板 2.5 个盖帽，三分命中率 36.7%。他入选了最佳新秀阵容一队。

即便接连受伤，76 人也愿意将未来赌在恩比德身上，2017 年 7 月，费城管理层跟恩比德达成了一份 5 年 1.48 亿美元的续约协议，恩比德成为“兄弟之城”未来的绝对核心。对于“摆烂”数年、卧薪尝胆的 76 人来说，2017/2018 赛季将是他们证明自己的时刻，本·西蒙斯在新秀赛季报销后归来，恩比德也整装待发，“双帝组合”让费城球迷颇为期待。

整个 2017/2018 赛季，恩比德没有遇到重创式的伤病困扰，他出勤 66 场比赛，场均得到 22.9 分 11 个篮板 1.8 个盖帽，投篮命中率提升到了 48%。11 月 16 日，76 人客场 115 比 109 战胜湖人，恩比德狂砍 46 分 15 个篮板 7 次助攻和 7 个盖帽，创下个人职业生涯单场得分和盖帽新高，并成为历史上首位能打出 46 分 15 个篮板 7 次助攻 7 个盖帽数据的球员。凭借出色的表现，恩比德入选了全明星首发阵容，并在赛季末入选了 NBA 最佳阵容二队。76 人也在他的带领下，创造了 52 胜 30 负的战绩，以东部第三名的身份，时隔 7 年重返季后赛之列。

2018 年季后赛首轮，由于伤病困扰，恩比德缺席了前两场比赛，G3 复出后，76 人一鼓作气连赢三场，以 4 比 1 的比分淘汰热火，昂首挺进第二轮。对阵阵容残缺的凯尔特人，锐气正盛的费城青年军却事与愿违，本·西蒙斯被史蒂文斯的战略绞杀，恩比德陷入孤军奋战的境地，76 人以 1 比 4 脆败，结束了疯狂的一季。

但没有人为此感到惋惜，西蒙斯与恩比德的组合，让所有人看到了希望。一对健康的“双帝”，将在未来带领 76 人走向辉煌。

2018/2019 赛季他能 12 分钟便轻取“两双”，更是几乎场场“两双”。此外他还能在对位那些顶级内线时，占尽上风，由此可见他那没有上限的超绝天赋。恩比德毫无疑问是费城 76 人的灵魂。他有着近乎天生的煽动力和领袖气质，一登场就展现出左右全队和对手的霸气，以及相应的全套进攻技巧。

恩比德场均砍下 27.4 分 13.5 个篮板，带领 76 人艰难前行，经历生涯前 4 年首次健康的休赛期，如果恩比德能将这种健康维持下去，那么他完全可能打出顶级的表现。毫无疑问如今的费城是“天赋之城”，但如何兑现，是他们亟待解决的问题，因为东部诸强已经崛起。

“大帝”出征，寸草不生。

鲁迪·汤姆贾诺维奇常规赛数据表

赛季	球队	篮板	助攻	得分
1970/1971	火箭	4.9	0.9	5.3
1971/1972	火箭	11.8	1.5	15.0
1972/1973	火箭	11.6	2.2	19.3
1973/1974	火箭	9.0	3.1	24.5
1974/1975	火箭	7.6	2.9	20.7
1975/1976	火箭	8.4	2.4	18.5
1976/1977	火箭	8.4	2.1	21.6
1977/1978	火箭	6.0	1.4	21.5
1978/1979	火箭	7.7	1.9	19.0
1979/1980	火箭	5.8	1.8	14.2
1980/1981	火箭	4.0	1.6	11.6

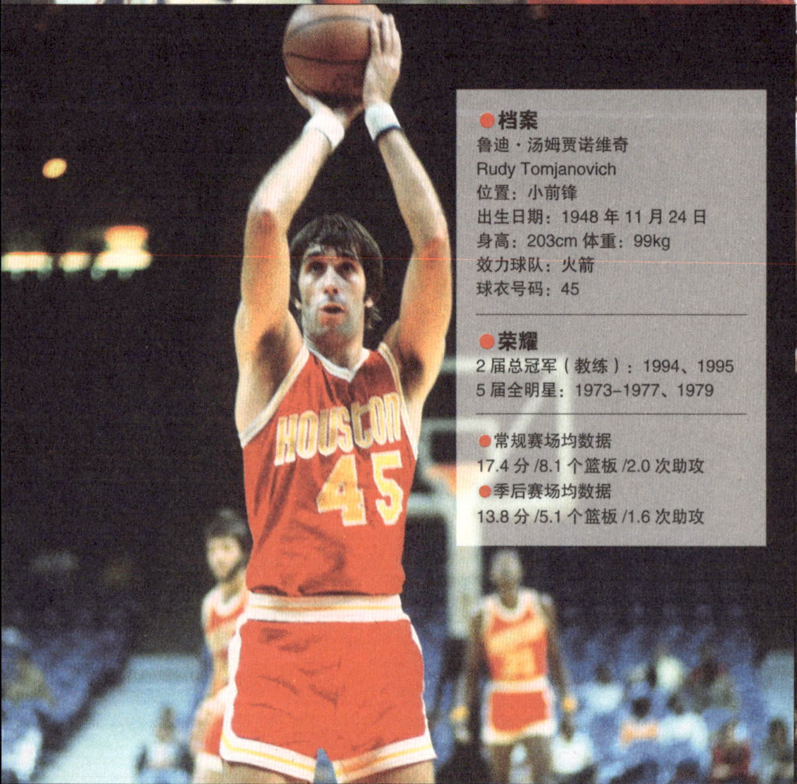

●档案

鲁迪·汤姆贾诺维奇
Rudy Tomjanovich
位置：小前锋
出生日期：1948 年 11 月 24 日
身高：203cm 体重：99kg
效力球队：火箭
球衣号码：45

●荣耀

2 届总冠军（教练）：1994、1995
5 届全明星：1973-1977、1979

●常规赛场均数据
17.4 分 /8.1 个篮板 /2.0 次助攻

●季后赛场均数据
13.8 分 /5.1 个篮板 /1.6 次助攻

9

鲁迪·汤姆贾诺维奇

RUDY TOMJANOVICH

汤姆贾诺维奇在休斯敦漫长的篮球生涯里，无论是作为球员还是作为主教练都表现得异常出色。球员时代，他五入全明星，在海耶斯离开休斯敦的“空窗期”和一群年轻的战友撑起“休城”坍塌的天空，重伤归来，更是辅佐摩西·马龙一路杀入总决赛；教练时代，他率领火箭独得队史上两座总冠军奖杯，在休斯敦历届“教头之”中，力压群雄，当之无愧“休城”历史上教练 NO.1!

在 NBA 漫漫历史长河之中，能够为一支球队效忠到退役的球员寥寥无几。而能够在球员、教练、临时主教练、顾问等岗位上一直服务一支球队长达 34 载春秋，恐怕就是名副其实的“珍稀物种”。

本文的主人公，汤姆贾诺维奇就是这样的“珍稀物种”。

早在汤姆贾诺维奇大学时期，他的篮球天赋就被众人认可，他曾是密歇根大学 NCAA 历史上篮板第一、场均得分第二，并创造了单场得分和篮板纪录。肩负这样的荣誉，他被彼时还在圣地亚哥的火箭选中，成为这支创立没多久球队中的一员。

他加入火箭的时候，这支球队还在埃尔文·海耶斯的统治下，彼时球队战绩不佳，但主教练约翰·埃根给予汤姆贾诺维奇等一干年轻人充分的成长空间。汤姆贾诺维奇也没有辜负主教练的栽培，很快从一名年轻小将成长为场均 19.3 分 11.6 个篮板的潜力巨星。

1974/1975 赛季开始之前，海耶斯和火箭的不欢而散，汤姆贾诺维奇也顺势上位，以场均 24.5 分 9.0 个篮板的数据成为球队头牌。而球队也在他、墨菲、纽林等年轻人的带领下，显得朝气蓬勃，开局更是打出 10 胜 5 负的漂亮战绩。整支球队飞天遁地、狂轰滥炸一度成为联盟关注的焦点球队。而他们也在赛季结束之时，以 41 胜 41 负的战绩完成建队以来第二次杀入季后赛的壮举！

而这一次，已经迁往休斯敦的火箭更加给力，相比首次进入季后赛被横扫的命运。汤姆贾诺维奇领先的休斯敦火箭队史第一次杀入分区半决赛！

不过，半决赛面对如日中天的“绿衫王朝”，他们的青涩就显而易见了，以 4 比 1 败下阵来，但拥有汤姆贾诺维奇的休斯敦已经不再是人见人欺的弱旅！

之后，摩西·马龙驾临休斯敦，这位 NBA 名宿的到来让火箭队被空前看好，他和汤姆贾诺维奇如果能够珠联璧合，也许队史第一座总冠军奖杯已经触手可及！事情的开始，也像人们预测的那样，1976/1977 赛季，摩西·马龙和汤姆贾诺维奇两人联手带领球队一路杀入东部决赛，虽然惜败，但未来似乎前途无量。

然而，天意弄人，1977/1978 赛季的一宗关于汤姆贾诺维奇的暴力事件，让休斯敦的第一座总冠军奖杯向后延迟了将近 20 年。

那是 1977 年的 12 月 9 日，火箭对阵湖人的比赛中，一幕 NBA 历史上最著名的惨剧上演了：当时湖人的当家球星贾巴尔和火箭内线防守悍将卡内特斯打在了一起——两支球队前半段糜烂的战绩让球员心浮气躁。

这时湖人球员科米特·华盛顿杀出，加入战团，作为火箭核心球员的汤姆贾诺维奇也马上跑了过去。他想要拉开厮打的队友，但华盛顿误会了，他以为汤姆贾诺维奇是上来参战的，于是他向汤姆贾诺维奇挥出了重拳！可怜的汤姆贾诺维奇在毫无防备之下，当场被打翻在地，瞬时间血流成河！当昏迷的汤姆贾诺维奇被送到医院时，才发现，他的头骨整整错位了 2.54cm！

这一事件让汤姆贾诺维奇在病床上整整休养了五个多月，面部更是经过多次整形复位，才回到赛场上。而因为这次灾难，汤姆贾诺维奇再也难复当年之勇，虽然复出之后，也有过短暂的重返巅峰，但最终还是在 1980/1981 赛季就宣布退役，本是当打之年，却带着遗憾远离了赛场。

然而，退役之后的汤姆贾诺维奇并没有离开他深爱的休斯敦和篮球事业，他开始成为这支球队幕后的一员，甚至成为这支球队的临时主教练。而 1992 年，在经历过“双塔组合”失败的休斯敦，终于将之前深藏幕后的汤姆贾诺维奇推上了前台。

而拿起休斯敦的教鞭的汤姆贾诺维奇也开始了自己另一段光芒万丈的篮球旅程！

1992 年的休赛期，汤姆贾诺维奇就开始了他的“神奇”运作，他先是搞来了罗伯特·霍利来补强球队首发前锋位置的空缺，接着又弄来了卡尔·赫雷拉、马特·布拉德等一干替补悍将，彻底完成了球队核心班底的搭建。

接着，汤姆贾诺维奇在赛季开始时，又开始了他神奇战术的演练——他奠定了以奥拉朱旺作为战术核心及基础的战术体系，所有球员围绕奥拉朱旺去完成进攻和防守。球员们加强无球走位和战术空切，不断拉开篮下空间给奥拉朱旺，而奥拉朱旺也不断通过“三威胁”为其他队友制造空位投篮机会。

1992/1993 赛季，汤姆贾诺维奇的战术体系初见成效，球队一扫之前几个赛季的颓废姿态，以 55 胜 27 负的绝佳战绩笑傲分赛区，一路杀入分区决赛。

如果说那个赛季是刚刚晋身帅位的汤姆贾诺维奇的小试牛刀，那接下来 1993/1994 赛季、1994/1995 赛季，就是“汤帅”大展身手的时刻了！

在 1993/1994 赛季开始之前，一个震惊世人的消息传来：“篮球之神”迈克尔·乔丹宣布退役了！这给了休斯敦上下极大的信心，毕竟夺冠路上最强大的敌人离去了！

汤姆贾诺维奇没有错过这个绝佳的机会，在他的运筹帷幄之下，休斯敦人露出执掌江山的霸王之气，他们先是在 1993/1994 赛季过五关斩六将一路杀入总决赛，并和帕特里克·尤因带领的尼克斯展开了七场火星撞地球一般的厮杀，并最终笑到了最后。

接下来的 1994/1995 赛季，更是在外部一致不看好的情况下，跌跌撞撞杀入季后赛，然后突然摇身一变，仿佛之前人挡杀人、佛挡杀佛的休斯敦附体，轻松 4 比 1 做掉犹他。然后，在被菲尼克斯 3 比 1 逼入绝境后，连扳 3 场，杀入西部决赛。最后，4 比 2 迈过马刺，再度登上篮球最高的舞台——NBA 总决赛。

面对魔术，他们愈发老辣轻松，以 4 比 0 横扫对手，再度捧起奥布莱恩杯！

而“汤帅”对这支球队的贡献和付出，更是有目共睹！他的执教能力，也为他成为 NBA 历史上少有的名帅！接下来的几年，休斯敦开始了新老交替，作为主教练，汤姆贾诺维奇对球队的把控能力此刻愈发显现出来，从奥拉朱旺到弗朗西斯再到姚明，汤姆贾诺维奇让休斯敦在权力交接的时期也能平稳度过。

而在此期间，他更是在 2000 年带领美国队在悉尼奥运会上夺得冠军，执教能力毋庸置疑。和其他教练相比，汤姆贾诺维奇更注重给予球员足够的成长空间和赛场空间，并能发现球员的优点，同时调动球队的整体士气。

当然，“汤帅”最擅长的还是对中锋的培养，这也是奥拉朱旺最终成长为“大梦”、姚明能够成为与奥尼尔争一时瑜亮的核心原因。

2003 年，“汤帅”罹患膀胱癌，不得不离开教练岗位回家修养。这也让刚刚适应 NBA 的姚明无比遗憾，要知道也许“汤帅”一直执教姚明，姚明没准能够成为下一个“大梦”，师徒两人联手也能帮助休斯敦实现第二次两连冠的夙愿！

但这只是也许，虽然没有成真，不过“汤帅”的职业生涯没有任何遗憾，无论作为球员还是教练，他都是休斯敦夜空最亮的星！

拉简·隆多常规赛数据表

赛季	球队	篮板	助攻	得分
2006/2007	凯尔特人	3.7	3.8	6.4
2007/2008	凯尔特人	4.2	5.1	10.6
2008/2009	凯尔特人	5.2	8.2	11.9
2009/2010	凯尔特人	4.4	9.8	13.7
2010/2011	凯尔特人	4.4	11.2	10.6
2011/2012	凯尔特人	4.8	11.7	11.9
2012/2013	凯尔特人	5.6	11.1	13.7
2013/2014	凯尔特人	5.5	9.8	11.7
2014/2015	凯尔特人	7.5	10.8	8.3
2014/2015	独行侠	4.5	6.5	9.3
2015/2016	国王	6.0	11.7	11.9
2016/2017	公牛	5.1	6.7	7.8
2017/2018	鹈鹕	4.0	8.2	8.3
2018/2019	湖人	5.3	8.0	9.2

档案

拉简·隆多 /Rajon Rondo
位置：控球后卫
出生日期：1986 年 2 月 22 日
身高：185cm 体重：84kg
效力球队：凯尔特人、独行侠、国王、公牛、鹈鹕、湖人
球衣号码：9

荣耀

1 届总冠军：2008
4 届全明星：2010–2013
3 届助攻王：2011/2012、2012/2013、2015/2016
1 届抢断王：2009/2010
2 届最佳防守阵容一阵：2009/2010、2010/2011

常规赛场均数据

10.4 分 /4.8 个篮板 /8.4 次助攻

季后赛场均数据

14.0 分 /6.1 个篮板 /9.3 次助攻

8 ♠

拉简·隆多

RAJON RONDO

他曾是“绿衫军”的“少主”、总冠军球队当家后卫、联盟第一控卫候选人；他又是“真中锋”、“三双王”、“隆指导”、“鬼才”指挥官。他拥有控球后卫所能拥有的一切，最完整的传球技巧，最深刻的赛场洞察力，他对球队战术的理解程度可以和教练媲美。作为一个球员，他速度奇快，攻防两端充满攻击性和破坏力，但与此同时，他又缺乏射程，在罚球线以上几乎可以忽略他的存在。

丹尼·安吉见证了隆多从“菜鸟”到球队“大佬”的成长历程，至今他还无法忘怀2006年选秀时的狗屎运。当年凯尔特人用七号签选中了兰迪·弗耶，然后搭配拉弗伦茨和丹·迪考，从波特兰换来特利菲尔和拉特利夫，在安吉看来，波士顿的选秀工作已经告一段落，直到他发现自己钟爱的一名球员竟然无人问津。

凯尔特人只有一个首轮签，他们也没有大手大脚花钱的土豪习气，始终以远离奢侈税为目标，而一个首轮秀意味着要签下一份三年的保障合同。凯尔特人老板格罗斯贝克觉察到安吉对隆多的浓厚兴趣，鉴于此前已经甩掉拉弗伦茨的大合同，完成了省钱计划，他选择相信总经理的直觉。

最终安吉得偿所愿，与太阳达成协议，用2007年的首轮签换来了隆多，这次运作被公认为凯尔特人史上最成功的一次“淘宝”。作为NBA管理层中最著名的“赌徒”，安吉在最近几年里几乎出掉了所有值钱的筹码，除了隆多，经历难熬的伤病困扰之后，“绿军”的队长终于回来了。

关于2008年凯尔特人的冠军荣耀，“三巨头”几乎抢占了所有戏份，人们会记得“狼王”用毛巾遮住面颊等待终场哨响的经典镜头，会想起皮尔斯用整桶佳得乐毁掉里弗斯西装的恶作剧，却很容易忽略隆多的贡献。安吉与里弗斯多次谈起总决赛第六场，“隆多太牛了，他才是场上最闪亮的星，要知道他狂揽 21 分 7 个篮板 8 次助攻和 6 次抢断。”

随着“三巨头”年龄的增大，隆多的存在感与日俱增，战术层面上他是凯尔特人进攻体系的发动机，他的穿针引线对“三巨头”不可或缺，加内特不止一次声明他是球队的领导者，“第四巨头”的称谓远比一个优秀的核心后卫更能体现他的价值。

2011 年东部半决赛，隆多让全世界领教了“独臂大侠”的个人魅力，肘部脱臼也无法阻挡他与热火决一死战的热情，当他凭借单手绝技上篮得手时，场边的皮尔斯和两万名观众一起沸腾。隆多最终没有力挽狂澜扭转局势，却用个人英雄主义的戏码为“绿军”赢得系列赛唯一一场胜利，让人确信他的体内拥有波士顿最纯正的 DNA。

2012 年东部决赛，凯尔特人和热火再次遭遇，第二场隆多打满 53 分钟，加时赛砍下 12 分，包括终场结束前 15 秒的两记三分球，全场砍下 44 分 8 个篮板 14 次助攻，季后赛历史上没有人打出如此恐怖的数据。

系列赛最后一场，隆多虽然豪取 22 分 10 个篮板 14 次助攻，却无奈地目送宿敌热火迈入总决赛。“绿军”的垂死挣扎并非没有意义，当年他们是唯一一支将冠军逼至第七场生死战的球队。因为个性冷峻，不擅长与媒体打交道，隆多被塑造成一个傲慢而固执的怪人。隆多习惯在扮演着激励队友的领袖角色，却不屑在公众面前伪装自己，他习惯我行我素，不近人情，甚至偶尔露出一点儿暴力倾向。

隆多臂展长，手掌奇大，拥有良好的球感。可以轻松上演快攻扣篮，投篮能力虽然并不突出，但其传球和篮板能力在后卫中难逢敌手，经常打出“三双”数据。

隆多的传球越发诡异，让人防不胜防，用假意传球突破，让他越发犀利。尤其是他那无解的招牌动作——背后假传，更是令人几乎无法防守。但他却始终恪守着“传球至上”的控卫传统。如今传球至上的组织后卫已经成为稀有动物，飙分型控卫开始成为主流，除了隆多，他是反潮流的先锋。

“后三巨头”时代的凯尔特人看不到复兴的希望，2014 年 12 月 19 日，小牛和凯尔特人完成交易，隆多加入达拉斯小牛，最后一位冠军后卫也远走他乡。隆多挥手作别了征战 8 年之久的 TD 北岸花园球馆，开启了颠沛漂泊的浪子生涯。

在达拉斯，那不是一个能够兼容他的体系，隆多只是过客。然而，做不了拔枪如电的牛仔，大可以做一个掌控全局的“国王”。

于是 2015 年 7 月 4 日，隆多与萨克拉门托国王队达成了一份 1 年价值 950 万美元的合同，而在萨克拉门托，隆多可以随心所欲发挥自己的才能，又做回了他的“真中锋”和“三双王”。在这里，他有着脱胎换骨、重回巅峰的希望。

然而好景不长，曾贵为当赛季助攻王（场均 11.7 次助攻）的隆多，于 2016 年 7 月 4

日以 2 年 2800 万加盟公牛，时隔两年，他再回东部。

一年之后，2017 年 7 月 16 日，隆多以一年合同加盟新奥尔良鹈鹕队。

在鹈鹕，隆多职业生涯再现辉煌：安东尼·戴维斯是个内线怪物，攻击范围覆盖整个半场，快速终结能力超强，但并不擅长持球强攻。朱·霍乐迪拥有如今近乎失传的单打节奏感，尤其善于运用运球节奏和身体对抗来寻找得分机会，但统筹全队非其所长。于是，隆多的到来恰恰弥补了这个空白。他的传球无所不至，只要戴维斯在正确的得分位置上，隆多的传球就一定如影随影；对其他队友而言也不例外。

于是，霍乐迪被解放了，他不需要再考虑如何转移球，如何寻找戴维斯；只需要在隆多给他球的时候，一对一揉搓对方的小号后卫。戴维斯更不必多说，隆多无微不至地“喂球”，让他可以在球场上任何位置都能保持进攻威胁了，这在以前几乎是不可想象的。如此一来，一盘散沙的鹈鹕，被隆多这个天才般的统筹者捏合成了真正的球队。

2018/2019 赛季，当詹姆斯确定加盟洛杉矶后，隆多爽快地答应了湖人的报价，跟“现役第一人”并肩作战还是极具诱惑的。

2018/2019 赛季至今隆多场均可以砍下 9.1 分 5.2 个篮板 7.8 次助攻，虽然数据不是非常耀眼，但是他在湖人队扮演了着很重要的角色，他不仅是球队的替补控卫，还是更衣室领袖。他还对湖人的年轻核心英格拉姆提供了很多帮助。

在隆多的指挥棒下，每个人都找到了最合适的位置。至此，隆多终于在离开波士顿之后，找到了最适合自己的主队。他并不是像克里斯·保罗那样，一个人就能无中生有地创造海市蜃楼。他是个顶级的统筹者，他将强大的队友安排在最合理的位置上，指挥他们威胁对手，让对手接连陷入混乱，直至最后崩溃。但如果队友本身没有足够的威慑力，隆多也就无从施展。所以，迄今为止他的人生巅峰依然是在当年的“三巨头”身边取得的。

如今在詹姆斯的身边，隆多将呈现什么？令人期待。

拉马库斯·阿尔德里奇常规赛数据表

赛季	球队	篮板	盖帽	得分
2006/2007	开拓者	5.0	1.2	9.0
2007/2008	开拓者	7.6	1.2	17.8
2008/2009	开拓者	7.5	1.0	18.1
2009/2010	开拓者	8.0	0.6	17.9
2010/2011	开拓者	8.8	1.2	21.8
2011/2012	开拓者	8.0	0.8	21.7
2012/2013	开拓者	9.1	1.2	21.1
2013/2014	开拓者	11.1	1.0	23.2
2014/2015	开拓者	10.2	1.0	23.4
2015/2016	马刺	8.5	1.1	18.0
2016/2017	马刺	7.3	1.2	17.3
2017/2018	马刺	8.5	1.2	23.1
2018/2019	马刺	9.2	1.3	21.3

档案

拉马库斯·阿尔德里奇

LaMarcus Aldridge

位置：大前锋

出生日期：1985 年 7 月 19 日

身高：211cm 体重：118kg

效力球队：开拓者、马刺

球衣号码：12

荣耀

7 届全明星：2012–2016、2018–2019

2 届最佳阵容二阵：2014/2015、2017/2018

常规赛场均数据

19.5 分 /8.3 个篮板 /1.1 个盖帽

季后赛场均数据

20.8 分 /8.4 个篮板 /1.4 个盖帽

8 ♥

拉马库斯·阿尔德里奇
LAMARCUS ALDRIDGE

静默、稳定，但杀伤力不够强，关键时刻不够硬。作为仅存的古典型大前锋，无论背筐面筐脚步都堪称华丽且扎实，且精于中距离投射，他已将这个区域的命中率投到了远超一般水准的高度。
面容俊秀，轻灵飘逸，进攻仙风道骨，此外从策应方面来讲，阿尔德里奇几乎都是联盟中最擅长传球的内线。

2011/2012 赛季的开拓者仅拿到 33 胜 49 负的战绩，到了 2012/2013 赛季，截至 27 场常规赛，波特兰已经拿到了 22 场胜利。12 月 5 日，开拓者在主场击败了强敌雷霆队，波特兰市民用“MVP”的呼喊送给为摩达中心带来胜利的英雄——阿尔德里奇在本场比赛中 28 投 17 中，拿到 38 分，并揽下 13 个篮板 5 次助攻。

科比曾经在玫瑰中心得到过“MVP”呼喊的礼遇，而对于开拓者而言，上一次拿到常规赛 MVP 还是 20 世纪 70 年代的比尔·沃顿。换言之，这座城市期待一位自己的 MVP 已经太久。

阿尔德里奇那个赛季率领开拓者领跑西部，个人数据和球队战绩皆达到他职业生涯以来的峰值。20 场比赛过后，他成功跻身“20+10”俱乐部，场均得到生涯最高的 23.3 分及 11.1 个篮板，这无疑是 MVP 级别的表现。

“我来到波特兰已经很久，但极少听到过这样的声音。呵，也许大家的喊声使得我成为这个夜晚的主角。”面对球迷的呼喊以及队友的赞誉，阿德说，“这太离奇了，面对球迷的爱戴，我必须保持谦虚。”阿尔德里奇必须对舆论保持冷静，因为没有什么比舆论更为见风使舵的，更能使人迷失自己。在打出本赛季的疯狂表现之前，阿尔德里奇一直被认为无法胜任领袖，太过沉默是个“低调的软蛋”。而同时，更不会有人将他与“MVP”这个词联系在一起。

2012 年 12 月 7 日，开拓者在主场迎战造访的小牛，“德克”与“阿德”两位明星大前锋的对决令人难忘。他们不断在场上相互展示自己的面框与背筐技巧，犹如剑客般见招拆招。比赛末段，阿尔德里奇在“德克”头上投中了一记偷师自对方的“金鸡独立”后仰跳投。姿势之神似，仿佛令“德克”看到了镜中的自己。

自罗伊退役后，开拓者的领袖权杖已经从 7 号转交到了 12 号的手里。成为开拓者毋庸置疑的领袖之后，阿尔德里奇与“德克”类似，身上总有那些有关侵略性弱，领导力差，球风软的质疑。同样是在这个赛季，阿尔德里奇逐渐证明了自己。

罗伊时代结束后，阿尔德里奇独撑大梁，进攻防守都需要亲自打理，甚至还在很多时候出任中锋。这使得这位进攻型大前锋颇感无力。罗宾·洛佩兹加入开拓者之后，阿尔德里奇终于真正迎来了职业生涯第一位坚实的禁区伙伴。他不仅时有令人惊艳的二次进攻表现送出，同时也极大分担了阿尔德里奇在篮板与防守端的压力，使阿尔德里奇从不擅长的中锋位置解放出来，回到真正属于自己的大前锋位置。

被解放后的阿尔德里奇在对阵勇士的比赛中第一次拿到了“30+21”的数据，这让他成为开拓者队史上的第一人——即便传说中的比尔·沃顿也没能做到。在这场比赛的第三节，开拓者乔尔·福里兰德与博古特在争抢篮板时手臂搅在了一起，随后博古特充满了怒意地推开了福里兰德。看到队友与对手在冲突中处于劣势，阿尔德里奇马上前去支援队友，几掌拍出，博古特脚下一个趔趄，险些倒地。阿尔德里奇曾经最遭人质疑的血性在此刻展露无遗。随后双方的球员蜂拥而来，事态到了裁判必须出手控制的情况，双方球员仍在推搡，莫·威廉姆斯、马修斯、德拉蒙德·格林最终惨遭驱逐。

开拓者末节在阿尔德里奇的带领下，最终完成了逆转。达拉斯小牛常年坚持的远射、跳投、快节奏的“牛仔式”飘逸打法，这与开拓者虽然具有某种程度上的相似性，但他们显得更为朴实，更强调身体接触，同时也更具有美国西北球队的冷冽强悍感。他们的整体气质上潇洒不足，但沉稳有余。这似乎与阿尔德里奇本身的气质有着千丝万缕的联系。

阿尔德里奇出身于普通黑人家庭，并不具有“德克”优越的运动世家成长环境。而他虽然贵为榜眼，但在开拓者长久以来的培养计划中，他从来不是第一选择——尽管如今的阿尔德里奇已经两次跻身全明星，而他的第三次全明星之旅几乎也已经板上钉钉。当年开拓者在 2006 年拿下罗伊与阿尔德里奇，阿尔德里奇表现中规中矩，而罗伊最终拿下了年度新秀。之后的一年，开拓者用状元签选择了“下一个 20 年的统治者”奥登。球队的未来需要阿尔德里奇的参与，但他还看不到亲自扛起球队的希望。

罗伊与奥登接连倒下，波特兰几乎经历了地震，而阿尔德里奇就像是从灰烬与废墟中爬出的勇者一样，一步步站到了领袖的台阶。然而即便如此，一切并不太平。

“管理层希望我成为一名出色的角色球员，做些挡拆外切，控卫跳投，外线传导球之类的活计。”阿尔德里奇说，“他们希望我能够成为罗伊、奥登、米勒之后的完美队友。”那是在 2009 年安德烈·米勒加入开拓者时，球队认为时机已到，球队已经具备核心班底，应当为西部巅峰做出冲刺。然而造化弄人，前面三人最终离去，阿尔德里奇却成了球队老大。在那之后，开拓者多年战绩平平，聚焦在阿尔德里奇身上的质疑，正是在那时开始凸显。而开拓者曾经也试图交易掉他。

2015 年夏天，阿尔德里奇成为自由球员，这位在波特兰征战了 9 个赛季的全明星大前锋最终选择了圣安东尼奥马刺这支拥有冠军底蕴和传奇教头的球队。

2015/2016 赛季阿尔德里奇常规赛场均可以砍下 18.0 分 8.5 个篮板 1.1 次助攻。季后赛中阿尔德里奇也能够拿下 21.9 分 8.3 个篮板 1.4 次盖帽。

2016/2017 赛季是阿尔德里奇马刺职业生涯表现最糟糕的一个赛季，场均只能拿下 17.3 分 7.3 篮板 1.9 助攻的数据。作为邓肯退役以后马刺队内唯一的内线核心以及曾经的优质大前锋、MVP 热门候选人，阿尔德里奇的表现并不能让人们满意。

2017/2018 赛季可以说是阿尔德里奇单核带队的一个赛季，伦纳德扑朔迷离的伤病让他缺席了大部分比赛，更多时候是阿尔德里奇一个人在扛着马刺前进。他也没有辜负球迷的期望，常规赛场均拿下 23.1 分 8.5 个篮板 2 次助攻的数据，使得马刺在缺少伦纳德的情况下依然取得了 47 胜 35 负的战绩并杀入季后赛。虽然在季后赛中大比分 1 比 4 不敌勇士，但阿尔德里奇已经打得足够优秀了，整轮系列赛中他在勇士内线的疯狂包夹之下，依然取得了场均 23.6 分 9.2 个篮板的数据。

2018/2019 赛季至今，阿尔德里奇能够砍下 21.3 分 8.9 个篮板 1.3 个盖帽，带领马刺稳居西部前八的位置。阿尔德里奇胖了，体重大了，为了团队篮球，他牺牲了很多，不再是当年那个面容俊秀，轻灵飘逸，进攻仙风道骨，举手投足有着“德克”影子的大前锋了。在没有邓肯的马刺，他增加体重，顶到了五号位，一人撑起了马刺内线的攻防体系，把自己当半个邓肯去使用，连临危救主的罕有表现，如今他也能做到了。

〈生涯高光闪回 / 双加时暴走〉

高光之耀：33 投 20 中，罚球 16 罚全中打出生涯最强进攻一战，阿尔德里奇强势主宰禁区打爆亚当斯，全场爆砍 56，分刷新职业生涯单场最高分纪录，他此前常规赛最高分是 45 分，他用如此疯狂暴走一战证明自己的内线威力，无疑也是“后邓肯时代”马刺的绝对内线支柱。。

2019 年 1 月 11 日，马刺主场双加时 154 比 147 战胜雷霆。本役阿尔德里奇在第三节独得 16 分打爆雷霆内线，第二个加时赛还剩 25.2 秒时，阿尔德里奇造成格兰特 6 犯“毕业”，他依然是稳稳两罚全中率队巩固 4 分领先，以及还剩 2.4 秒被犯规两罚全中杀死比赛。阿尔德里奇用如此神勇的发挥，率领马刺最终双加时惊险赢下雷霆。

“之所以选择 0 号球衣，是因为我要提醒自己每天都要从零开始，为之奋斗。”

——吉尔伯特·阿里纳斯

吉尔伯特·阿里纳斯常规赛数据表

赛季	球队	助攻	抢断	得分
2001/2002	勇士	3.7	1.5	10.9
2002/2003	勇士	6.3	1.5	18.3
2003/2004	奇才	5.0	1.9	19.6
2004/2005	奇才	5.1	1.7	25.5
2005/2006	奇才	6.1	2.0	29.3
2006/2007	奇才	6.0	1.9	28.4
2007/2008	奇才	5.1	1.8	19.4
2008/2009	奇才	10.0	0.0	13.0
2009/2010	奇才	7.2	1.3	22.6
2010/2011	奇才	5.6	1.4	17.3
2010/2011	魔术	3.2	0.9	8.0
2011/2012	灰熊	1.1	0.6	4.2

● 档案

吉尔伯特·阿里纳斯 /Gilbert Arenas

位置：得分后卫

出生日期：1982 年 1 月 6 日

身高：191cm 体重：87kg

效力球队：勇士、奇才、魔术、灰熊

球衣号码：0、1、9、10

● 荣耀

3 届全明星：2005–2007

1 届最佳阵容二阵：2006/2007

● 常规赛场均数据

20.7 分 /3.9 个篮板 /5.3 次助攻

● 季后赛场均数据

17.1 分 /3.5 个篮板 /3.8 次助攻

8 ♣

吉尔伯特·阿里纳斯

GILBERT ARENAS

“零号特工”从金州最不起眼的“板凳匪徒”，逐渐成长为首府球队的领袖。他率性而为，浴血重生，始终捍卫着属于自己的荣誉。疯癫起来甚至置胜负于不顾，争强好胜的阿里纳斯匪气十足、锱铢必较，常口出狂言，凡是他盯上的目标，无论在别人眼里多么荒谬，他也会义无反顾地去实现，特别是他从二轮秀一路扶摇直上，成为联盟超级巨星的逆袭之路，充满了传奇色彩。

“嗨，我是阿里纳斯，这是我的故事。当我刚进 NBA 时，前 40 场比赛是在板凳上度过的，他们认为我打不了比赛。我想他们根本没有发现我的天赋。他们觉得我就是个 0，一无是处。我没有坐在那里怨天尤人，而是不断地训练，训练。没有人相信你的时候，所有的努力都会让你进步。这不是我能否打好篮球的问题，而是我要证明他们是错的。现在我还穿着 0 号球衣，因为我要提醒自己每天都要为之奋斗。”

这段著名的广告词更接近于阿里纳斯的独白，也许是命运使然，从出生的那一刻开始，他就开启了战斗模式，向整个世界宣战。阿里纳斯拥有一个不幸的童年，3 岁时随着父亲四海为家，因为贫穷，连吃一顿麦当劳开心乐园餐都是奢望。老阿里纳斯是个极为上进的临时演员，他给儿子做了一个很好的表率，他告诫阿里纳斯只有不断工作，才能把握住机会，这种积极拼搏的人生态度在阿里纳斯的心里根深蒂固。

白天，老阿里纳斯在外面演出，然后在 UPS 工作直到午夜。只要父亲晚上不在，阿里纳斯就钻出被窝，溜到公园去打球。“许多孩子没能在自己父亲的看护下长大。”阿里纳斯说，“我以另一种方式待在我父亲身边，爸爸每晚工作很久，回家后还会继续工作。

对我来说，远离麻烦最好的方法就是去打篮球，即使是在深夜。”

阿里纳斯的高中教练霍华德·莱温看着他打了10分钟就确定，这是自己执教的第一个能打NBA的球员。高三时，阿里纳斯单场砍下46分14次助攻，同时打破学校两项纪录，高四时他已经成为加州的得分王。

在亚利桑那大学两个赛季的70场比赛里，阿里纳斯场均贡献15.8分3.8个篮板2.2次助攻，大二时整季砍下1105分，成为校史第六个进入千分俱乐部的球员。总决赛惜败杜克之后，阿里纳斯宣布参加NBA选秀，然而他再遭重创，直到第二轮第31顺位才被金州勇士选中。选秀当天，阿里纳斯待在加州的一个旅馆里，盯着电视，看着自己的名字一直无人问津。他打开窗子，把刚买的钻表和金链丢出去，然后关掉电视，失声痛哭。

“大部分人都会认为在选秀大会上被选中的时候是最美妙的时刻，我却不是。”阿里纳斯回忆，“我在选秀那天真的很失望。我永远不会忘记那一天！将来我也许可以10次入选全明星阵容，但我会经常想起那天发生的一切，那太令人伤心了。实际上，我原本以为我会在首轮第11至19位时就被选中。”

直到2002年1月16日，阿里纳斯才得到NBA生涯第一分。“对我来说，最美好的时刻是在NBA投中第一球。”阿里纳斯说，“那是对阵克利夫兰的比赛，我断球成功冲到前场上篮得分。我当时想，即便这是我最后一场NBA比赛，我的名字也载入了史册。”

在勇士的第二年，阿里纳斯揽下了联盟进步最快球员奖，这得益于那些周而复始的枯燥练习，他把自己的家改成训练馆，为了模拟第四节体力消耗的状态，他把氧气浓度降低，在院子里拖着降落伞练体能，泡在球馆里，直到疲惫地睡着。

在奇才效力的第一年堪称灾难，阿里纳斯扭伤了腹部肌肉，缺席27场。后场名单臃肿无比，队内有三名需要传球的后卫，除了阿里纳斯还有休斯和斯塔克豪斯，奇才的进攻就像一场球权争夺战，更糟糕的是阿里纳斯招惹的是非比跳投还多。

然而华盛顿对阿里纳斯的忧虑总是在球场之外，按照世俗的眼光，他是个十足的怪人。比如每场比赛结束后他都会脱下球衣，扔给球迷，他的理由是至少有一个孩子不用花200美元去买件球衣。“作为一个NBA球员，也许我真的很古怪。”阿里纳斯说，“但作为普通人却不是这样。我只是做了一些NBA球员不敢做的事情。”

阿里纳斯咄咄逼人的竞争性经常让队友感到恼火，夸梅·布朗曾经爆料，差点儿忍不住扇他耳光。艾迪·乔丹说：“他会和队友和睦相处，只是他需要清楚，作为组织后卫和球队领袖，什么时候需要火上浇油，什么时候该悬崖勒马。这是阿里纳斯特最需要的东西，他要学会如何冷静地竞争。”

然而非议和质疑在阿里纳斯不断取得胜利后变得烟消云散，2005年奇才时隔8年重返季后赛，自1981/1982赛季之后首次进入第二轮。2005/2006赛季阿里纳斯场均砍下29.3分，位列联盟第四，几乎以一己之力将奇才带到东部第五。季后赛首轮阿里纳斯与詹姆斯“大战三百回合”，输掉第五场之后他跑到骑士更衣室抱怨：“我都准备好胜利宣言和赛后发言了，你们却搞砸了一切。”第六场加时最后时刻，詹姆斯的“咒语”生效，阿里纳斯两罚不中，最终导致奇才被达蒙·琼斯绝杀。被淘汰第二天早晨，阿里纳斯又出现在训练馆，开始了疯狂的投篮练习。

2006 年 12 月，阿里纳斯连续砍下“40+”，在湖人头上砍下 60 分。加时赛所有人疲惫不堪时，他还活蹦乱跳地砍下破纪录的 16 分。历史上湖人只对另一个人更无可奈何——1966 年张伯伦面对湖人砍下 65 分。2007 年 1 月对阵爵士，赛前阿里纳斯透露梦到自己在这场比赛投中绝杀。梦境照进了现实，比赛最后 20 秒，阿里纳斯三分出手，皮球刚刚离开指尖，他便转身面对观众，庆祝胜利，这也许是他生涯最经典的时刻。

2007 年开始，伤病开始困扰着阿里纳斯，背负着千万年薪的合同，两个赛季却只打了 15 场比赛，他几乎只能用“夸梅·布朗将统治东部”这种冷笑话占据头条。尽管如此，奇才仍然在 2008 年奉上 6 年 1.11 亿的肥约。

2009 年夏天，奇才推上了所有筹码，准备最后赌一次阿里纳斯、巴特勒和贾米森的“三巨头”，阿里纳斯在华盛顿的故事也终于走向终点。伤愈复出的阿里纳斯发现自己当年赖以生存的爆发力消失了，更糟糕的是他与队友科里坦顿联合出演的“持枪门”毁掉了球队，而不合时宜的赛前“手枪秀”几乎断送了他的职业生涯。对于斯特恩而言，这个玩笑不合时宜，而媒体几乎异口同声：不作死就不会死。

如果地球上只有一个人会继续相信阿里纳斯，那一定是奥蒂斯·史密斯，这个与“菜鸟”时期的阿里纳斯成为挚交的总经理将他带到了奥兰多。得知交易的第一时间，阿里纳斯匆匆与队友告别，乘坐最近的航班赶往奥兰多，没浪费一秒钟的时间。事实证明，阿里纳斯没有在奥兰多获得重生，从魔术再到灰熊，在 NBA 销声匿迹时，他也只有 30 岁。

然而作为一个二轮新秀，阿里纳斯已经足够出色，他三次入选全明星，三次入选最佳阵容，他穿着 0 号球衣，但在 NBA 的历史里他从来不是一个 0。

〈生涯高光闪回 / 60 分之夜〉

高光之耀：此役阿里纳斯 32 投 17 中，罚球 27 罚 21 中，砍下生涯最高分 60 分，还贡献 8 个篮板 8 次助攻，力压科比的 45 分，率奇才以 147 比 141 击败湖人。阿里纳斯成为继张伯伦之后，第二名能够在湖人身上砍下 60 分的球员。

2006 年 12 月 18 日，奇才做客斯台普斯中心挑战湖人。阿里纳斯与科比上演巅峰对决。虽然湖人在第四节单节砍下 46 分将比赛拖入加时，但加时赛俨然成了阿里纳斯的天下，他在加时赛中无人可挡。突破上篮，外线三分，制造犯规。阿里纳斯在加时赛中的神勇简直有如天神下凡，5 分钟内居然单枪匹马抢下 16 分！相反科比在加时赛中只捞到 4 分，表现天差地别。

凯文·约翰逊常规赛数据表

赛季	球队	助攻	抢断	得分
1987/1988	骑士	3.7	1.2	7.3
1987/1988	太阳	8.7	1.5	12.6
1988/1989	太阳	12.2	1.7	20.4
1989/1990	太阳	11.4	1.3	22.5
1990/1991	太阳	10.1	2.1	22.2
1991/1992	太阳	10.7	1.5	19.7
1992/1993	太阳	7.8	1.7	16.1
1993/1994	太阳	9.5	1.9	20.0
1994/1995	太阳	7.7	1.0	15.5
1995/1996	太阳	9.2	1.5	18.7
1996/1997	太阳	9.3	1.5	20.1
1997/1998	太阳	4.9	0.5	9.5
1999/2000	太阳	4.0	0.3	6.7

档案

凯文·约翰逊 /Kevin Johnson
位置：控球后卫
出生日期：1966 年 3 月 4 日
身高：185cm 体重：82kg
效力球队：骑士、太阳
球衣号码：7、11

荣耀

3 届全明星：1990–1991、1994
4 届最佳阵容二阵：1988/1989、1989/1990、1990/1991、1993/1994

常规赛场均数据
17.9 分 /3.3 个篮板 /9.1 次助攻

季后赛场均数据
19.3 分 /3.3 个篮板 /8.9 次助攻

8

凯文·约翰逊

KEVIN JOHNSON

约翰逊并没有“刺客”音乐般的控球节奏，也不像后来的艾弗森和保罗，将各种技巧修炼到“天人合一”的地步。

他的速度已经是一种超乎想象的现象，无坚不摧，唯快不破：迅疾无伦的胯下运球之后，他的速率不降反增，以 F1 赛车般的窒息漂移掠过对手，直奔敌阵腹地而去。天才要有天才的终结手法，他的弹跳和速度一样恐怖，接下来球迷看到的，不是优美的拉杆或者轻柔的挑篮，而是排云直上的凌空飞扣。一如他的绰号：闪电。是的，在韦德之前，约翰逊才是速度球员的代名词。

1966 年 3 月 4 日，约翰逊出生于美国加州首府萨克拉门托。风和日丽的阳光之州是运动者的天堂。我们没必要过多探究他的家世，如大家所知，约翰逊退役之后于 2008 年成功当选萨克拉门托市长，由此你可以想象，为何他少年时最喜欢的运动是充满贵族格调的棒球，所谓谈笑有鸿儒，往来无白丁，便是如此。但 13 岁那年，他初次接触篮球便深深沉迷其中不能自拔，面对“美棒联盟”伸来的橄榄枝，他毅然决然地选择了篮球。

虽然起步晚了一点，不过从“美棒联盟”对他的垂涎三尺，我们也能大致窥探出他那优异的身体素质跟聪慧的悟性，天才就是天才，高中最后一年，他场均砍下 32.5 分，然后去了加州大学伯克利分校。

在大学时代，他和后场搭档克里斯·华盛顿给一度死气沉沉的加州大学伯克利分校金熊带来虎虎生气，带领伯克利队杀入 NCAA 锦标赛，25 年来首次打败竞争对手加州大学洛杉矶分校。他让人想起另一个矮个子——“微笑刺客”伊塞亚·托马斯：他只有 1.85m，只比“刺客”高 2cm，速度疾如闪电，可以在任何时间轻易突破击溃对手，并做好一个组织后卫的本职工作，调动队友参与攻防。

他敏捷的步伐同时成就了他的防守特色，让他永远横亘在对手跟篮筐之间，篮板、封盖都能有所建树。1993 年 NBA 总决赛，太阳队占据主场优势，但却被公牛在前两战连续打破两个主场，客场的第三战遂成了背水之战。多年后查尔斯·巴克利回忆时，表情依然肃穆，“那绝对是一场伟大的比赛。”约翰逊说，“我在第三场之前打得糟糕透了，保罗教练决定打破常规，做一些特别的事情，他让我去防守乔丹，这样我就没时间进攻了，反正我也投不进。”

用小个子防守乔丹是一个很老的命题了，鉴于除乔丹之外没有任何一个身高 1.98m 的球员可以像乔丹一样风驰电掣，人们便将寻找的目光转向矮个后卫，用连绵不断的移动、纠缠、撕咬，绝不失位，逼迫乔丹在两翼用跳投结束进攻。身高 1.85m，动如闪电的凯文·约翰逊无疑是一个合适的人选。太阳赌赢了。这一战约翰逊创下了总决赛史上出场时间之最，62 分钟，全场 25 分 7 个篮板 9 次助攻，攻防两端，突破组织全面发挥。最重要的，当然是乔丹的 43 投 19 中，包括第四节的 10 投 1 中。

当他在 1987 年参加 NBA 选秀时，在第 7 顺位选中他的克利夫兰遂有了幸福的烦恼：1986 年夏天，克利夫兰似乎终于时来运转。他们在选秀大会上目光如炬，一举拿下罗恩·哈珀、布拉德·多尔蒂和马克·普莱斯三大名将，就此奠定了复兴的基础——而有了 NBA 史上开绕掩护投篮之先河的杰出控卫马克·普莱斯之后，这里就没有约翰逊的太多位置了，克利夫兰选他，纯粹是因为奇货可居，准备拿来换取补强筹码。

1988 年 2 月，他们适时送出约翰逊。至此，在进入 NBA 半个赛季之后，约翰逊才算找到了自己一生为之效力的主队——菲尼克斯太阳队。

1988/1989 赛季，在太阳的首个完整赛季，约翰逊场均掠下 20.4 分，送出个人职业生涯最高的 12.2 次助攻，荣膺赛季“进步最快球员”。此后连续 3 个赛季，他都场均 20 分 10 次助攻外加 50% 的投篮命中率的表现。NBA 史上只有 5 个人能做到这一点，其他 4 人分别是伊塞亚·托马斯、阿奇巴尔德、“魔术师”约翰逊、奥斯卡·罗伯特森。

此时，湖人对西部的统治依然看不到尽头，约翰逊率领菲尼克斯太阳打出每年至少 53 胜的佳绩，但却无力突出西部。太阳在 1990 年击败过湖人，但却被开拓者阻挡。1993 年，一桩交易改变了这个局面，交易的主角是查尔斯·巴克利。

得到巴克利的菲尼克斯太阳队常规赛狂揽 62 胜联盟第一，巴克利加冕常规赛 MVP，搅了“飞人陛下”三连庄的好梦。事实上，如果把 1993 年从篮球史中剥离出来，即如果不考虑这一年对“公牛王朝”的重大意义，可以有这样一个说法：太阳队赢得了 1993 年的一切，除了总冠军——另一个能够享受这种赞誉的球员和球队是 2001 年的阿伦·艾弗森和他的费城。至于原因么，就是冠军和“王朝”之外的一些东西了：除了查尔斯·巴克利在大前锋历史上的独特地位，在球场之外无与伦比的存在感，还有的就是菲尼克斯太阳的前世今生了。这支永远喜欢重用天才组织后卫，永远热爱小球的绚丽奔放的进攻型球队在这一年为人们带来了无与伦比的视觉冲击。当你看到 2006 年那支聚齐了纳什、斯塔德迈尔、迪奥、马里昂的太阳时请不要惊讶，一切在 1993 年就已经出现过了。“KJ”正是菲尼克斯系风格控卫的鼻祖。

一如所有疾如雷电的小个子，他们常年在另一种速率上打球，以透支自己的膝盖和脚踝方式向对手长枪大戟、铁弓轰鸣的阵型发动绝命冲锋，柔不可守，刚不可久，每当他们临近 30 岁，他们的身体便会发出负面的信号——事实上，在太阳队最辉煌的 1993 年，约翰逊的身躯已经第一次亮起了红灯，他只打了不到 50 场比赛。

约翰逊完成了从“神仙到凡人”的转型，从扭曲时空的闪电到精准稳健的中投手，几乎毫无障碍。这延续了他的竞技水平，使得菲尼克斯在查尔斯·巴克利离开前一直都是总冠军有力的竞争者。完全可以说他们只是欠缺一些运气，1993 年总决赛他们最终被一记“天外飞仙”的三分球送走；1994 年和 1995 年，他们两次在第七场输给最后的总冠军休斯敦火箭。这两次生死战催生了无数神话，成王败寇，“大梦”的神勇和马里奥·埃里的“死亡之吻”青史留名，而约翰逊的连续两场 38 分 12 次助攻，以及生死局 46 分 10 次助攻的发挥都成了背景。

1996/1997 赛季，约翰逊年届而立之年，交接的时刻到了：约翰逊依然是老马识途的首发，而太阳的替补席上，坐着两个人：贾森·基德和史蒂夫·纳什。如你所知，21 世纪前十年最伟大的两个控卫尽在于此。1998 年，约翰逊第一次宣布退役。但他的篮球使命并未就此结束：1999 年 3 月 25 日，贾森·基德重伤退出比赛，约翰逊救主心切，复出加盟。他参加了 6 场常规赛和所有的季后赛，和太阳队一同闯入了西部半决赛，最后败给当年的总冠军湖人。“响应责任的召唤、再一次穿上太阳队的战袍是我结束职业生涯的最好方式。”约翰逊说。

这一次是真的结束了。但对于约翰逊来说，另一个领域的人生才刚刚开始绽放：他开始为自己创办于 1989 年的公益机构——圣霍普学院投入大量精力。到了 2003 年，圣霍普已经开设了七所小型公立学校，为约 2000 名学生提供了受教育的机会。此外，约翰逊还拥有一个“凯文·约翰逊社团法人”，公司下设不动产投资和管理、体育经营和商业收购分支，他本人兼任总裁和 CEO。

2008 年 11 月，42 岁的约翰逊在家乡加利福尼亚州萨克拉门托市，击败身为前任市长的竞选对手海瑟，正式当选市长。如此，在总结他的篮球生涯时，这个职位成了他的新代号。

"内特·瑟蒙德是他所在时代的卓越人物，一个拥有一系列难以置信技术的超强竞争者。"

——亚当·肖华

内特·瑟蒙德常规赛数据表

赛季	球队	篮板	助攻	得分
1963/1964	勇士	10.4	1.1	7.0
1964/1965	勇士	18.1	2.0	16.5
1965/1966	勇士	18.0	1.5	16.3
1966/1967	勇士	21.3	2.6	18.7
1967/1968	勇士	22.0	4.2	20.5
1968/1969	勇士	19.7	3.6	21.5
1969/1970	勇士	17.7	3.5	21.9
1970/1971	勇士	13.8	3.1	20.0
1971/1972	勇士	16.1	2.9	21.4
1972/1973	勇士	17.1	3.5	17.1
1973/1974	勇士	14.2	2.7	13.0
1974/1975	公牛	11.3	4.1	7.9
1975/1976	公牛	5.5	2.0	3.7
1975/1976	骑士	5.3	1.0	4.6
1976/1977	骑士	7.6	1.7	5.5

●档案

内特·瑟蒙德 /Nate Thurmond
位置：中锋
出生日期：1941 年 7 月 25 日
身高：211cm 体重 102kg
效力球队：勇士、公牛、骑士
球衣号码：42

●荣耀

7 届全明星：1965–1968、1970、1973–1974
2 届最佳防守阵容一阵：1968/1969、1970/1971
名人堂：1985

●常规赛场均数据
15.0 分 /15.0 个篮板 /2.7 次助攻
●季后赛场均数据
11.9 分 /13.6 个篮板 /2.8 次助攻

7

内特·瑟蒙德
NATE THURMOND

NBA 史上被冠以“大帝”称号的球员屈指可数，瑟蒙德是其中一位。他曾取得史上首个“四双”成就，整个职业生涯场均 15 分 +15 个篮板。而他大开大合、杀伐果断的打法更是让人为之折服！他的一双长臂灵巧无比、脚步扎实沉稳、篮板嗅觉更是上上乘！值得一提的是，同为阿克伦人，他成了詹姆斯的篮球启蒙者。

瑟蒙德出生在 1941 年的阿克伦，在勒布朗·詹姆斯出世之前，也许他才是真正的阿克伦天命之子——自打一出生，他的运动天赋就备受关注——超长的臂展、强悍的身体素质加上后来不断飞快增长的身高，让他在篮球场上一早就显现出光明的未来。而当他进入高中，这些天赋便迅速开始兑现了，他在阿克伦高中和之后也进入 NBA 成为球星的古斯·约翰逊搭档成为一对人见人怕的“煞星组合”，让球队在俄亥俄州季后赛保持不败战绩，虽然最终他们输给了杰里·卢卡斯领先的中城高中。

鬼使神差的是，瑟蒙德在高中毕业之后，获得了俄亥俄州立大学的奖学金邀请，却被瑟蒙德拒绝，而在那里，球队的首发中锋正是在高中联赛打败他们的卢卡斯。最终，他选择加盟了肯塔基的鲍灵格林大学，并在大学期间贡献无数精彩的比赛，1963 年，瑟蒙德被《体育新闻》评为全美高中最佳阵容第一队。而在那个赛季结束之后，瑟蒙德宣布参加 NBA 选秀，并被旧金山勇士选中，从此开始了自己波澜壮阔的 NBA 生涯！

新秀赛季，勇士阵中拥有 NBA 历史最伟大的中锋之一的威尔特·张伯伦，彼时还是初出茅庐的瑟蒙德自然只能给张大帅打替补。在极其有限的上场时间里，瑟蒙德展现了成为一个超级巨星的潜质！他场均能够砍下 7 分 10.4 个篮板，如果放在今天已经是一个不错的优质内线数据了，要知道作为防守型中锋，2004 年起义成功的“草根军团”底特律活塞的防守大闸本·华莱士，职业生涯巅峰也不过就是“10+10”的数据而已。作为新秀的瑟蒙德在二十几分钟的上场时间里能够拿下“7+10”，又是站在张伯伦的身后拿到的，其场上表现可想而知。

瑟蒙德的天赋异禀，随着赛季推进，球队杀入季后赛，他被安排越来越多的戏份，逐渐让他与张伯伦更多地搭档出现在赛场之上。“双塔组合”果然威力巨大，勇士的对手一度愁云惨淡，任凭瑟蒙德和“张大帅”在内线为所欲为。而瑟蒙德的场均上场时间也增加到 34.2 分钟，数据也上涨到 10 分 12.3 个篮板，标准的“防守大闸”数据。

然而，“双塔组合”并没有持续太长的时间，接下来的 1964/1965 赛季，两人只合作了半个赛季，张伯伦沸沸扬扬的转会事件就此爆发，勇士将其交易到了费城，虽然组合拆散，夺冠的希望愈发渺茫。但是瑟蒙德却因此成为球队的头牌球星，随着他在球队战术地位的提升，瑟蒙德的表现也不负球队期待，他在场均 41.2 分钟的时间里，贡献 16.5 分 18.1 篮板，正式迈入超级中锋的行列。

而在那个赛季对阵巴尔的摩子弹（华盛顿奇才前身）的比赛中，他更是上演单节狂揽 18 个篮板的疯狂演出，一举打破拉塞尔和张伯伦共同保持的单节 17 个篮板的纪录。而那个赛季，他更是凭借 1395 的篮板总数，成为紧随拉塞尔、张伯伦之后的联盟第三篮板“怪兽”。遗憾的是，他第一个独自带队的赛季，球队战绩不堪入目，17 胜 63 负，联盟垫底。

1965/1966 赛季，里克·巴里的强势加盟，让球队的情况有所好转，但是刚刚搭档的二人化学反应还是比较一般，勇士队虽然胜场提升了一倍，但依旧无缘季后赛。直到二人磨合的第二个赛季，也就是 1966/1967 赛季，两人突然爆发，并一路带队杀入总决赛。虽然最后依旧折戟沉沙，但是瑟蒙德在那个赛季场均能够得到 18.7 分 21.3 个篮板的恐怖数据，搭档巴里也上演疯狂的得分表演，场均 35.6 分成为当时联盟的得分王。而也是在那个赛季，瑟蒙德在 MVP 排行榜上仅仅落后无敌的“张大帅”，其对球队的贡献，一眼皆明。

1968/1969 赛季，瑟蒙德正式进入了自己的巅峰期，他场均砍下 21.5 分 19.7 个篮板——如果在早几年看到勒夫场均十五六个篮板而赞叹不已的话，那么瑟蒙德那一年的表现就堪称惊世骇俗了。但是，彼时“张大帅”还正值巅峰，即便瑟蒙德表现如此变态，但人们依旧记得的还是那个 100 分的“张大帅”。那一年，勇士队在常规赛仅仅拿下了 41 场胜利，在季后赛也止步于西部半决赛，输给了如日中天的洛杉矶湖人。

之后的几年，瑟蒙德依旧出色，但勇士队表现平平，直到 1971/1972 赛季，他们才再度爆发，取得了 51 胜 31 负的战绩，那个赛季瑟蒙德依旧拥有 21.4 分 16.1 个篮板的出色表现。但是，他们依旧没有突破上限，他们止步西部决赛，输给了贾巴尔领军的密尔沃基雄鹿（当时雄鹿属于西部联盟）。

不过在和贾巴尔的对决中，瑟蒙德并没有落入下风。甚至如今疯传的贾巴尔最怕瑟蒙德的言论，也是因为那个系列赛，贾巴尔面对瑟蒙德丝毫没占到便宜的尴尬表现。

不过，之后瑟蒙德的职业生涯开始走下坡路了，1973/1974 赛季，虽然他依旧能够得到 13 分 14.2 个篮板，但确实已经难复当年之勇，而彼时已经更名勇士的球队，也充分榨取了他的最后价值，赛季结束之后，就把他交易到了芝加哥公牛。

接下来的 1974/1975 赛季，尽管瑟蒙德的数据已经滑落到 7.9 分 11.3 个篮板，但刚刚开始统计盖帽数据的 NBA，他再次斩获奇迹，他的芝加哥首秀就砍下 22 分 14 个篮板 13 次助攻和 12 次盖帽的“大四喜”，成为 NBA 创立以来，首个砍下“四双”的球员。而整个赛季他也有着 2.44 次封盖的贡献，瑟蒙德在防守端的可怕显而易见。

瑟蒙德老矣，芝加哥也无意留他多久，1975/1976 赛季，他就被球队抛售到了克利夫兰。在家乡的球队，他度过了自己职业生涯最后的两个赛季，并且球队也因为他的到来从开局只有 6 胜 11 负的“鱼腩”，一跃成为之后获得 43 胜 22 负的中部赛区冠军。而这一提升，也被人们称为“里奇菲尔德奇迹”，不过那两年球队依旧在季后赛折戟沉沙。

1977 年 4 月 15 日，已经 35 岁的瑟蒙德在家乡的主场最后一次登场比赛，迎来了家乡球队无数的欢呼和掌声。纵观瑟蒙德的整个职业生涯，他终生无冠，但是在球场之上，他的统治力依旧显而易见，虽然他一直被张伯伦、拉塞尔等巨星遮盖光芒，但世人还是认可了他的赫赫战功，1996 年的第一次 NBA 五十大巨星，他完全没有争议地入选了。而他的 42 号战袍如今依旧在勇士和骑士球馆的上空飘扬，以供后人瞻仰！传颂这个干戈寥落、铁甲无名的禁区猛兽奋战到底的十四载峥嵘！

2016 年 7 月 17 日，瑟蒙德在旧金山因白血病逝世，享年 74 岁。消息传来，NBA 官方和群星纷纷在社交网站上对这位巨星进行缅怀。在所有悼念声中，勒布朗·詹姆斯的感言最为动人：“愿您安息，内特·伟大的传奇·瑟蒙德，在我的成长过程中，知道您曾在这个联盟打球，这给了成功的希望！谢谢。”同为阿克伦人，勒布朗对于瑟蒙德的传奇生涯拥有触目惊心的体会，童年时期，“大帝”的传说在整个阿克伦地区家喻户晓，这在一定程度上影响了詹姆斯的职业选择。

〈生涯高光闪回 / NBA“四双”第一人〉

高光之耀：1974 年 10 月 8 日，瑟蒙德所在的公牛坐镇主场对战亚特兰大老鹰，瑟蒙德个人得到了 22 分 14 个篮板 13 次助攻和 12 个盖帽的大号“四双”，这次“四双”是 NBA 有史以来第一次“四双”。在之后漫长的岁月里，也仅仅有三名球员能达到这一高度，他们分别是埃尔文·罗伯特森、哈基姆·奥拉朱旺和大卫·罗宾逊（张伯伦也曾斩获“四双”，但当时并无记录）。

克里斯·波什常规赛数据表

赛季	球队	篮板	盖帽	得分
2003/2004	猛龙	7.4	1.4	11.5
2004/2005	猛龙	8.9	1.4	16.8
2005/2006	猛龙	9.2	1.1	22.5
2006/2007	猛龙	10.7	1.3	22.6
2007/2008	猛龙	8.7	1.0	22.3
2008/2009	猛龙	10.0	1.0	22.7
2009/2010	猛龙	10.8	1.0	24.0
2010/2011	热火	8.3	0.6	18.7
2011/2012	热火	7.9	0.8	18.0
2012/2013	热火	6.8	1.4	16.6
2013/2014	热火	6.6	1.0	16.2
2014/2015	热火	7.0	0.6	21.1
2015/2016	热火	7.4	0.6	19.1

档案

克里斯·波什 /Chris Bosh
位置：大前锋
出生日期：1984 年 3 月 24 日
身高：211cm 体重：107kg
效力球队：猛龙、热火
球衣号码：1、4

荣耀

2 届总冠军：2012、2013
11 届全明星：2006-2016
1 届最佳阵容二阵：2006/2007

常规赛场均数据
19.2 分 /8.5 个篮板 /1.0 个盖帽
季后赛场均数据
15.6 分 /7.5 个篮板 /1.1 个盖帽

7♥

克里斯·波什
CHRIS BOSH

速度出色的大个子球员，身手灵活，弹跳出色。擅长背身单打后转身跳投，利用队友掩护或者与队友挡拆之后的高位跳投。具有相当的持球面框突破能力。拥有不错的三分球手感，但不是常规得分手段。作为曾经独霸一方的“北境龙王”，却为了总冠军的梦想远赴迈阿密，甘心在“三巨头”中敬陪末席，而两座总冠军奖杯的光泽足以令他功成名就，却又因肺部血栓而阻挡了前程。

1984 年 3 月 24 日，波什出生于美国得克萨斯州达拉斯。

他的学习能力非常强大，一直是学校中最拔尖的学生：他在标准科目的考试中取得高分并成为美国国家荣誉协会的会员，他在同学的眼里简直就是一位无所不能的天才，科学、数学、网站建设和较为基础的平面设计都在同龄人中出类拔萃。

2001/2002 年，在高中最后一个赛季，波什率领达拉斯林肯高中 40 战全胜，同时登顶全国锦标赛。他的个人数据是恐怖的场均 21 分 11 个篮板 7 个封盖。于是“龙行天下”，四海为家，理所当然地加冕年度最佳高中生和德州篮球先生。但他有个苦恼的地方：高中时期，他的身高很快蹿升到 2.03m，但不料全身发展不平衡，他的双脚却在 45.5 码上停滞不前。也许是纤细的双脚给了他妖异的敏捷度，他痴迷于凯文·加内特的录像，并跟着有样学样；他的努力让他求仁得仁：杜兰特成了他的选秀模板，如此你可以想象他的控球、突破、试探步以及转身跳投的模样，和他的整体风格。

当波什追随活塞名宿、童年偶像萨利进入乔治亚理工大学后，本打算念完全部四年，但他实在太强大了，强大到他自己都无法想象。他唯一一个大学赛季是这样的：首场大学比赛，他狂砍 26 分；赛季的最后一战，他 20 投 15 中，除了抓下两位数篮板外，他还奉送了数目可观的“火锅”，三分球命中率也高达 50%。这个赛季（2002/2003 赛季），他的投篮命中率和封盖次数都高居 ACC 赛区榜首。

在 2003 年 NBA 选秀大会上，波什在勒布朗·詹姆斯、达科·米里西奇和卡梅隆·安东尼之后，在第一轮第 4 顺位被多伦多猛龙选中，并和他签约。在他身后的那个新秀，则是德怀恩·韦德，此时他当然不会知道，他和这些人之间会有怎样的故事。他只知道，他和他们一起，共同定义了这个伟大的选秀之年，他们被称作“03 白金一代”。这一年他 19 岁，他知道他将会有一个神话般的队友——文斯·卡特。

2003/2004 赛季中期，猛龙首发中锋安东尼奥·戴维斯被交易到芝加哥，波什成功获得了首发中锋的位置。整个新秀赛季，他出战 75 场，场均 33.5 分钟里场均 11.5 分 7.4 个篮板 1.4 个封盖，篮板和封盖全都领跑这一届星光熠熠的新秀，成功入选 2003/2004 赛季 NBA 新秀第一阵容。当然了，因为有詹姆斯和安东尼这“绝代双骄”的存在，最佳新秀这种事情，他也不用想太多了。

2004 年 12 月，“半人半神”的卡特被交易到篮网，猛龙开始围绕波什重建。在卡特离开后的比赛中，21 岁的波什在出场的 38.1 分钟里，场均得到 18.4 分 9.5 个篮板全部领衔全队，成为当仁不让的年轻领袖。他在 2006 年的休斯敦全明星之旅水到渠成。2006/2007 赛季，挣扎、煎熬了两个赛季后，多伦多的重建让人看到了曙光：波什场均 22.6 分 10.7 个篮板 2.5 次助攻杀入“20+10 式顶尖内线认证标志俱乐部”，多伦多猛龙 47 胜加冕大西洋分区冠军，杀到东部第四。

2007 年 2 月 7 日，单场 41 分。两天后对阵洛杉矶湖人，29 分和 11 个篮板不足为奇，但下半场 10 投 10 中堪称惊艳。当然了，他们的季后赛之旅很短暂，只在首轮“打了瓶酱油”就被送回家，削瘦的波什不太适应季后赛的强度，场均仅得 17.5 分；2007/2008 赛季季后赛，猛龙遇到“怪兽”中锋霍华德，又是首轮出局，但波什场均 24 分 9 个篮板进步明显。猛龙复兴又是昙花一现。之后两个赛季，波什连续两年场均打出“22+10”的数据，但猛龙连续两年无缘季后赛。这中间唯一可以安慰他的奖品就是“梦八队”的奥运冠军了，他是那支伟大球队的首发大前锋。

2010 年夏天，明智的“3+1”合同拯救了他的晦暗的职业生涯，让他可以参与那个注定载入史册的夏天发生的博弈和赌局。最后的结果是，詹姆斯、韦德、波什，三位名列联盟 PER 值前五的球员同时出现在了迈阿密海滩上，一支恐怖的联合军团诞生了。

然而波什的触球次数减少了，他只能学会更多地在无球在手的情况下打球，并且一直在高位活动。他的投篮热区图表明，他在禁区和底线附近的出手机会大幅下降。尽管他的出手次数减少了，但他用效率进行了弥补。

虽然再也没有机会成为连刷场均“20+10”的内线面框狂魔，但他成了比赛中最为高效的肘区跳投手之一。

你很难给 2010/2011 赛季的迈阿密热火贴上失败的标签，但在 2011 年 NBA 总决赛输给达拉斯之后，他们就是被这样看待的；因为这样的组合不夺冠就是失败。2012 年的东部决赛成了凯尔特人和热火之间颇富传奇色彩的殊死搏斗。在凯尔特人出人意料地带着 3 比 2 的大比分优势进入东部决赛第六场之后，詹姆斯用一场生涯代表作将大比分扳平，系列赛被拖入抢七。在生死战中，刚在第五场伤愈复出的波什从板凳席挺身而出，命中了3记“大心脏”三分。他全场比赛 10 投 8 中得到 19 分，并且命中了一些关键性投篮。但真正吸引了所有人的注意力的是，他在第四节决战时刻命中的三分。

热火的第二次总冠军之旅依然坎坷，但正如他在 2012 年所做的那样，波什在比赛的最关键时刻改变场上局势。对于总决赛第六场雷·阿伦那记逆转乾坤的三分球，军功章有波什的一半，因为他抢到那个职业生涯中最重要的一个前场篮板。

在詹姆斯和韦德理所当然地得到人们的奉承和媒体的关注时，沉默的，并非詹姆斯、韦德那种烈焰天风般的打法的波什的戏份被大大缩减了，唯有这样，才能让热火的天赋发挥到极致。但很显然，波什并没有放弃自己，他减少持球和单挑，去和内线肉搏，去进一步开发自己的远射，只为帮詹姆斯、韦德清出场子，拉开空间。没有巨大的牺牲、退让和努力，是不可能完成这种角色转变的。

热火的两连冠成就了“三巨头”的人生巅峰。

随着 2014 年詹姆斯离开热火，波什应该有机会重新担当一切，成为迈阿密的王牌，毕竟韦德和他的膝盖正在迅速老去；热火拍给他的 5 年 1.18 亿超级合同就足以说明一切。但也许是帕特·莱利的压榨魔咒在作祟，从 2014 年起，叱咤风云、矫如龙的迈阿密“三巨头”，都渐渐结束了他们的巅峰。

波什刚刚踏上而立之年，并没有到衰老的地步，但摧毁他的不是运动员最依赖的膝盖和腰腿，而是意想不到的肺部：新赛季开始不久，他的肺部就出现了血块，是肺部血栓！于是他的赛季提前结束了，迈阿密从总决赛球队直接沦落到乐透区。

2016 年 3 月，热火季后赛在望，但波什再度被查出血栓，甚至有可能危及生命——不言而喻，他只能再次作壁上观。

巅峰尾巴上的两年就这样过去了。他最巅峰的样子隐藏在詹姆斯、韦德炽热夺目的“天神行法”般的表演背后，我们无缘看到全貌。而当他终于有机会表演时，命运又拿走了他的健康。人生不如意十之八九，他的职业生涯绝不能说失败，但却留下了不小的遗憾。至于这些遗憾还有没有机会弥补，作为一个旁观者，只能说“希望他有机会”了。

档案

凯文·麦克海尔 /Kevin McHale
位置：大前锋
出生日期：1957 年
身高：208cm 体重：95kg
效力球队：凯尔特人
球衣号码：32

荣耀

3 届总冠军：1981、1984、1986
7 届全明星：1984、1986–1991
2 届最佳第六人：1983/1984、1984/1985
3 届最佳防守阵容一阵：1985/1986、1986/1987、1987/1988
1 届最佳阵容一阵：1986/1987
名人堂：1999

常规赛场均数据
17.9 分 /7.3 个篮板 /1.7 个盖帽
季后赛场均数据
18.8 分 /7.4 个篮板 /1.7 个盖帽

凯文·麦克海尔常规赛数据表

赛季	球队	篮板	盖帽	得分
1980/1981	凯尔特人	4.4	1.8	10.0
1981/1982	凯尔特人	6.8	2.3	13.6
1982/1983	凯尔特人	6.7	2.3	14.1
1983/1984	凯尔特人	7.4	1.5	18.4
1984/1985	凯尔特人	9.0	1.5	19.8
1985/1986	凯尔特人	8.1	2.0	21.3
1986/1987	凯尔特人	9.9	2.2	26.1
1987/1988	凯尔特人	8.4	1.4	22.6
1988/1989	凯尔特人	8.2	1.2	22.5
1989/1990	凯尔特人	8.3	1.9	20.9
1990/1991	凯尔特人	7.1	2.1	18.4
1991/1992	凯尔特人	5.9	1.1	13.9
1992/1993	凯尔特人	5.0	0.8	10.7

“他速度快如旋风，动作变化多端，加之一双长臂，使得他总能找到从容出手投篮的角度。”

——胡比·布朗

7♣

凯文·麦克海尔

KEVIN MCHALE

从球员到教练，无异于从战士到将军：麦克海尔始终如一，将他伟大的洞察力和亲和力，以及强悍冷血的防守力成功延续。麦克海尔的长臂和上下步在球员时代戏耍众生，但到了光影浮动的现代战场，却屡屡迷茫。

1980 年从明尼苏达大学毕业之后，麦克海尔并不清楚自己已经被奥尔巴赫锁定，表面上“红衣主教”对卡罗尔表现出极大的兴趣，暗地里却有自己的小九九。选秀前一天，凯尔特人放弃状元签，从勇士换来了 3 号签和罗伯特·帕里什，就在那天夜里麦克海尔接到了“红衣主教”的电话：“犹他爵士会在第 2 顺位选中达雷尔·格里菲斯，这样一来我们可以用 3 号签选中你。我也很看好罗伯特·帕里什，这样的组合铁定会成功，我们的计划就是增加前场的强度。”

奥尔巴赫的远见卓识无须赘述，麦克海尔得到了波士顿的垂青，但他的职业生涯还是从替补打起。凯尔特人的第六人传统源远流长，弗兰克·拉姆齐堪称开山鼻祖，哈福利切克、丹尼斯·约翰逊和比尔·沃顿都曾是“绿巨人”替补席上的王牌，麦克海尔对此没有什么意见。比尔·费奇说：“先让他坐在板凳上，等比赛进入关键时刻，再把他扔到场上。每晚球队都需要替补有所贡献，而麦克海尔的表现远超预期。”麦克海尔和奥尔巴赫之间经常上演这样的问答：“好样的！你现在想先发出场了吗？”“不想。”“真是个好孩子。”

麦克海尔四肢硕长，拥有内线球员完美的体型，然而在队友眼里他就是一个十足的

“怪胎”。比尔·费奇嘲笑麦克海尔身体不健全,“就像等着其他零部件邮寄过来似的。”迈克勒姆描吐槽麦克海尔时绘声绘色:“黑眼圈,长臂怪,肩膀像脱臼了一样。”丹尼·安吉讽刺麦克海尔下快攻的样子犹如冰面上的小鹿。

在队友善意的嘲讽中，麦克海尔逐渐成长为 NBA 的低位大师，约翰·萨利形容在低位防守麦克海尔时就像被警察带进刑讯室。著名凯蜜比尔·西蒙斯坚信没有人的低位得分手段比他更丰富，甚至奥拉朱旺也无法比肩，麦克海尔依靠三种动作就足以将防守者生吞活剥：左右勾手、转身后仰跳投以及 3m 至 4m 的后撤步跳投。胡比·布朗说：“只要他在低位接到球，就是这个联盟诞生以来最难防守的球员，他不可阻挡，神出鬼没的移动加上令人羡慕的长臂，他有足够的角度在更高更壮的‘长人’面前投篮得分。”

1983/1984 赛季，麦克海尔首次入选全明星，荣膺最佳第六人，总决赛面对宿敌湖人，他出人意料地客串了一次“恶棍”角色。第四场比赛第三节，湖人队的兰比斯在快速反击中直刺篮下，麦克海尔牢记教练“封杀轻松上篮”的指令，迅速回追，卡尔对他大喊：“撞他！”

在 20 世纪 80 年代，破坏对方快攻的战术犯规随处可见，然而麦克海尔用力过猛，以至于无法缓冲对方的落地过程，兰比斯像水泥袋一样被掀翻在地。看到对手的惨状，麦克海尔自言自语:“哦，看来要打一架了。”这次“晾衣绳式”的犯规引发了双方的冲突，麦克海尔带着一半害怕一半得意的心情旁观了整个过程，这次恶意犯规与他此前的球风大相径庭，连他的教练都承认对这次犯规大感意外。“很多人说我的犯规是有预谋的。”麦克海尔说，“但我绝对不是。如果蓄谋已久，我肯定对‘魔术师’、贾巴尔或者沃西犯规，他们可比兰比斯重要多了。”

麦克海尔的“恶棍”戏码改变了总决赛的走势，凯尔特人在心理层面打出一记重拳。“魔术师”回忆：“那次犯规之后，我们上篮的时候多多少少都有些畏首畏尾。我并不是找借口，我们被凯尔特人的强硬对抗震慑住了，然后就缴枪投降了。”麦克斯韦尔也表达了类似的观点：“麦克海尔那记犯规之前，湖人在进攻端简直是予取予求。但是后来他们如履薄冰，这显然不是理想的进攻心态。”

麦克海尔在凯尔特人中的戏份越来越重要，1985/1986 赛季他已经坐稳了首发位置，然而伯德始终认为队友可以取得更高的成就，却不愿意发挥自己最大的能力。1985 年 3 月 3 日，凯尔特人对阵活塞，麦克海尔几乎用一己之力就摧毁了对方的防守，第三节其他队友都放弃进攻，不断给他“喂球”。最终麦克海尔砍下 56 分，刷新队史的个人得分纪录，最后几分钟他主动要求下场。赛后伯德赞扬了麦克海尔，但忍不住说了一句：“你应该留在场上，本应该争取冲击 60 分。”队友卡尔曾经问过麦克海尔：“你为什么不学学拉里？”麦克海尔回答：“老兄，我可是要享受生活的。”

麦克海尔认为自己与伯德是截然不同的两种人：“我会想到未来的场景，我退役后留在明尼苏达，拉里在印第安纳，我们可能从此天各一方。但会有许多个夜晚，我会静静地躺在床上，想起那些比赛，回味与他并肩作战的感受。”

1986/1987 赛季，麦克海尔打出职业生涯最出色的一季，场均贡献 26.1 分 9.9 个篮板，却不得不拖着骨折的左腿应付季后赛，冒着毁掉职业生涯的危险帮助凯尔特人卫冕，对雄鹿系列赛第四场双加时，他甚至咬牙奋战了 53 分钟。21 场季后赛，麦克海尔场均出场 39.4 分钟，贡献 21.1 分 9.2 个篮板。那次带伤作战的经历为麦克海尔的退役埋下伏笔，但他从不后悔：“假如真的让我回到那个年纪，面对夺冠机会，我还是会说，‘受伤的地方给我绑一绑，我马上要出场了！’”

1987 年之后麦克海尔连续四次入选全明星，但卫冕失利之后，凯尔特人的时代结束了。1992/1993 赛季，麦克海尔第一次感觉到自己不再为打球而兴奋，而伤病让他陷入恐惧中无法自拔，一番挣扎之后他选择了退役：“我太爱这项运动了，不能忍受自己只为钱去打球，也不会为了别人的看法而留在球场上。”

1994 年 1 月 30 日，凯尔特人正式将麦克海尔的球衣退役，他的 32 号战袍与伯德的 33 号紧紧相邻，永远地悬挂在波士顿花园球馆的穹顶。“我认为我们的比赛就该这么打，”麦克海尔说，“毫无疑问，在波士顿的日子是我人生中最美好的记忆。”

麦克海尔的球员生涯戛然而止，与篮球的情缘还未了断，1994 年他入主森林狼管理层，在明尼苏达的职场生涯从选中加内特开始，送走加内特结束，森林狼曾经在他的运作下杀入西部决赛，创下队史最佳战绩，他还曾两次执掌教鞭，执教战绩为 39 胜 55 负。然而关于乔·史密斯的暗箱操作以及送走“狼王”的交易让麦克海尔饱受质疑。

2012 年火箭面试主帅时，亚历山大和莫雷问过麦克海尔一个同样的问题：为什么要重新出山？离开森林狼之后麦克海尔表示不愿重回那样的生活状态，希望有更多的时间兼顾家庭。然而在内心深处他需要比赛，如他所说篮球已经融入生命无法割舍，他始终迷恋终场哨响时输或赢的感受。

唯一的答案是，麦克海尔依然热爱篮球，拿起教鞭，以爱之名。

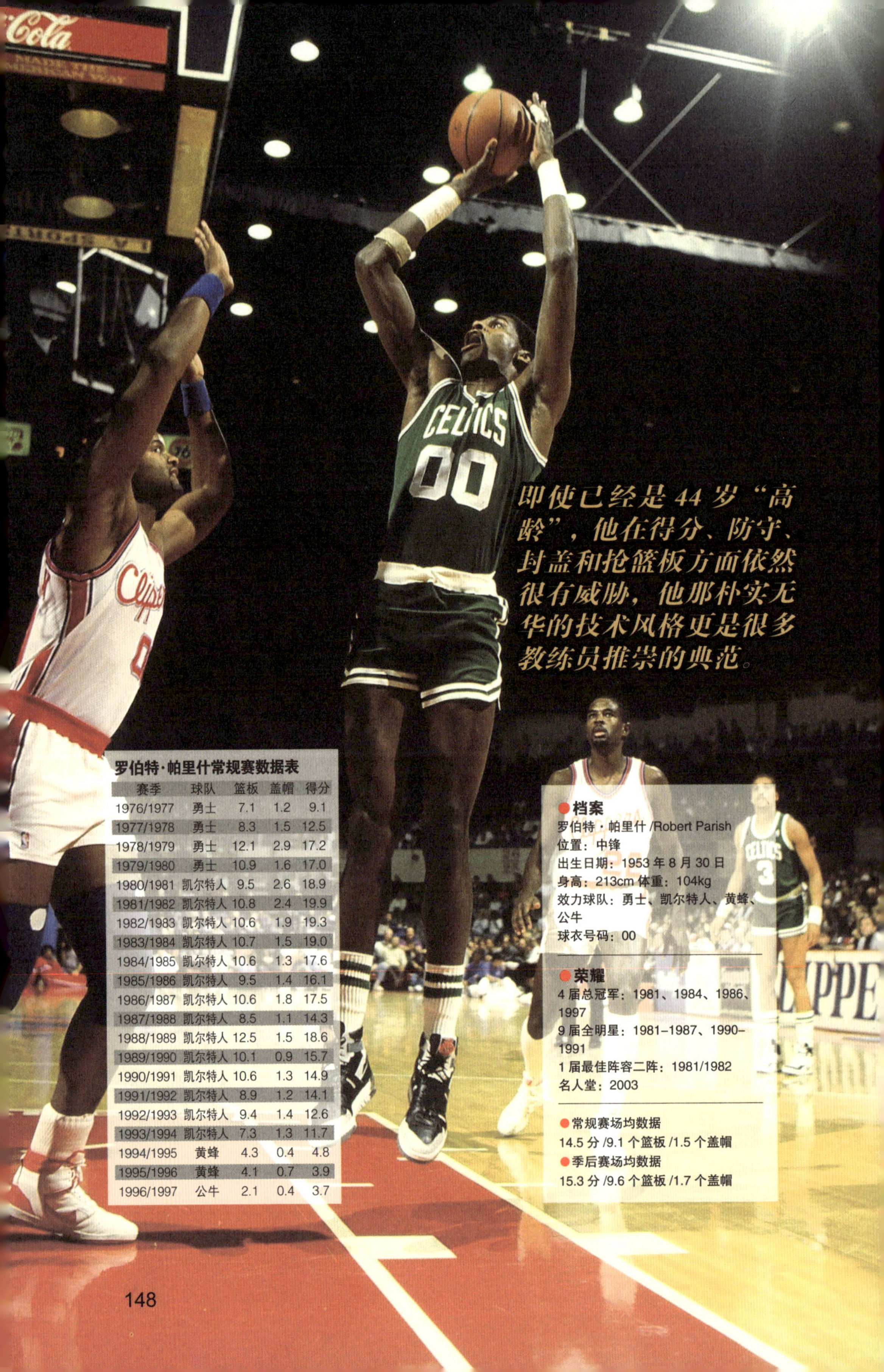

即使已经是44岁“高龄”，他在得分、防守、封盖和抢篮板方面依然很有威胁，他那朴实无华的技术风格更是很多教练员推崇的典范。

罗伯特·帕里什常规赛数据表

赛季	球队	篮板	盖帽	得分
1976/1977	勇士	7.1	1.2	9.1
1977/1978	勇士	8.3	1.5	12.5
1978/1979	勇士	12.1	2.9	17.2
1979/1980	勇士	10.9	1.6	17.0
1980/1981	凯尔特人	9.5	2.6	18.9
1981/1982	凯尔特人	10.8	2.4	19.9
1982/1983	凯尔特人	10.6	1.9	19.3
1983/1984	凯尔特人	10.7	1.5	19.0
1984/1985	凯尔特人	10.6	1.3	17.6
1985/1986	凯尔特人	9.5	1.4	16.1
1986/1987	凯尔特人	10.6	1.8	17.5
1987/1988	凯尔特人	8.5	1.1	14.3
1988/1989	凯尔特人	12.5	1.5	18.6
1989/1990	凯尔特人	10.1	0.9	15.7
1990/1991	凯尔特人	10.6	1.3	14.9
1991/1992	凯尔特人	8.9	1.2	14.1
1992/1993	凯尔特人	9.4	1.4	12.6
1993/1994	凯尔特人	7.3	1.3	11.7
1994/1995	黄蜂	4.3	0.4	4.8
1995/1996	黄蜂	4.1	0.7	3.9
1996/1997	公牛	2.1	0.4	3.7

●档案

罗伯特·帕里什/Robert Parish
位置：中锋
出生日期：1953年8月30日
身高：213cm 体重：104kg
效力球队：勇士、凯尔特人、黄蜂、公牛
球衣号码：00

●荣耀

4届总冠军：1981、1984、1986、1997
9届全明星：1981–1987、1990–1991
1届最佳阵容二阵：1981/1982
名人堂：2003

●常规赛场均数据
14.5分/9.1个篮板/1.5个盖帽
●季后赛场均数据
15.3分/9.6个篮板/1.7个盖帽

7

罗伯特·帕里什

ROBERT PARISH

拥有超快的速度，内线和外线的得分能力超群，这位身高2.17m的中锋不但体力过人，而且耐力惊人，一生硕果累累，成绩斐然。在NBA所有的技术统计中，帕里什几乎都名列前茅。
帕里什跨时代的21赛季征程(NBA历史最长)，让他有幸成为两大“王朝”的冠军成员，在凯尔特人与公牛，他不仅收获四枚总冠军戒指，还让他“酋长”的威仪传遍四海！

1997年5月11日，芝加哥公牛客场以89比80击败亚特兰大老鹰的比赛，原本并没有太多值得历史铭记的瞬间，除了乔丹和皮蓬联手砍下“53+16+8”外，整场比赛的数据统计乏善可陈。然而，多年以后，当人们再次怀着一颗虔诚的心回顾这场比赛时，有一个人却成了本场的主角，他就是帕里什。

出场8分钟，3投0中，0分2个篮板，43岁的“酋长”完成了自己职业生涯的第184场季后赛演出，同时也是最后一场。从1978年到1997年，19年NBA职业生涯，23334分14715个篮板2361次封盖和1611场常规赛出场，帕里什用横跨三个时代的巨匠表现诠释了一代传奇的定义，尽管从菲利浦中心球馆转身离去的瞬间，他并没有享受到媲美殿堂级巨星告别时的深情送别，但一个半月后，在联合中心漫天飞舞的彩带中，“酋长”用一丝淡淡的微笑为自己漫长的职业生涯画上了最圆满的句点。

罗伯特没有忘情欢呼，也没有置身于更衣室喧嚣激烈的香槟大战中，在用冠军T恤拭干额前的汗水后，他静坐一旁，观望着眼前的队友，也冥思着过往的一切。

“嘿，帕里什，精神点！你长得那么高，干嘛老是缩肩低头的。”路易斯安那伍德劳恩高中篮球队的主教练丹尼斯的鼓励还在耳畔回响，记忆不得不将他拉回 20 世纪 60 年代，那段青涩而又羞愧的美好时光。1965 年，12 岁的罗伯特·帕里什已经拥有 1.88m 的身高，在同年级的学生中，他鹤立鸡群般的存在感让很多人为之惊诧。“快看，那个又黑又呆的家伙”，“Oh，天呐，他一定会长到 2m 多”。帕里什所到之处，必然会引来阵阵热议，包括圣塔利大学篮球队的球探。

1971 年，帕里什获得了圣塔利大学的篮球奖学金，并顺利成为该校的主力中锋。性情安静的他并不像 20 世纪 70 年代叱咤风云的“天勾”和大卫·汤普森那般耀眼，但在 1975/1976 赛季，帕里什还是交出了场均“25+18”的豪华成绩单，并入选了全美第二阵容。所以，在 1976 年 NBA 选秀大会上，手握 8 号签的金州勇士毫不犹豫地锁定了这名身高 2.16m 的内线长人，并坚信他会成为里克·巴里和威尔克斯身边最得力的助手。

可是，勇士球迷却失望了。

帕里什在新秀赛季场均 18 分钟内得到 9 分 8 个篮板 3 次犯规，勇士球迷内部一直有个传说：帕里什不喜欢打篮球，他经常恶意犯规让自己下场，这样就能稳坐板凳，避免上场了。新秀赛季，帕里什是球队的二号中锋，勇士 1977 年在西部半决赛被湖人淘汰，帕里什也完成了与当时如日中天的“天勾”贾巴尔的首次对话，而这正是两人宿命对决的开始。

此后两年，帕里什在沉默中不断积攒着能量，加之当时勇士中锋克利福德·雷言传身教，他终于在 1978/1979 赛季爆发了——场均 17 分 12 个篮板 3 次封盖，下一季，29 分钟内 17 分 11 个篮板 2 次封盖。然后，就是“红衣主教”奥尔巴赫生涯最传奇的一笔交易：1980 年，凯尔特人和勇士交易，“绿衫军”用状元秀和 13 号签换来帕里什和 1980 年“探花秀”凯文·麦克海尔！如你所知，一笔交易里，“主教大人”就拿到了 20 世纪 80 年代凯尔特人“三巨头”中的两个。

后面的故事，我们都清楚了。帕里什在加盟凯尔特人的第一个赛季，场均上场 28 分钟，砍下 18.9 分 9.5 个篮板 2.6 个封盖，命中率高达 55%，他收获了生涯第一次全明星，更收获了第一枚总冠军戒指！

1981 年的 NBA 总决赛，被公认为是拉里·伯德和麦克斯韦尔的总决赛，但事实上，帕里什才是那届决赛中的中流砥柱。球队二号得分手、二号篮板手、首席盖帽王，第一长人。面对火箭的当家中锋摩西·马龙，帕里什不仅交出了场均“15+8”的答卷，还防得对手整个系列赛 119 投 48 中，命中率刚过 40%。世界不会注意到帕里什的沉稳和低调，整个赛季他都默默地站在伯德和麦克斯韦尔身后守护篮筐，寸步未离；世界也不会注意到帕里什的坚韧和不屈，总决赛第三场，他 13 分钟里攻下 11 分，然后和马龙碰撞受伤，五针缝罢，下一场交出“18+12+6”！

就这样，帕里什渐渐成了凯尔特人的“大山”。然而，与贾巴尔之于湖人不同，帕里什之于“绿衫军”完全是另一种存在，他从不奢求自己成为“绿色风暴”的核心力量，也没有试图从伯德和麦克海尔的手中抢过任何一个领导权。每天晚上，他闷着头往返于攻防两端，抓板、封盖、补位协防，“我只需要跟进上篮，点进每一个进攻篮板，我不必每晚 25 分 15 个篮板！”

那帕里什仅仅是凯尔特人那根绿色的骨头？答案显然是否定的，1981 年至 1987 年，他七次入选全明星阵容，“绿色生涯”的第二年，他场均“19.9+10.8+2.4+54% 命中率”，MVP 票选联盟第四。他拥有细腻的篮下技术和比尔・沃顿口中“篮球史上大个子里最好的中投”。但如前文所言，他从不抱怨出手次数，从不苛求领导权的更迭，在“魔术师”对决“大鸟”成为那个时代的主旋律后，他依然坚守着自己对篮球的信仰——赢球足矣！

1984 和 1986 年，凯尔特人又两夺总冠军，伯德、麦克海尔和帕里什的“三巨头”成为 20 世纪 80 年代 NBA 组合的完美极限，并在一定程度上影响了后世。可惜，巅峰过后，随之而来的是巨星的势微和王朝的瓦解，伯德受背伤影响，在 1992 年功成身退，带走了一个时代，麦克海尔则在 1993 年挥手离开。而帕里什则在坚守两年后，远走夏洛特，最终魂归芝加哥。

〈生涯高光闪回 / 波士顿“三叉戟”〉

高光之耀：罗伯特・帕里什、拉里・伯德和凯文・麦克海尔并称波士顿凯尔特人队的“三巨头”——篮球史上最锋锐的前场组合之一。他们三人联手，攻防两端能够覆盖全场，帕里什在禁区坚韧、稳定，麦克海尔近距离单打。伯德随机应变游走于整个半场，担纲组织前锋。他既能低位背身策应，又能外切精准射出中远投，甚至还可以持球和麦克海尔玩挡拆传切。在防守端，这三人都是出色的篮板手，麦克海尔“蜘蛛长臂”，帕里什静默稳健，伯德防守意识一流，足以绞碎任何攻击。在他们都健康时，他们是无敌的，即使对面“魔术师”约翰逊 + 贾巴尔 + 沃西。

帕里什担任中锋。拥有超快的速度，内线和外线的得分能力超群，集力量，灵活性、耐力于一身；对罚球区的控制无人能敌。

麦克海尔有超过常人的长胳膊和一双大手，极快的速度和多变的动作。低位单打极富节奏，简约而不简单的“上下步”是其招牌 ，成为篮下最具有威胁的大前锋之一。即使对手比他高，弹跳比他好，也常常拿他毫无办法。就连比他高出 10cm，同样有一双长胳膊的“天勾”贾巴尔也对他无可奈何。他的投篮命中率跻身 NBA 的前十名。

“如果没有伤病，希尔也许会成为一个时代的标志，或许，他真的会成为比肩乔丹的天皇巨星。”
——埃里克·皮卡斯

档案

格兰特·希尔 /Grant Hill
位置：小前锋
出生日期：1972 年 10 月 5 日
身高：203cm 体重：102kg
效力球队：活塞、魔术、太阳、快船
球衣号码：33

荣耀

7 届全明星：1995–1998、2000–2001、2005
1 届最佳阵容一阵：1996/1997
名人堂：2018

常规赛场均数据

16.7 分 /6.0 个篮板 /4.1 次助攻

季后赛场均数据

13.4 分 /6.1 个篮板 /3.6 次助攻

6 ♠

格兰特·希尔

GRANT HILL

如果没有伤病，他可能是乔丹最理想的接班人。
优雅君子，风度翩翩，希尔的技术在 NBA 史上堪称少有的全面，在他的全盛时期，是无所不能的全能战士，“三双”对于他来说几乎是信手拈来。他是继“大 O”之后首位场均达到 20 分 9 个篮板球和 7 个助攻以上的球员。也许单纯数据无法解析希尔的优秀，他还是控球小前锋的开山鼻祖，之后才有麦迪、詹姆斯的大放异彩。

天妒英才，脆弱的脚踝成为希尔的阿喀琉斯之踵。频繁的伤病让这位绝世天才在板凳上度过自己的黄金年华。如果没有伤病，他与麦迪是否能成为下一个乔丹或皮蓬？如今只能在如果中凭吊臆想，徒添感伤！

流年之殇，浸漫浮生，谦谦君子，竟然在岁月中抚膝轻叹，英雄无奈，有些事似乎命中注定。希尔，被伤病侵袭的一颗流星，却在天际刻下永恒的璀璨。

上帝跟希尔开了一个很大的玩笑，他曾赋予这个年轻人惊世才华，却又赌气收回，任其在伤病折磨中泯然众卜矣。巨大的落差并没有让希尔沉沦，职业生涯后半段他不再是“天皇巨星”，却塑造了完美无瑕的职业典范。

初入联盟希尔赢得了铺天盖地的赞扬之声，他天赋异禀，突破的第一步迅疾如闪电，切入技巧简洁明快，防守者在他面前就像笨拙的稻草人，再辅以杜克出品的团队意识和传球视野，希尔堪称完美。新秀赛季希尔成为联盟历史上第一个“菜鸟”票王，在乔丹退役后的真空期，人们需要一个全新的偶像，希尔是他们心目中的最佳人选。

在“后乔丹时代”，希尔引发了一场全能革命，他与皮蓬一起在 20 世纪 90 年代引

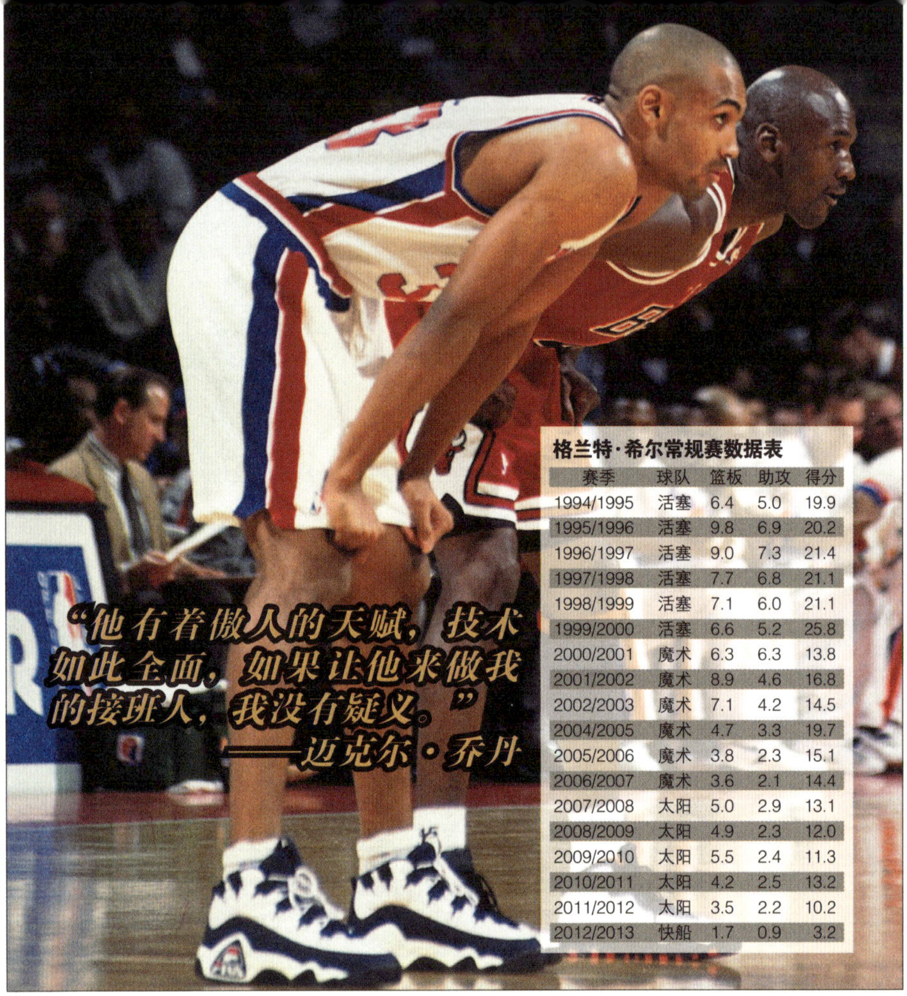

格兰特·希尔常规赛数据表

赛季	球队	篮板	助攻	得分
1994/1995	活塞	6.4	5.0	19.9
1995/1996	活塞	9.8	6.9	20.2
1996/1997	活塞	9.0	7.3	21.4
1997/1998	活塞	7.7	6.8	21.1
1998/1999	活塞	7.1	6.0	21.1
1999/2000	活塞	6.6	5.2	25.8
2000/2001	魔术	6.3	6.3	13.8
2001/2002	魔术	8.9	4.6	16.8
2002/2003	魔术	7.1	4.2	14.5
2004/2005	魔术	4.7	3.3	19.7
2005/2006	魔术	3.8	2.3	15.1
2006/2007	魔术	3.6	2.1	14.4
2007/2008	太阳	5.0	2.9	13.1
2008/2009	太阳	4.9	2.3	12.0
2009/2010	太阳	5.5	2.4	11.3
2010/2011	太阳	4.2	2.5	13.2
2011/2012	太阳	3.5	2.2	10.2
2012/2013	快船	1.7	0.9	3.2

领了“组织前锋”的潮流。时任活塞主帅的道格·科林斯如此评价希尔的全能属性，“之前我都是拿他当控卫用的。我不会说他是‘魔术师’约翰逊，但他确实做着相同的工作，场均 21 分，8 至 9 个篮板，然后再贡献 7 至 8 次助攻，每晚都是如此。”1996/1997 赛季希尔场均贡献 21.4 分 9 个篮板 7.3 次助攻，成为联盟当仁不让的首席小前锋，而这样恐怖的数据连勒布朗·詹姆斯这样的怪物也无法做到。1997 年常规赛 MVP 评选，希尔仅次于马龙和乔丹，位居第三。

然而希尔的辉煌在 2000 年戛然而止，常规赛末尾，他的左脚出现炙热的疼痛感，医生建议他休战。然而连续三年首轮出局的尴尬境遇让希尔陷入疯狂，他像狮子一般向队医咆哮，最终医生做出妥协：“你必须停下，除非你愿意下半辈子拄着拐杖走路。”一语成谶，与热火系列赛第二场，希尔的脚伤急剧恶化，X 光片上的脚踝就像一只被刀切过的橙子，彼时他完全没想到自己再次登上季后赛的舞台时，已经是 7 年之后。

重伤之后，希尔离开了伤心地底特律，奔赴奥兰多开始新的生活，人们曾无限憧憬他与麦蒂的外线组合，然而在魔术时期的希尔彻底变成了“玻璃人”，左脚多了六根钢钉，五个赛季里只打了 47 场比赛，他与麦蒂从未在季后赛里联袂出场。在奥兰多，希尔体会到命运的残酷：“你还记得蒙蒂·威廉姆斯吗？我在活塞最后一年时他已加盟魔术，有一次我在他头上得了 40 分。后来我也去了奥兰多，他在训练中打得我满地找牙，知道吗？这之间仅仅隔了五六个月。”

2003 年希尔左脚踝进行第四次手术，麦迪建议老大哥考虑退役：“我并不希望他退出江湖，这是一个让人伤感的结局。但众所周知，他连走路都困难。”2004 年医生给出权威意见，希尔应该结束篮球生涯，因为他的身体已经不堪重负。2007 年，希尔完成了效力魔术的最后一个赛季，在绝大多数人看来这个伤病缠身的老家伙真的应该退休了。

然而希尔在菲尼克斯邂逅了化腐朽为神奇的纳什，太阳的医疗团队同样举世闻名，也许是上帝的眷顾，希尔涅槃重生，“我学会了如何找回状态，更重要的是重塑信心，这两者缺一不可。”希尔甚至不再去看自己巅峰时期的比赛录像，不是因为往事不堪回首，而是与那时相比，自己已经完全变成了另外一个球员。“很多人都喜欢艾弗森，我想当他发现自己无法像六七年前一样打球时，内心一定很煎熬。”希尔说，“每个人都会面临这样的困难时期，你只有两个选择，要么转身离开，要么接受现实做出改变，而且要变得更加高效。”

希尔的选择是做出改变，他再也做不出犀利的变向突破和霸气的暴扣，但是中投日益稳健，甚至出人意料地变身防守尖兵。“我为自己的调整感到骄傲，”希尔说，“做那些微不足道的事情，比如防守和篮板球。过去我根本不会去做，或者说根本没必要。调整并不容易，但你做过之后，就会发现自己打开了另外一扇门。”

2008/2009 赛季，希尔第一次完成全勤。2009/2010 赛季，希尔突破了季后赛首轮的魔咒，打破宿命之后他心如止水：“我的内心很平静，当你做好一切调整，付诸努力，你会发现自己很平静。因为之前很多时候我都是看客，而不是体验者。”2010/2011 赛季，希尔场均贡献 13.2 分，在此之前，历史上在 38 岁高龄场均砍下 13 分的外线只有三位：迈克尔・乔丹、约翰・斯托克顿和雷吉・米勒。

希尔注定不是太阳队史上最优秀的球员，但在菲尼克斯他度过了职业生涯最美好的一段时光。然而希尔的篮球欲望并没有在菲尼克斯燃烧殆尽，他仍然希望在职业生涯的暮年再次享受篮球的乐趣，于是他加盟了快船。希尔在拉斯维加斯的训练营里度过了自己 40 岁的生日，“我还有打球的欲望，我仍然热爱篮球，我喜欢竞争和胜利。是的，我还能打。”2009 年 5 月 3 日，季后赛首轮第 6 场，希尔出战 20 分钟，4 投 2 中拿下 4 分，这场快船出局的比赛成为他职业生涯的绝唱。

阿玛雷·斯塔德迈尔常规赛数据表

赛季	球队	篮板	盖帽	得分
2002/2003	太阳	8.8	1.1	13.5
2003/2004	太阳	9.0	1.6	20.6
2004/2005	太阳	8.9	1.6	26.0
2005/2006	太阳	5.3	1.0	8.7
2006/2007	太阳	9.6	1.3	20.4
2007/2008	太阳	9.1	2.1	25.2
2008/2009	太阳	8.1	1.1	21.4
2009/2010	太阳	8.9	1.0	23.1
2010/2011	尼克斯	8.2	1.9	25.3
2011/2012	尼克斯	7.8	1.0	17.5
2012/2013	尼克斯	5.0	0.7	14.2
2013/2014	尼克斯	4.9	0.6	11.9
2014/2015	尼克斯	6.8	0.6	12.0
2014/2015	独行侠	3.7	0.4	10.8
2015/2016	热火	4.3	0.8	5.8

●档案

阿玛雷·斯塔德迈尔 /Amare Stoudemire

位置：大前锋

出生日期：1982 年 11 月 16 日

身高：208cm 体重：111kg

效力球队：太阳、尼克斯、独行侠、热火

球衣号码：1、5、32

●荣耀

6 届全明星：2005、2007–2011

1 届最佳阵容一阵：2006/2007

●常规赛场均数据

18.9 分 /7.8 个篮板 /1.2 个盖帽

●季后赛场均数据

18.7 分 /7.4 个篮板 /1.3 个盖帽

6 ♥

阿玛雷·斯塔德迈尔

AMARE STOUDEMIRE

他是力压姚明的“最佳新秀”，他如救世主般降临太阳城，和纳什、马里昂一起构建起未来菲尼克斯长达八年的辉煌！他扣篮时雷霆万钧的气势、彗星一般的窜起速度、势大力沉的对篮筐侵袭，令所有菲尼克斯人，不，所有喜欢篮球的人都为之震慑！

斯塔德迈尔 1982 年出生于佛罗里达州的莱克威尔士，小的时候，斯塔德迈尔最得意的运动并不是篮球，而是橄榄球，那个时候他的理想是成为佛罗里达或者迈阿密的接球手，然后成为 NFL 的超级明星。

直到偶然的一次机会，他看到了沙克·奥尼尔在篮球场上的表现，他想：“嘿，这个大家伙，才应该是我的偶像！”于是，才有了在篮球场奋战 14 年的篮球明星。

14 岁的时候，斯塔德迈尔已经 1.98m 了，但那个时候，他还没有接受过任何正规训练，也没打过任何联赛。不过超人的身体素质，让他备受青睐，很快他加入了一支 AAU 球队。在这支球队里，他的天赋得到了充分的绽放，他有足够的力量和出色的预判能够拿下所有能够触及的篮板球，并在防守时成为对方球员的噩梦，而他的速度和弹跳，也让他能够快速甩开防守队员，将球塞入篮筐。他的第一次 AAU 邀请赛，就成了 MVP。

而之后，在高中联赛，他效力的塞普雷斯·克里克高中虽然战绩仅为 16 胜 13 负，但是他场均贡献 29 分 15 个篮板 6 次封盖的数据，也让人瞠目结舌。在高中结束后，他决定不再上学，直接进入 NBA。

在选秀之前，有些人对他抱怀疑态度。他的技术还比较粗糙，但高达 105cm 的垂直弹跳又令人称羡。更多人怀疑他的背景。不过也有人持相反态度，认为艰辛的生活磨炼了他顽强的性格。

而菲尼克斯则是他的坚决拥护者，当时太阳队的总经理杰里·科朗吉洛在看过他的比赛之后，当即拍板：“这个小子让我看见了当年的科比·布莱恩特，我们要定他了！”于是乎，他在第 9 顺位披上了太阳队紫色的战袍，也成了那一年唯一入选的高中生。

彼时的菲尼克斯，正处在一个艰难的重建期，随着贾森·基德和克里弗德·罗宾逊的离开，留在队里的只剩下史蒂芬·马布里，约翰·华莱士和杰德·布伊奇勒。那个时候，他们刚刚度过一个 36 胜的难熬赛季，14 年来首度无缘季后赛。但他们在赛季中的一些交易非常成功，除了清理出足够的薪资空间，还顺利拿回了之前交易出去的选秀权，而他们就是靠着这个选秀权签下了斯塔德迈尔。

尽管如此，当时也没有人对斯塔德迈尔保有太大的希望。毕竟就算是未来能够成为超级巨星的高中生球星，譬如加内特或者科比，在他们的第一个赛季也无法展示出能够扭转球队局面的天赋。比如加内特，他是在 19 场比赛过后才头一次拿下两位数的分数，39 场过后篮板数才上双。而第一次拿下“20+”则是 52 场比赛之后的事了。

而斯塔德迈尔进入状态，似乎更早了一些，他的前 7 场比赛就有 4 场得分上双。打完前 17 场比赛，他已经拿下 6 次“10+”的篮板，并且职业生涯得分纪录也来到了 20 分。12 月 30 日对阵加内特的森林狼则是他第一次站上大舞台，斯塔德迈尔 24 投 16 中，爆砍 38 分 14 个篮板。

如果有人还不知道的话，现在你们应该晓得斯塔德迈尔的新秀赛季是多么的逆天了。

而且数据还不足以说明一切。当年斯塔德迈尔场均 13.5 分 8.8 个篮板，对一个新秀来说这样的数据很不错了，但是对一个首发球员来说这也不过是平均水平之上而已。最让人惊叹的是他的打球方式，他的无畏，他的侵略性，他的爆扣，那雷霆万钧势不可挡的爆扣。

接下来的两个赛季，斯塔德迈尔有了爆发性的增长，虽然 2003/2004 赛季，菲尼克斯只有 29 胜的惨淡战绩，但是当新的赛季开始，纳什的加盟联手，让这支球队有了突飞猛进的蜕变，那个赛季他和纳什带领“凤凰城”砍下球队历史最佳的 62 胜，而他有了纳什的传球助攻，场均得分提升到 26 分，并在对阵开拓者的比赛中，拿下职业生涯最高的 50 分。

在季后赛，他们与圣安东尼奥对阵，面对 21 世纪最伟大的“王朝”球队，他们酣战五场，最终败下阵来，但是斯塔德迈尔在与历史最伟大的大前锋邓肯的对抗中，证明了自己，场均 37 分的爆发得分能力，让“石佛”也禁不住皱起眉头。

2005/2006 赛季，伴随斯塔德迈尔整个职业生涯的膝盖伤势汹涌袭来，微创手术，让他只出场了 3 场比赛。所有人都开始担心沉重的伤病是否就此将其击垮，毕竟进入联盟以来，他一直以飞天遁地的形象深入人心，之前和他打法类似的内线球员，很多都倒在微创手术之下，譬如马丁、韦伯。

但是很快，他便将这些担心粉碎，2006/2007 赛季，他 82 场全勤，身披刚刚换上的 1 号球衣，又开始了他在 NBA 飞天遁地的故事，整个赛季他场均 20.4 分 9.6 个篮板 1.3 次封盖，季后赛再遇马刺，血战六场，并在最后一场狂揽“38+15”，虽然未能力挽狂澜，却也足够惊艳。

但是“凤凰城”在季后赛再进一步的愿望，直到 3 年后才得以实现，2009/2010 赛季，斯塔德迈尔再次 82 场全勤，场均 23.1 分 8.9 个篮板还有 1 次封盖，终于带领球队突破首轮，一路杀入西部决赛，但最终还是以 2 比 4 输给了如日中天的科比·布莱恩特。

那个夏天，在“凤凰城”等不到强援和希望的斯塔德迈尔和寻找核心的尼克斯一拍即合，以五年一亿的顶薪达成合作。首个赛季，他如狼似虎，场均砍下 25.3 分 8 个篮板，虽然季后赛依旧无望，但他也凭借超强的得分能力，成为连续打出 9 场“30+”的球队第一人。

接下来的几个赛季，伤病开始侵蚀这个以暴力著称的前锋球员，在 2011/2012 赛季缺席了 35 场比赛之后，接下来的 2012/2013 赛季，他只出场了 29 场比赛。直到 2013/2014 赛季，他的出勤才重新回到 62 场，但是伤病让他已经难复当年之勇，那个赛季他场均仅得到 11.9 分 4.9 个篮板。2014/2015 赛季过半，尼克斯为了节省薪资空间，正式宣布将他裁掉。

之后，他辗转小牛与热火，却再也找不回当年横刀立马篮下，舍我其谁的霸王英姿了。

或者，这便是似水年华最真实的一面，光阴流水般逝去，徒留当年飒爽身影，荡漾断喝只是记忆中永难磨灭的映像，空有余叹，韶华已逝“小霸王”！

〈生涯高光闪回/“小霸王”大战“石佛”〉

高光之耀：尽管太阳在 2005 年西部决赛上以 1 比 4 被马刺淘汰，但是斯塔德迈尔打出了最具统治力的一个系列赛，他在 5 场比赛里场均可以得到 37.0 分 9.8 个篮板 1.6 个盖帽，投篮命中率高达 55.0%，以 84.3% 的罚球命中率场均命中 8.6 个罚球；而邓肯场均 27.4 分 13.8 个篮板 1.8 个盖帽，投篮命中率 52.7%。仅就个人数据而言，斯塔德迈尔明显完爆了这位历史第一大前锋。

2005 年 6 月 3 日，西部决赛第五场，斯塔德迈尔大发神威，上半场就砍下 21 分外加 8 个篮板和 3 个盖帽，率队领先马刺进入中场休息。

第三节，风云突变，马刺连续反击得手将比分超出，末节，太阳在斯塔德迈尔的带领下疯狂反扑，但马刺的“GDP 组合”先后得分稳住优势，最终太阳主场以 95 比 101 惜败马刺，从而以 1 比 4 遭淘汰无缘总决赛。

斯塔德迈尔全场轰下 42 分 16 个篮板 4 个盖帽，还在比赛中多次送出隔扣，但无奈未能帮助球队获胜。

档案

本·西蒙斯 /Ben Simmons
位置：控球后卫
出生日期：1996 年 7 月 2 日
身高：208cm 体重：104kg
效力球队：76 人
球衣号码：25

荣耀

1 届全明星：2019
最佳新秀阵容一阵：2017/2018

常规赛场均数据

16.3 分 /8.6 个篮板 /8.0 次助攻

季后赛场均数据

16.3 分 /9.4 个篮板 /7.7 次助攻

本·西蒙斯常规赛数据表

赛季	球队	篮板	助攻	得分
2017/2018	76 人	8.1	8.2	15.8
2018/2019	76 人	8.8	7.7	16.9

6 ♣

本·西蒙斯

BEN SIMMONS

他是费城的少年天子，费城也为他的伤病守候一年。虽然没有外线三分加持，但西蒙斯仅凭突破、分球、扣篮、上篮、助攻这些近身短打的功夫，就可以纵横无极、挥斥方遒。

1996 年 7 月，澳大利亚墨尔本的一家医院里，电视屏幕上亚特兰大奥运会开幕式正在如火如荼地播放着。一声婴儿的啼哭声盖过了电视屏幕上舞者们向全世界发出的问候，那句“你们好吗”好像是对新生儿降临人间最美的召唤，母亲朱莉看着怀中幼小的男孩儿，脸上写满了幸福。父亲戴夫·西蒙斯给这个孩子取名本·西蒙斯，多年以后，当朱莉回忆起那个阳光灿烂的夏天时，总会说：“本出生在奥运开幕当天是个征兆，很美好的征兆。”

西蒙斯的父亲戴夫，是一个拥有 2.05m 身高的黑人，他出生在纽约，大学是在俄克拉荷马大学度过，由于错过了入选 NBA 的机会，所以他在 20 世纪 90 年代移民澳洲，在澳大利亚联赛开始了自己辉煌的职业生涯。毫无疑问，戴夫是西蒙斯的篮球启蒙教练，更是他成为一代天才球星之路上最关键的人物。

西蒙斯继承了父亲的篮球基因，并从小就比同龄人身材高大。15 岁那年，西蒙斯开始展现自己卓越的篮球天赋，他的身高迅速蹿升至 2m，在同龄段的孩子里堪称鹤立鸡群般的存在。戴夫的好朋友大卫·帕特里克是西蒙斯的教父，他敏锐地察觉到了这个孩子身上蕴藏的无穷潜力。

戴夫和朱莉采纳了帕特里克的建议，他们意识到了西蒙斯应该拥有更为广阔的舞台，而作为当年 NBA 的“弃儿”，戴夫也希望儿子能够实现自己未尽的梦想，去美国闯出一片天地。所以 2011 年，他们举家搬到了美国，并将西蒙斯送进了蒙特沃德高中。

在澳洲篮球环境中成长的西蒙斯，拥有不同于美国少年球手的球路，他喜欢传球，热衷于阅读比赛做出最正确的选择。尽管他的身体天赋卓越，但他从来不想成为那种传统的美式球员，“我在澳大利亚打的是欧式篮球——这就意味着多传球，多移动。数据完全不重要，最重要的是赢球。”

高中时期的西蒙斯不可阻挡，高三那年，他场均得到 18.5 分 9.8 个篮板和 2.7 次助攻，投篮命中率高达 69%，带队以 28 胜 0 负的战绩夺取高中全美锦标赛冠军。高四赛季，他的数据升级至场均 28 分 11.9 个篮板 4.0 次助攻和 2.6 次抢断，带队以 28 胜 1 负的战绩蝉联全美冠军，并再次当选 MVP。

迅速蹿红的西蒙斯，成为美国篮坛令人瞩目的新星，众多 NCAA 豪门送上了邀请函，但最终路易斯安那州立大学成了这个天才的下家。这所以培育出“大鲨鱼”奥尼尔而闻名全美的高校，将在一年后因为西蒙斯再次名声大噪。“我们很幸运拥有他。”路易斯安那州立大学的篮球教练约翰尼·琼斯说，“他就像沙克·奥尼尔，这些统治力人物可不会经常出现在你身边。”

琼斯说的没错，西蒙斯的确是不世出的天才，尽管他的大学篮球生涯只有一个赛季，但这足以让他名震天下。2015/2016 赛季，西蒙斯场均得到 19.2 分 11.8 个篮板和 4.8 次助攻，投篮命中率高达 56%，当选美国篮球作家协会年度最佳球员、全美年度最佳新人、东南区最佳新人，入选全美大学篮球最佳阵容一队、东南区最佳阵容一队。

如此全能的身手和高效的赛场表现，让众多 NBA 球队垂涎三尺，而西蒙斯也在大一赛季结束后决定参加 NBA 选秀，“我要去实现父亲不曾实现的梦想。”西蒙斯说。

最终的结果也没有出乎人们的预料，2016 年选秀大会，费城 76 人用手中的状元签毫不犹豫地押宝西蒙斯。对此阿伦·艾弗森则在推特上指出：“西蒙斯会让我们所有费城的球迷感到骄傲的。”而西蒙斯对于加盟 76 人也感到开心，“从我四五岁开始，我就在一张纸上写下，我要打 NBA，能够成为 76 人队的一部分，这是一种荣誉。”

全面的身手、恐怖的身体天赋、年少成名的轨迹、状元郎，这些身份让人很容易将西蒙斯跟詹姆斯放在一起比较，巧合的是，两人同属于里奇·保罗的经纪公司。

当全费城球迷都在期待西蒙斯在新赛季带领球队重振雄风的时候，这个 20 岁的天才在只打了一场季前赛之后就遭遇了重伤打击，他的右脚第五内侧楔骨骨折，不得不接受手术，而且最终宣布 2016/2017 赛季报销。但费城球迷相信，经历过一个赛季的蛰伏之后，2017 年的西蒙斯会更加强大。

事实如你所愿。2017 年，当西蒙斯健康归来，并搭档恩比德完成了一个真正意义上的完整赛季之后，费城这些年所经历的一切苦涩与灰暗都成为他们光芒万丈的注脚。整个赛季，2017/2018 赛季常规赛，西蒙斯出战 81 场，场均 15.8 分 8.1 个篮板 8.2 次助攻，并打出了 12 次“三双”。在 NBA 历史上，新秀赛季获得“三双”数比西蒙斯更多的只有名人堂球员奥斯卡·罗伯特森（26）。

在 2018 年 4 月 7 日，76 人主场 132 比 130 击败骑士的比赛中，西蒙斯面对詹姆斯砍下 27 分 15 个篮板 13 次助攻 4 次抢断的“大三双”，而“皇帝”也用 44 分 11 个篮板 11 次助攻予以回击。这场火星撞地球般的全能较量，让球迷看得大呼过瘾。赛后，“皇帝”说：“西蒙斯不断地从比赛中学习，他想要变得出色，他也一直在展现自己的能力。”

最终西蒙斯带领 76 人以 52 胜 30 负的成绩位列东部第三，时隔 7 年重返季后赛。而在 2018 年季后赛 10 场比赛中，西蒙斯场均贡献 16.3 分 9.4 个篮板 7.7 次助攻，表现出色。只可惜，核心阵容太过年轻的费城在半决赛惨败于凯尔特人之手，西蒙斯整轮表现不足以率队杀进东决会师詹姆斯。尽管被淘汰，但西蒙斯依旧打出了一个精彩的赛季。

重伤归来，率队崛起，22 岁的西蒙斯已经达到了 90% 的同龄人未曾企及的高度，他还有非常大的空间去提升自己。假以时日，当他开发出自己的投篮并懂得如何用更加合理的方式去支配比赛，我们相信西蒙斯会像詹姆斯那样称霸联盟。

假以时日，有了远射以后的西蒙斯将会怎样？画面太美，令人产生无限遐想。

虽然还远未成熟，但西蒙斯已经展现出了惊人的球场驱动力。这种全场范围内用传球改变全队进攻节奏的天才，在 NBA 过往的历史上只有一个——“魔术师”约翰逊。正因为有他的存在，2018 年的费城皇家礼炮团才能百花齐放。

只不过缺乏远距射程、西蒙斯三分不准的瑕疵，会被对手无限放大。在 2018 年季后赛中，他的射程问题已经开始被老辣的波士顿人针对了。

因为他是天才少年，“天子登基”！只是时间问题。

〈生涯高光闪回 / 创队史 53 年新秀纪录〉

高光之耀：西蒙斯本场轰下“准三双”数据，成为 76 人队史最近 53 年首位单场至少轰下“10+5+5”的新秀球员，更率队斩获大胜证明领袖才能。

2018 年 4 月 15 日，76 人在主场以 130 比 103 痛击热火斩获季后赛开门红，西蒙斯贡献 17 分 9 个篮板 14 次助攻的准“三双”数据，引领 76 人在下半场吊打热火，从而用一场大胜为球队重回季后赛献礼。

真正展现西蒙斯威力的还是下半场的一边倒压制态势，当 76 人在第三节前半节率先轰出一波 20 比 2 攻击波时，西蒙斯自然是绝对的幕后操盘手。

西蒙斯的底气自然源自他自身的出色发挥，他在常规赛场均能够轰下 15.8 分 8.1 个篮板 8.2 次助攻的全能数据，并且 12 次斩获“三双”成为新秀历史第 2 人，仅次于“大 O”奥斯卡·罗伯特森纪录。

“像天马在空中飞翔一样，不！简直就像飞马带着喷气式发动机飞行一样！”

——朱利叶斯·欧文

一道黑色的身影带着一往无前的气势冲向篮筐，仿佛空中列车轰鸣疾驰而过，那一定是名为“肖恩·坎普”的暴风骤雨！

档案

肖恩·坎普 /Shawn Kemp

位置：大前锋

出生日期：1969 年 11 月 26 日

身高：208cm 体重：104kg

效力球队：超音速、骑士、开拓者、魔术

球衣号码：4、40

荣耀

6 届全明星：1993–1998

3 届最佳阵容二阵：1993/1994、1994/1995、1995/1996

常规赛场均数据

14.6 分 /8.4 个篮板 /1.2 个盖帽

季后赛场均数据

17.3 分 /9.7 个篮板 /1.6 个盖帽

肖恩·坎普常规赛数据表

赛季	球队	篮板	盖帽	得分
1989/1990	超音速	4.3	0.9	6.5
1990/1991	超音速	8.4	1.5	15.0
1991/1992	超音速	10.4	1.9	15.5
1992/1993	超音速	10.7	1.9	17.8
1993/1994	超音速	10.8	2.1	18.1
1994/1995	超音速	10.9	1.5	18.7
1995/1996	超音速	11.4	1.6	19.6
1996/1997	超音速	10.0	1.0	18.7
1997/1998	骑士	9.3	1.1	18.0
1998/1999	骑士	9.2	1.1	20.5
1999/2000	骑士	8.8	1.2	17.8
2000/2001	开拓者	3.8	0.3	6.5
2001/2002	开拓者	3.8	0.4	6.1
2002/2003	魔术	5.7	0.4	6.8

6

肖恩·坎普
SHAWN KEMP

他轻舒“猿臂”却又带着雷霆万钧的声势将球扣入篮筐的一瞬间，最佳地诠释了“暴力美学”，他低位要球后飞快地转身底线切入，面框时轻灵诡异的突破上篮，仔细看着都有着一种别样的美丽，能够轻易地将观者的心弦捕捉，随着起伏。“雨人”坎普的扣篮充满力度，充满激情，酷似一道黑色闪电般迅猛。

他是球场的霸者，虽然他并不是最强的，但却是篮球这个大舞台上最能蛊惑人心的存在，他仿佛是上帝赐给篮球世界最别样最特殊的礼物——成为暴力扣将的同时却带着一种灵性，这种灵性让他和一般扣将有着云泥之别，其他扣将隔人暴扣，却也技止于此。坎普是不一样的，他能够将鬼魅一般的步伐、神来之笔的空中躲闪和换手完美地融于他的扣篮之中去，这让他的扣篮，绝不仅仅是暴力能够形容的。

更让人沉迷的是，他空中滑翔的速度和长度无论在NBA历史上还是今天都是首屈一指的，他扣篮的最后一击，也丝毫不会受之前任何变化的影响，永远势大力沉。能够在扣篮这项艺术上完全凌驾于他之上的，由古到今恐怕也只有“神”和“半神”了。

坎普的童年和众多出身贫民窟的NBA球员一样，早早就踏上了篮球的道路——这是美利坚下层社会闯入上流社会鲜少的途径。坎普在这条路上很快就展露出卓绝的天赋，从他高中开始，他就以扣篮又狠又准而名声远播。

因为他在篮球场上出色的表现，他获得了肯塔基大学的垂青，几乎成为这座篮球名校的一员。但他先是在麦当劳全美高中生大赛上和莫宁发生了肢体冲突，后又在入学不久因为偷窃被学校开除，最终在辗转于一所职业学校一段时间之后，被迫无奈以高中生的身份参加了 NBA 的选秀。

打架斗殴、曾有偷窃前科、高中生、心智似乎也不够成熟。天赋异禀的坎普当时被种种负面缠身，众多 NBA 球队对他望而却步，最终，在 1989 年的选秀大会上，他滑落到了第一轮第 17 顺位，被抱着试试看心态的西雅图超音速收入囊中。

新秀赛季，西雅图也未对他寄予任何希望，大部分时间坎普都是在板凳席上挥舞着毛巾为队友加油助威，1989/1990 赛季，他也仅仅得到 6.5 分 4.3 个篮板，更没什么引人注目的表现，唯一让球迷们印象深刻的是在对阵国王比赛中，高高跃起的他把头撞在了篮筐上，瞬间血染赛场，事后更是整整缝了 5 针之多。

1990/1991 赛季，西雅图内线出现人员真空。板凳席上枯坐的坎普抓住了这一机会，在他被推上首发的第二场比赛，他把惊人的天赋彻底展现给所有球迷，那场对阵雄鹿的比赛中，他个人狂揽 31 分 10 个篮板，无论突破劈扣还是背身低位都有模有样。在随后对阵洛杉矶湖人的比赛中，他更加一发不可收拾，他镇守禁区一夫当关万夫莫开，独自奉献刷新队史的 10 个封盖，把湖人上下修理得鸡飞狗跳！

整个 1990/1991 赛季，他交出了 15 分 8.4 个篮板的答卷，在该赛季扣篮大赛上更是获得亚军，“雨人”威名开始响彻 NBA 的苍穹！

这个赛季，坎普也开始迎来了他职业生涯最亲密的战友——加里・佩顿！

接下来的赛季，两个年轻的毛头小伙子开始逐渐产生了化学反应。球队更是请来 NBA 著名教头“疯狂卡尔”乔治・卡尔来执教这支球队，坎普和他的搭档佩顿也飞快地成长了起来，两人之间的化学反应日趋纯熟——在球场之上，他们一个眼神便心照不宣，佩顿常常连人都不看就将皮球抛向天空之上一个不可思议的高度，然后坎普瞬间腾空而起，准确地将球接住，在众人的仰望之下，狠狠地将球劈入篮筐！

1991/1992 赛季，他们带领刚刚崛起的“青年禁卫军”闯过了季后赛的首轮，那个赛季，佩顿尚且稚嫩，但坎普已经已能得到 15.5 分 10.4 个篮板入账，俨然未来的超级大前锋。

1992/1993 赛季，坎普已经能够场均砍下 17.8 分 10.7 个篮板，两人带领球队更是一路斩将夺魁，杀入西区决赛，在此系列赛里，他们和菲尼克斯太阳七场火星撞地球般的碰撞，成为无数球迷心中最激烈的赛事。尤其是坎普面对成名已久的查尔斯“爵士”毫不怯场的表现，更让西雅图“雨人”的威名如雷贯耳！

1993/1994 赛季，坎普、佩顿和他们的超音速迎来了第一次高潮，那个赛季，坎普场均稳定斩获 18.1 分 10.7 个篮板，彻底跻身联盟顶尖大前锋行列。常规赛，球队在他们的带领下势不可挡，赛季结束的时候，他们以 63 胜 19 负锁定联盟第一的宝座。但年轻终究要教一些学费，季后赛首轮，彼时还略显青涩的二人组合面对破釜沉舟的丹佛掘金和穆托姆博轻功冒进，最终被对手抓住机会，以 2 比 3 溃败，成就了对手 NBA 历史第一次“黑八奇迹”。虽然季后赛败得可惜，但坎普场均拿下 24.8 个篮板，在“非洲大山”

穆托姆博镇守的丹佛内线来去自如，频频上演暴扣好戏，技惊四座。

接下来的 1994/1995 赛季，超音速在常规赛依旧威猛，拿下 57 胜，但季后赛首轮面对复出的“魔术师”约翰逊领衔的湖人，超音速再度失常，四场比赛后就打道回府。

1995/1996 赛季，超音速斩获 64 胜，创历史最佳战绩。季后赛他们一洗之前两赛季的狼狈，首轮 3 比 1 干净利落淘汰国王，半决赛更是以 4 比 0 横扫上届冠军休斯敦火箭。西区决赛，他们和犹他爵士酣战七场，关键生死战，坎普迎来大爆发，他砍下 26 分 14 个篮板，并在关键时刻对马龙的绝杀完成封盖！帮助球队第一次挺进 NBA 总决赛！

1996 年总决赛的戏码至今让人津津乐道，虽然球队以 2 比 4 输给如日中天的芝加哥公牛，但西雅图也写下浓墨重彩的一笔。至于坎普，他在总决赛的表现也可圈可点。

接下来的 1996/1997 赛季，坎普和佩顿带领的超音速依旧强势，他们获得 57 胜 25 负的战绩。而那个赛季，却最终成了坎普在西雅图的绝唱，赛季结束后，因不满薪水，坎普向球队索要大合同，却未得到答复。一怒之下，他连续缺席训练，最终被球队先签后换交易到了克利夫兰骑士。

在骑士的前两个赛季，失去佩顿和卡尔鞭策的坎普还能保持一点勤奋，两个赛季表现还算不俗，1998/1999 赛季甚至场均能够贡献 20.5 分，季后赛更是能斩获 26 分。但之后联盟停摆的恶劣后果暴露了出来，停摆过后，他陡然胖了 22.5kg，与此同时，吸毒、滥交，等等丑闻相继爆出，他的状态发生了断崖式下跌，之前的赛季还是超级前锋，一下子就变成了一个连篮筐都摸不到的胖子。

坎普的生涯至此也彻底退出了巅峰，他也开始自己的流浪生涯，辗转于开拓者、魔术，甚至于意大利联赛，却最终已体重超标不得不惨淡地结束了自己的篮球生涯。

纵观坎普的整个职业生涯，决然算不上成功，最后的惨淡，虽然缘于他的自甘堕落，却也让无数人扼腕叹息！

〈生涯高光闪回 / 创队史 53 年新秀纪录〉

高光之耀：坎普“雨人”的称号完全是误读。20 世纪 90 年代中叶，在半空中飞来飞去的他只能被万众仰视，西雅图的球迷热切地称呼他为 Reign Man，意为统治者。然而这个 Reign 和 Rain 是同音字，在进入中国之后，可能被开始翻译的人误传，于是，国内都管他叫“雨人”了。

在某个夜晚他在众多防守队员的仰望之下，从天空如劈面而来的大颗雨滴一般直奔篮筐，“雨人”也颇为形象。彼时，误打误撞的“雨人”之名，更是让坎普的暴力扣篮成为江湖上甚嚣尘上的佳话——多少人最开始以为“雨人”是形容他的扣篮如暴雨倾盆而下呢？

LAKERS

2–5

黑桃 5 多诺万 · 米切尔 / **红桃 5** 尼古拉 · 约基奇 / **梅花 5** 吉米 · 巴特勒 / **方片 5** 维克多 · 奥拉迪波

DONOVAN MITCHELL　NIKOLA JOKIC　JIMMY BUTLER　VICTOR OLADIPO

黑桃 4 大卫 · 汤普森 / **红桃 4** 德隆 · 威廉姆斯 / **梅花 4** 迪坎贝 · 穆托姆博 / **方片** 4 阿朗佐 · 莫宁

DAVID THOMPSON　DERON WILLIAMS　DIKEMBE MUTOMBO　ALONZO MOURNING

黑桃 3 C. J · 迈克勒姆 / **红桃 3** 肯巴 · 沃克 / **梅花 3** 贾森 · 威廉姆斯 / **方片 3** 佩贾 · 斯托亚科维奇

C.J.MCCOLLUM　KEMBA WALKER　JASON WILLIAMS　PEJA STOJAKOVIC

黑桃 2 杰森 · 塔图姆 / **红桃 2** 安德烈 · 伊戈达拉 / **梅花 2** 慈世平 / **方片 2** 德文 · 布克

JAYSON TATUM　ANDRE IGUODALA　METTA WORLD PEACE　DEVIN BOOKER

多诺万·米切尔常规赛数据表

赛季	球队	篮板	助攻	得分
2017/2018	爵士	3.7	3.7	20.5
2018/2019	爵士	4.1	4.2	23.8

●档案

多诺万·米切尔 /Donovan Mitchell
位置：得分后卫
出生日期：1996 年 9 月 7 日
身高：191cm 体重：98kg
效力球队：爵士
球衣号码：45

●荣耀

最佳新秀阵容一阵：2017/2018

●常规赛场均数据
21.7 分 /3.9 个篮板 /3.9 次助攻
●季后赛场均数据
24.4 分 /5.9 个篮板 /4.2 次助攻

5

多诺万·米切尔
DONOVAN MITCHELL

继韦德之后将爆发力和灵活性结合得最好的双能卫，只要他愿意，他随时可以用一次迅疾、灵巧、柔滑的突破进入禁区，找到上篮空间。不要想一对一阻止他，他对掩护墙位置的敏感程度，就像蝙蝠对黑夜中的障碍物一样，不以目视而以神遇，得知于心而应之于手。他虽然还没到巅峰“闪电侠”那种超凡境界，但却足以远远甩开同类型球员了。更何况他还拥有韦德始终不具备的射程，只是欠稳定罢。这已经足以让他成为同届新秀中最犀利的得分武器。

1996 年 9 月 7 日，米切尔出生于康涅狄格州格林尼治，他的父亲老米切尔曾是波士顿太空人的主力投手，1992 年在 MLB 选秀大会中被选中。退役之后，老米切尔依然从事着跟棒球相关的工作。棒球世家出身的米切尔，自幼就展现出了非凡的天赋，他是出色的投手和游击手，最爱的球队正是父亲供职的纽约大都会。

米切尔从小的梦想就是能够代表大都会征战 MLB，在高中之前，他的人生规划中只有一项：职业棒球手。所以，他进入了坎特伯雷学院棒球队，希望有朝一日能够继承父亲的衣钵，成为一名传奇的棒球运动员。

然而高二的一次意外受伤，改变了米切尔的体育生涯。在全力追逐一记高飞球的途中，担当游击手的米切尔过于投入，和己方捕手撞在了一起，对方下颚脱臼，而他手腕骨折。手腕之于棒球手，犹如双脚之于足球运动员，那是棒球人的生命。米切尔为此错过了整个 AUU 赛季，并最终做出了放弃棒球的残忍决定。

棒球之门已经对米切尔关闭，他只能选择自己第二喜欢的运动——篮球。但与自幼开始训练的棒球不同，米切尔开始系统地接受篮球训练是从高中才开始，他还曾梦想自己能够像戴恩·桑德斯一样，成为美国体育史上传奇的两栖运动员。现在，他只能将全部精力投入到篮球之中，高二结束后，米切尔离开坎特伯雷学院，转校到布鲁斯特学院，那是一所以篮球著称的学校。

高中毕业后，米切尔放弃了加盟偶像乔丹效力的北卡，选择进入里克·皮蒂诺执教的路易斯维尔大学。2015 年，米切尔开始了在路易斯维尔大学的篮球生涯，前两年，他还只是蛰伏队中的小角色，直到大三赛季，他才开始展现非凡的战斗力和带队天赋。在 2016/2017 赛季中，米切尔场均获得 32 分钟的出场时间，贡献 15.6 分 4.9 个篮板 2.7 次助攻 2 次抢断，其中，他的抢断数排名大西洋海岸联盟第一，并且入选大西洋海岸联盟最佳阵容一队和最佳防守阵容。

在 2017 年“天才云集”的选秀大会中，涌现了福尔茨、鲍尔、塔图姆、福克斯这些大一才俊，大三的“老学生”米切尔，并不太引人注目。

唯独爵士相信 20 岁的米切尔会成为犹他的“救世主”，爵士总经理丹尼斯·林在接受采访时说：“我喜欢这个打棒球出身的孩子，多诺万就是我们的选择。”

丹尼斯·林做出了他经理人生涯中最正确的一次决定，他用特雷尔·莱尔和 24 号签从掘金队手中换来了 13 号签，因为他要在 13 号位置截胡米切尔。

“保持谦逊”米切尔在被爵士选中并完成签约后如是写道。他很清楚自己并非超级新秀，同福尔茨、塔图姆和鲍尔相比，他就像是个被遗忘的孩子，只能站在镁光灯的远端默默地咬紧牙关。但米切尔不在乎，他只希望自己在犹他赢得更多的胜利和尊重。在 2017 年夏季联赛中，米切尔打出了令人侧目的表现，在一场与灰熊的比赛中，米切尔轰下 37 分 8 次抢断，创造了近 8 年来夏季联赛的单场得分新高。

2017/2018 赛季，米切尔只用了五场比赛的磨合，就适应了 NBA 级别的对抗和节奏，10 月 28 日爵士主场战胜湖人，米切尔替补出场，16 投 9 中，三分 6 投 3 中，砍下 22 分 3 次抢断，而与之对位的同届榜眼秀鲍尔只有 9 分 5 次失误的惨淡表现。

此后，米切尔开始了自己疯狂的表演，2017 年 11 月 1 日和 3 日，球队连续主场迎战开拓者和猛龙，面对“黄金双枪”和猛龙“双子星”，年轻的米切尔连续砍下 28 分和 25 分的高分数据。11 月 29 日，在爵士队主场以 106 比 77 击败掘金队的比赛中，米切尔得到 16 分，职业生涯前 21 场比赛累计得到 312 分，成为爵士队史自达雷尔·格里菲斯之后第二位在职业生涯前 21 场比赛中总得分突破 300 分的球员。

2017 年 12 月 1 日，爵士主场以 114 比 108 战胜鹈鹕，米切尔出战 37 分钟，25 投 13 中，三分 12 中 6，砍下 41 分 4 个篮板 4 次助攻。成为继詹姆斯、安东尼、杜兰特、埃里克·戈登、库里、格里芬之后，现役第七位在新秀赛季就砍下“40+”的球员。

而这样的疯狂表演，在两个月后，米切尔又奉献了一次。在客场狂胜太阳的比赛中，他再度砍下 40 分，成为自 2010/2011 赛季的格里芬之后首位在新秀赛季至少 2 次得分

"40+"的球员。他连续三个月蝉联西部月最佳新秀。

在 2018 年 2 月 18 日的全明星扣篮大赛中，米切尔锋芒毕露，以致敬卡特的"360 度转体大风车"，击败了拉里·南斯，成功夺魁，加冕新一任扣篮王。

整个 2017/18 常规赛季，米切尔的表现都完全不像一个"菜鸟"。在 79 场比赛中，场均贡献 20.5 分 3.7 个篮板 3.7 次助攻 1.5 次抢断，其中得分位列全队第一。

爵士以西部第五的身份晋级季后赛，首轮对阵坐拥"三巨头"的雷霆。

米切尔在季后赛第一场比赛中就砍下 27 分 10 个篮板的"两双"数据，成为自 2006 年的詹姆斯之后首位在季后赛首秀中至少得到 25 分 10 个篮板的球员。

此后，米切尔连续砍下 28、22、33、23、38 的高得分，其中 G6 淘汰雷霆的关键一战中，米切尔狂砍的 38 分是自 1987 年以来，NBA 新秀在季后赛比赛中单场得分新高。1987 年 5 月 1 日，新秀查克·珀森在代表步行者对阵老鹰的比赛中得到 40 分。

以新秀身份带领球队征战季后赛就突破首轮，米切尔让所有人大吃一惊。尽管第二轮与火箭的系列赛，由于综合实力的差距，爵士以 1 比 4 惨遭淘汰，但米切尔在季后赛两轮场均 24.4 分的表现，还是彻底征服了爵士球迷。季后赛场均 24.4 分也可以在历史所有新秀中排名第五位（至少出场 10 场比赛）。要知道，无论是斯托克顿还是德隆·威廉姆斯，都没能在自己职业生涯的首次季后赛征程中就打出这样的表现。

犹他爵士选中了米切尔，实乃上天眷顾。虽然他身高只有 1.91m，但臂展却达到 2.08m，米切尔拥有一般新秀所不具备的沉稳与冷静，这显然与爵士的风格一脉相承。2018 季后赛场均 24.4 分 6.1 个篮板 3.7 次助攻，米切尔打出乔丹、"魔术师"约翰逊般新秀成绩，对阵雷霆他更是砍下 38 分，创造 1987 年以来新秀季后赛单场得分新高!

有大将之风的米切尔成为爵士"新少主"。

"我是米切尔，我是新的'犹他之帅'。"

〈生涯高光闪回/半场狂飙率队逆转〉

高光之耀：此战米切尔效率值达到了 +11，并成为继詹姆斯、安东尼、杜兰特等巨星，第八位在新秀赛季便砍下 40 分的球员。

2018 年 12 月 2 日，爵士主场对阵鹈鹕，客场作战的鹈鹕先发制人，一路领先爵士，并在第三节一度将分差扩大至 16 分。米切尔显然不容主场沦陷，他下半场独砍 29 分，率领爵士以 114 比 108 逆转击败鹈鹕。此役米切尔上场 37 分钟，全场 25 投 13 中，命中 6 记三分球，轰下 41 分 4 个篮板与 4 次助攻。

尼古拉·约基奇常规赛数据表

赛季	球队	篮板	助攻	得分
2015/2016	掘金	7.0	2.4	10.0
2016/2017	掘金	9.8	4.9	16.7
2017/2018	掘金	10.7	6.1	18.5
2018/2019	掘金	10.8	7.3	20.1

●档案

尼古拉 · 约基奇 /Nikola Jokic
位置：中锋
出生日期：1995 年 2 月 19 日
身高：208cm 体重：113kg
效力球队：掘金
球衣号码：15

●荣耀

1 届全明星：2019
最佳新秀阵容一阵：2015/2016

●常规赛场均数据

16.1 分 /9.5 个篮板 /5.1 次助攻

5 ♥

尼古拉·约基奇
NIKOLA JOKIC

约基奇是中锋里的“魔术师”，也有人说，他是“白巧克力”和“魔术师”的结合体。在当代篮球对速度与空间推崇备至的时代里，约基奇既迎合了人们对潮流的追捧，亦满足了世人对古典的缅怀。

1995 年 2 月 19 日，约基奇出生于塞尔维亚的松博尔，这是一座位于塞国西北边境的小镇，紧挨着匈牙利和克罗地亚。松博尔风景秀丽，民风淳朴。

约基奇家族拥有强大的运动基因，他在家中排行老三，他还有两个哥哥——内马尼亚和斯特拉西尼亚，他们都是出色的篮球运动员。内马尼亚的篮球生涯是段坎坷的追梦之旅，2005 年，他从塞尔维亚远赴美国，获得了底特律大学的奖学金，但最终在竞争激烈的美国篮球体系中泯然众人，2012 年，他从美国回到了家乡塞尔维亚。

值得一提的是，内马尼亚远征美利坚 7 年，与他一起在美国共患难的朋友是一位大家耳熟能详的失意天才——达科·米利西奇（2003 年榜眼秀）。约基奇从小就在大哥的熏陶下成长，实际上，由于在兄弟中排行老末，且体态丰腴，长相可爱，约基奇一直被两位哥哥“吓唬”。约基奇回忆说，他常常在家中的小公寓里被大哥和二哥从床的一头扔到另一头。兄弟三人的共同爱好就是篮球，家中的塑料篮筐是他们争抢最多的玩具，而年幼的约基奇一直是处于“劣势”的一方。

2005 年，内马尼亚漂洋过海抵达美国时，小弟弟约基奇还只是个 10 岁的胖男孩，他每天要喝 3 升可乐，酷爱高脂肪奶酪馅饼，与两个身材标准的哥哥相比，约基奇丝毫看不出有成为运动健将的可能。然而，当 2012 年内马尼亚从海外归来后，突然发现，17

岁的小弟约基奇已经是个身高近 2m 的巨人。虽然“胖”依旧是约基奇的标签，但他在场上所展现出的灵性与自如，让内马尼亚感到震惊。

美国梦破碎的大哥和只能蛰伏于本国联赛的二哥，让家族的篮球梦想，只能寄托于约基奇身上。好友米利西奇的失败生涯，也为约基奇提供了最佳的反面教材，一个欧洲天才少年，只有克服与生俱来的天赋优越感，去努力超越自我，方可赢得自己梦想的一切。所以，约基奇必须减重，提升训练强度，并让自己远离那些足以毁掉自己篮球生涯的碳酸饮料和高热量零食。

约基奇的付出终于收到了回报，他的表现吸引众多球探目光，丹佛掘金队总经理蒂姆·康奈利是最早注意到约基奇的美国经理人，他为这个中锋柔和的手感、非凡的视野和梦幻的脚步所陶醉，球探们也不遗余力地告诉他：“我敢打赌，他会是下一个萨博尼斯，下一个迪瓦茨，下一个保罗·加索尔。”

康奈利说服了拉兹那托维奇让约基奇参与 2014 年的选秀，并在选秀大会上用手中的次轮 41 号签锁定了他。不过令人意想不到的是，在被选中的当天，约基奇却在埋头大睡，他压根没想过要去美国打球。

塞尔维亚作为前南斯拉夫的核心国，延续了其强大的篮球国力，从迪瓦茨、佩贾到达科·米利西奇，再到如今的特奥多西奇、博格达诺维奇，他们人才辈出。但自从 2002 年勇夺世锦赛之后，塞尔维亚篮球距离世界之巅愈发遥远，虽然他们已经先后杀进过世界杯和奥运会的决赛，但谁都看得出，他们与“梦之队”的差距遥不可及。

约基奇肩负着塞尔维亚篮球复兴的使命，同时他还要用优异的表现来填补塞族球迷对本国 NBA 偶像的憧憬空白，佩贾之后，塞尔维亚篮球手再无一人成为全明星。约基奇会成为下一个吗？

带着欧洲联赛场均 15.4 分 9.2 个篮板 3.5 次助攻 1.5 次抢断的全面数据，约基奇加盟掘金伊始就让这座城市眼前一亮。这也是一座渴望偶像降临的城市，卡梅隆·安东尼之后，雪域高原再也没有出现过一个偶像派的球星。

当然，约基奇的 NBA 之旅并非一帆风顺，竞争不可避免，掘金队中有一位与他同年被选中的内线才俊，与他几乎来自同一个地方，那就是波黑球员努尔基奇。上赛季，努尔基奇在 62 场比赛中场均贡献 6.9 分 6.2 个篮板，表现可圈可点。2015/2016 赛季，约基奇与努尔基奇将成为队内直接竞争对手。不过，相比身体壮硕技术略糙的波黑人，约基奇更具灵性的打法让马龙更为青睐。

约基奇在新秀赛季中出战 80 场比赛，其中 55 场先发，场均贡献 10 分 7 个篮板 2.4 次助攻 1 次抢断，他的投篮命中率高达 51.2%，还有一手 33.3% 的三分投射，这让他在球队体系中更加如鱼得水。很显然，与努尔基奇偏传统的内线风格不同，约基奇的打法更接近当代篮球强调的“空间与速度”要求，更何况，他那一手鬼魅的传球，让丹佛球迷如痴如醉。是的，哪怕是老前辈迪瓦茨，也不具备约基奇般的传控风采。

2016/2017 赛季，约基奇的进步显著，整个赛季，约基奇打出了 6 次“三双”，创造了非美国出生球员单赛季“三双”次数的新纪录。赛季结束后，约基奇的数据定格在场均 16.7 分 9.8 个篮板 4.9 次助攻，他的投篮命中率达到了 57.8%。

2017/2018 赛季，约基奇在经历了赛季初略显低迷的表现后，从 12 月中旬伤愈复出后开始发威，他打出了现象级的一个赛季，完成了 10 场“三双”的演出。在 NBA 历史上，能够单赛季完成十次“三双”的中锋，此前只有威尔特·张伯伦。整个赛季，约基奇在 73 场比赛中，场均贡献 18.5 分 10.7 个篮板 6.1 次助攻 1.2 次抢断，他的三分命中率来到生涯最高的 39.6%。不过稍显遗憾的是，掘金在常规赛最后一战与森林狼的第八之争中惜败，连续两年与季后赛擦肩而过。

2018/2019 赛季，刚刚签下大合同的约基奇用自己强势的表现带领掘金勇猛前进，截止到 2019 年 3 月 15 日，约基奇场均可以砍下 20.2 分 10.8 个篮板 7.6 次助攻，率领掘金以 45 胜 22 负的战绩在空前惨烈的西部，一度位列第二。

“擎天白玉柱，架海紫金梁”，约基奇已经用一年比一年的出色表现，赢得了丹佛球迷的喜爱，他也顺理成章地成为球队未来建设的基石。“当约基奇打出侵略性——无论是得分、篮板还是组织——的时候，他就是联盟中最好的大个子之一，是联盟中最好的球员之一。”马龙如是说。

所以约基奇签下 5 年 1.48 亿的合约，物超所值，这就是塞尔维亚“魔术师”的魔力。

〈生涯高光闪回 / 欧洲魔术师的爆发〉

高光之耀：凭借约基奇的出色表现，掘金队在前三节就确立了巨大的领先优势，并最终击败对手，约基奇也成为自 2011 年的卡梅隆·安东尼后，掘金首位拿到“40+10”的球员，比赛过程中，当约基奇走上罚球线后，现场的球迷也将“MVP”的呐喊声献给了这位只有 22 岁的年轻内线。

2017 年 11 月 8 日，掘金主场以 112 比 104 战胜篮网，本场无疑是属于约基奇的，全场比赛，他登场 31 分钟，25 投 16 中，其中三分球 9 投 4 中砍下创个人生涯新高的 41 分，另外他还抢到了 12 个篮板以及 5 次助攻。

2017/2018 赛季，约基奇场均 18.5 分 10.7 个篮板 6.1 次助攻，相比大放异彩的波尔津吉斯，以及恩比德、稳定的鹈鹕“双塔”、唐斯，约基奇在数据上显得并不是那么劲爆，但约基奇用行动来证明，他绝对是新生代优质内线的代表人物之一。

吉米·巴特勒常规赛数据表

赛季	球队	篮板	抢断	得分
2011/2012	公牛	1.3	0.3	2.6
2012/2013	公牛	4.0	1.0	8.6
2013/2014	公牛	4.9	1.9	13.1
2014/2015	公牛	5.8	1.8	20.0
2015/2016	公牛	5.3	1.6	20.9
2016/2017	公牛	6.2	1.9	23.9
2017/2018	森林狼	5.3	2.0	22.2
2018/2019	森林狼	5.2	2.4	21.3
2018/2019	76人	5.3	1.8	18.2

档案

吉米·巴特勒/Jimmy Butler
位置：小前锋
出生日期：1989年9月14日
身高：201cm 体重：104kg
效力球队：公牛、森林狼、76人
球衣号码：21、23

荣耀

4届全明星：2015–2018
4届最佳防守阵容二阵：
2013/2014、2014/2015、
2015/2016、2017/2018

常规赛场均数据
16.7分/4.9个篮板/3.4次助攻
季后赛场均数据
16.7分/5.3个篮板/3.0次助攻

5 ♣

吉米·巴特勒
JIMMY BUTLER

他简单直白，甚至有些刻板。他防守起家，铮铮铁骨，场上不善炫技，场下也不善交际。他不是球队老大，但那又如何，像巴特勒这样的汉子，口无遮拦却又不屑辩解，喜欢在场上用实力来证明自己。他是球队的装甲与重炮，有了他就有了与诸强叫板的底气与硬度。他有一颗极度渴望胜利的心，还保留一份古典老派球员的风骨与桀骜。

1989年9月14日，巴特勒出生于休斯敦郊区的汤博尔——一个总人口只有11124的城郊小镇。当他还在襁褓之中的时候，生父老吉米·巴特勒便弃妻儿于不顾，离家出走。当然，这仅仅是巴特勒悲惨童年的开始，生母隆迪亚并不是一个擅长疼爱孩子的慈母，而他对于贫困的生活也缺乏足够的耐心，终于，在儿子13岁那年，她说出了那句不负责任的话："我不喜欢你的长相，你给我走吧。"

被赶出家门后，没有亲戚愿意收留巴特勒，他不得不住进了好友杰梅因·托马斯的家中，开启了寄人篱下的生活。升入高三的巴特勒，在一次篮球比赛中认识了乔丹·莱斯利，两人因为对体育的那份热爱而彼此惺惺相惜，而后者童年丧父的凄苦经历，也让他们有了更多的认同。于是，莱斯利说服母亲米歇尔·兰伯特接纳了巴特勒，于是他搬进了莱斯利的家中，而兰伯特也成了改变巴特勒篮球人生的人。

养母兰伯特，完美地填补了"母亲"在巴特勒童年的角色缺失。不同于生母隆迪亚的蛮横跋扈，兰伯特是一个喜欢倾听且极具宽容心的女人，他带给了惨遭遗弃的巴特勒所渴望的那种无微不至的疼爱。不用再为寄人篱下的生活而担惊受怕，温馨的家庭给了巴特勒充足的追逐梦想的动力。高四那年，巴特勒几乎拿遍了所在高中联赛分区内的所有奖项，但这竟然无法为他招来名校的录取通知书。

马奎特大学为巴特勒提供了全额奖学金，2009 年巴特勒被赋予了更多的责任，个人数据也达到场均 14.7 分 6.4 个篮板，三分命中率高达 50%。遗憾的是，马奎特大学在 2010 年 NCAA 锦标赛首轮便被华盛顿州大淘汰，昆西·庞德克斯特在巴特勒面前投中压哨绝杀，这一球彻底刺痛了巴特勒那颗好胜的心。

大四赛季，巴特勒率领马奎特杀入 16 强，大学最后一季，他场均贡献 15.7 分 6.1 个篮板 2.3 次助攻。大学四年，巴特勒完成了从丑小鸭到白天鹅般的蜕变。

2011 年公牛在首轮第 30 顺位选中巴特勒，在第一个赛季，锡伯杜就为自己的选择感到了满意，他眼前的这个打满大学四年且不善言谈的休斯敦小伙儿，是一个作风硬朗、球风无私且防守至上的侧翼悍将，这很对崇尚防守哲学的锡伯杜的胃口。

经过处子赛季的蛰伏之后，2012/2013 赛季，锡伯杜将巴特勒放入主力轮换阵容之中，他的场均出场时间比新秀赛季翻了三倍，整季他全勤出战，82 场一场不落。场均贡献 8.6 分 4 个篮板 1 次抢断。球迷第一次领教到巴特勒的强悍，是在 2013 年东部半决赛，他对勒布朗·詹姆斯“牛皮糖式”的防守赢得了广泛的赞誉。

2013/2014 赛季，球队当家核心罗斯再次因伤只打了 10 场比赛便赛季报销，巴特勒横空出世，在一定程度上抚慰了公牛球迷受伤的小心脏。该赛季，巴特勒成为球队绝对的首发，赛季结束后，他入选了最佳阵容二队。

2014/2015 赛季，重伤归来的罗斯，打出了三年来出勤率最可观的赛季，但身体已不复巅峰之时的玫瑰，已无法担当锡伯杜战术体系里的核心角色。25 岁的巴特勒，通过不懈的努力赢得了球队和教练的认可，他被推上了公牛核心的位子。

“黄袍加身”的第一个月，巴特勒在 15 场比赛中场均就贡献 21.9 分 5.7 个篮板 3.1 次助攻，投篮命中率达到 49.8%，在他的率领下，公牛 10 胜 5 负，战绩不俗。凭借如此优异的表现，巴特勒当选 11 月东部最佳球员，这是他职业生涯的首个月最佳。

当然，这仅仅是巴特勒华丽转身的一个美妙开始，随后的比赛中，他屡有神作，12 月 19 日，公牛对阵尼克斯，巴特勒贡献 35 分 7 次助攻，刷新个人生涯单场得分纪录。12 月 23 日，公牛 129 比 120 击败猛龙，巴特勒全场贡献 27 分 11 个篮板 4 次助攻 5 次封盖。自 1985/1986 赛季以来，公牛队历史上能打出这样数据的只有乔丹。

2015 年 1 月 30 日，巴特勒首次入选全明星阵容。整个赛季，巴特勒场均 20 分 5.8 个篮板 3.3 次助攻 1.8 次抢断，凭借如此惊艳的发挥，巴特勒成功当选该季进步最快球员，成为公牛队史上第一个获得此奖项的球员。除此之外，他还入选最佳防守阵容二队。

公牛在季后赛首轮淘汰雄鹿，6 场比赛，巴特勒场均 24.8 分 2.5 次抢断，而半决赛面对詹姆斯领军的骑士，公牛是东部唯一一支跟骑士打到 6 场的队伍。巴特勒面对“小皇帝”，毫无惧色，场均 21 分 5.7 个篮板 2.3 次抢断。遗憾的是，公牛在两度大比分领先的情况下，惨遭骑士逆转，无缘东部决赛。

季后赛出局之后，公牛正式炒掉了球队主帅锡伯杜，43 岁的少帅霍伊博格成为球队新的掌门。2015/2016 赛季，巴特勒场均得分依然是可圈可点的 20.9 分，其中，2016 年 1 月 4 日，公牛客场 115 比 113 逆转战胜猛龙，巴特勒全场得到 42 分，其中下半场得到了 40 分，打破了由乔丹创下的公牛队史半场得分纪录（39 分）。他连续第三年入围最佳防守阵容二队，但战绩不佳的公牛，无缘季后赛。

2016/2017 赛季，巴特勒同韦德、隆多组成了芝加哥“三巨头”，球队卷土重来，并在该季常规赛完成了对卫冕冠军骑士的横扫。巴特勒依旧是球队的绝对核心，在 76 场比赛中场均贡献 23.9 分 6.2 个篮板 5.5 次助攻。公牛以东部第八的身份挺进季后赛，在首轮同凯尔特人的对决中，他们曾一度连胜两个客场以 2 比 0 领先，“黑八奇迹”出现在望，但隆多的受伤，让公牛最终连输四场饮恨出局。

赛季结束后，公牛与森林狼达成了交易，将巴特勒送去明尼苏达，换来拉文、邓恩和 2017 年的首轮 7 号签。自此巴特勒得以与恩师锡伯杜时隔两年再次聚首。

2017/2018 赛季，巴特勒是这支年轻森林狼队伍中当仁不让的“带头大哥”，锡伯杜希望爱徒能够以身作则，用他擅长的方式去感染维金斯、唐斯等年轻人。而在经历了 6 年波澜壮阔的公牛岁月后，巴特勒也希望用另一种身份开启人生的新篇章。

本以为这样的森林狼将在西部大干一场，可是耿直的巴特勒还是和队中的年轻人产生了矛盾，导致了他无意和森林狼续约，对胜利充满偏执与渴望的他不满某些队友那种满不在乎的态度，森林狼迫不得已在 2018 年 11 月 11 日将巴特勒交易至 76 人。

一年后巴特勒西游结束重回东部。巴特勒关键时刻不掉链子为 76 人带来进攻经验和铁血防守。2018/2019 赛季至今 76 人以 43 胜 25 负位列东部第四，巴特勒将会保卫着 76 人在季后赛更远更好。一直以来他都更像是一个强横的角斗士，而非将军和统帅；在这个联盟里，你几乎找不到比巴特勒更纯粹的指挥官了。

〈生涯高光闪回 / 53 分怒斩 76 人〉

高光之耀：能够在客场对阵 76 人取下“50+”得分的球星此前只有两位，一位是张伯伦，另一位则是乔丹，而巴特勒也继两位大神之后再次创造如此壮举。

2016 年 1 月 15 日，公牛客场挑战 76 人，面对罗斯因伤缺阵，巴特勒扛起了球队大旗，他在进攻端进入暴走状态，全场 30 投 15 中，罚球 25 投 21 中，狂砍 53 分，创造职业生涯新高，并带领球队 117 比 115 加时险胜 76 人。

维克多·奥拉迪波常规赛数据表

赛季	球队	助攻	抢断	得分
2013/2014	魔术	4.1	1.6	13.8
2014/2015	魔术	4.1	1.7	17.9
2015/2016	魔术	3.9	1.6	16.0
2016/2017	雷霆	2.6	1.2	15.9
2017/2018	步行者	4.3	2.4	23.1
2018/2019	步行者	5.2	1.7	18.8

●档案

维克多·奥拉迪波 /Victor Oladipo
位置：得分后卫
出生日期：1992 年 5 月 4 日
身高：193cm 体重：95kg
效力球队：魔术、雷霆、步行者
球衣号码：4、5

●荣耀

2 届全明星：2018–2019
1 届抢断王：2017/2018
1 届最佳防守阵容一阵：2017/2018

●常规赛场均数据
17.5 分 /4.6 个篮板 /4.0 次助攻
●季后赛场均数据
17.8 分 /7.2 个篮板 /4.3 次助攻

5

维克多·奥拉迪波

VICTOR OLADIPO

在 2017 年的一个夏天苦练之后，奥拉迪波就像一柄出鞘利剑，锋锐柔韧；爆炸般的能量被压缩进了精练的肌肉里，闪电般的第一步可以瞬间突破任何人。面对外线一对一防守，几乎等于送他上篮。出乎意料的是，如今的奥拉迪波已经成为东部一流球队的领袖，当年在魔术和雷霆时，并没有发现他的身躯中蕴藏着如此惊人的能量。

1985 年，克里斯·奥拉迪波和妻子琼·奥拉迪波离开尼日利亚，登上了飞往美国的飞机。6 年后的 1992 年，琼在马里兰州上马尔伯勒生下了他们移民美利坚后的第一对孩子——维多利亚和维克多——一对可爱的姐弟龙凤胎。

作为马里兰大学行为科学博士的克里斯·奥拉迪波并不十分支持儿子练习篮球，由于马里兰州上马尔伯勒地区治安环境较差，老奥拉迪波不希望孩子们总是在外面活动。尽管这个地方出产了诸如杜兰特、劳森、杰夫·格林、希伯特等 NBA 球员，但他还是对儿子成为职业球员没有多少热情。

父亲的冷漠，没有影响奥拉迪波的篮球信念，相反，梦想让儿子成为“下一个‘大梦’”的母亲，却给了他充分的信任和支持。事实上，琼年轻时是一名出色的田径运动员，而奥拉迪波则继承了母亲的运动天赋。他很快便在当地小有名气，此外，由于父亲的学者身份，奥拉迪波的家风甚严，所以，在奥拉迪波的成长之路上没有展现出黑人孩子普遍的“叛逆”，他从来都不会在场外惹是生非。

谦卑的姿态，可能让他不会如同级别球员那般熠熠生辉，但奥拉迪波认为自己享受篮球就足够了。在圣马塔高中和印第安纳大学，奥拉迪波的表现受到了教练的认可，但外界却并不看好他。奥拉迪波也曾在球探的无视中怀疑自己，但很快他就明白了，只有自己足够努力，才可以赢得一切。在印第安纳大学的三年时间里，他的表现一年比一年出色，大三赛季，他在攻防两端表现出的能量，终于让球探眼前一亮。

2013 年选秀大会上，奥拉迪波在首轮第 2 顺位被奥兰多魔术挑走，奥拉迪波的魔术生涯，拥有一个梦幻般的开局，在 12 月同 76 人的双加时大战中，奥迪全场轰下 26 分 10 个篮板 10 次助攻，收获了生涯首个三双，而同他对位的 76 人新秀迈卡威也打出了“三双”。这是 NBA 历史上首次出现两名新秀在同一场比赛中同时砍下生涯首个“三双”。

2014 年 1 月 16 日，魔术不敌公牛，奥拉迪波轰下生涯新高的 35 分，整个新秀赛季，奥拉迪波的表现可圈可点，他场均 13.8 分 4.1 个篮板 4.1 次助攻，入选了最佳新秀阵容一队，只可惜在最佳新秀评选中不敌迈卡威。

新秀赛季的出色表现，让奥拉迪波信心大增，2014/2015 赛季，他的发挥更上一层楼，场均得分来到 17.9 分，篮板和助攻数据几乎与新秀赛季持平。

2015/2016 赛季，是奥拉迪波挣扎的一季，魔术主教练斯凯尔斯在赛季前半段尝试让奥拉迪波出任替补，与此同时，霉运也开始缠上他，奥拉迪波在整个赛季中，两次被对手撞成脑震荡。他缺席了 10 场比赛，并在整季有 20 场以替补出战。赛季结束后，奥拉迪波的场均表现较前一季略有缩水，得分降到 16 分，但投篮命中率保持不变。

2016 年 6 月 24 日，魔术和雷霆完成了一笔大交易，奥拉迪波被当作筹码送往“俄城”，换来了伊巴卡。11 月，雷霆便与奥拉迪波签下了 4 年 8400 万的续约合同。

离开魔术，加盟雷霆，这对于奥拉迪波来说，是一个全新的开始。由于凯文・杜兰特在夏天转投勇士，雷霆便真正成为威斯布鲁克一人的球队，而作为风格和功能相近的球员，“奥迪”和“威少”的共存问题，也成为球迷和媒体关注的焦点。然而，“奥迪”本人对于“威少”却充满了期待，“在交易发生后，我们两个人聊了有 5 分钟，”奥拉迪波说道，“他是激动的，但我不知道他是否同我一样那么激动，他问我是否准备好了，他问我是否感到激动。我告诉他我准备好了，我告诉他我很激动，这将会很有趣，我已经迫不及待地想披上雷霆的战袍投入竞争之中了。”

激动和兴奋，并不能带来良好的化学反应，整个赛季，奥拉迪波的表现都没能让雷霆球迷满意，在 67 场常规赛中，他场均得到 15.9 分，三年来新低，助攻 2.6 次和抢断 1.16 次，均为生涯最低。球迷们沉浸在威少场均“三双”的“神迹”中不能自拔，而奥拉迪波更像是映衬“威少”传奇的小丑。即便如此，奥拉迪波也毫无怨言，他终于盼来了职业生涯的首次季后赛，但首轮同获奖的五场比赛，奥拉迪波场均只有 10.8 分，投篮命中率为可怜的 34.4%，三分命中率低至 24%。雷霆也以 1 比 4 惨遭火箭淘汰。

印第安纳，那是承载了奥拉迪波最初梦想的地方，那是他扬名立万的地方。在交易完成后，奥拉迪波便将一切质疑和猜忌抛之脑后，他将自己封闭在迈阿密，开启了为期数周的残酷秘密特训。超强的自我约束力和执行力，让奥拉迪波的 2017 年之夏成为暴风雨来临前的前夜，虽然外界对于他的印城之旅充满了悲观论调。但他自己知道，成事在天，谋事在人。奥拉迪波只用了短短一个月的时间，就让步行者球迷忘记了失去“泡椒”的痛苦，他刷新了一连串印第安纳的队史记录，他成为这支球队真正的核心和基石。

2017/2018 赛季步行者主场迎战掘金，奥拉迪波砍下生涯新高 47 分。

2018 年季后赛，能在首轮将詹姆斯的球队逼进抢七，印第安纳步行者创下了 12 年未有之壮举。过去十年，摧枯拉朽的横扫，几乎成为了皇帝平趟首轮（加个次轮貌似也可以）的常规操作。所以，当奥拉迪波率领草根“遛马”生生将骑士拖入生死局，而且在进程中几度令人惊叹“好家伙，步行者要爆大冷”，我们不得不对麦克米兰治下的这支印城铁骑肃然起敬。而奥拉迪波那风驰电掣的速度令人啧啧称奇！

奥拉迪波在整个系列赛面对骑士的围追堵截，打出了场均 22.7 分、8.3 个篮板、6 次助攻、2.43 次抢断的不俗数据，三分命中率 40%。奥拉迪波第一战爆砍 32 分，率队旗开得胜；第六战轰下三双，扳平比分拖进抢七；抢七战他顶着巨大压力交出 30 分、12 个篮板、6 次助攻、3 次抢断，虽败犹荣。

从 2016/2017 赛季场均 15.9 分到 2017/2018 赛季场均 23.1 分，离开雷霆的奥拉迪波，经历了人生最酣畅淋漓的一次飞跃，他本有机会扳倒史上最强悍的男人，但一步之差，未竟其能，惜之叹之。奥拉迪波爆发力惊人，臂展很长，幻影疾风般突破更是其拿手好戏。步行者与詹姆斯的骑士能大战七场，足以可见奥拉迪波的强韧与血性，他应该能继承米勒的衣钵，将步行者再次带回东部顶级豪强的序列。

对于奥拉迪波而言，2017/2018 赛季无疑是他的一个飞跃赛季，从此他再也不是那个选秀小年毫无存在感的榜眼，以及威斯布鲁克身边那个无所适从的二当家。他所有的努力，已经得到了肉眼可见的回报！奥拉迪波还将他的速度运用到防守端，魔法师瞬移般的包抄断球，让他成了赛季抢断王，2018 年季后赛中更是让骑士屡屡中招。一度让骑士众将只有詹姆斯敢运球。在攻防两端压迫下，步行者虽然没有赢得最后的胜利，但足够昂着头离开了——2013 年来，从来没有人能在首轮让詹姆斯和他的球队如此尴尬。

〈生涯高光闪回 / 奥拓变奥迪怒砍 47 分〉

2017 年 12 月 11 日，步行者主场挑战掘金，奥拉迪波打出生涯代表作，他在进攻端彻底爆发，全场 28 投 15 中，三分球 12 投 6 中，罚球 13 投 11 中，狂砍 47 分，创职业生涯新高，并带领球队以 126 比 116 加时取胜掘金，值得一提的是，上一次步行者有后卫能在一场比赛中轰出至少 47 分的得分，那还是 1992 年的雷吉·米勒。

大卫·汤普森常规赛数据表

赛季	球队	篮板	助攻	得分
1975/1976	掘金	6.3	3.7	26.0
1976/1977	掘金	4.1	4.1	25.9
1977/1978	掘金	4.9	4.5	27.2
1978/1979	掘金	3.6	3.0	24.0
1979/1980	掘金	4.5	3.2	21.5
1980/1981	掘金	3.7	3.0	25.5
1981/1982	掘金	2.4	1.9	14.9
1982/1983	超音速	3.6	3.0	15.9
1983/1984	超音速	2.3	0.7	12.6

●档案

大卫·汤普森 /David Thompson
位置：得分后卫
出生日期：1954 年 7 月 13 日
身高：193cm 体重 88kg
效力球队：掘金、超音速
球衣号码：33、44

●荣耀

2 届全明星 MVP：1976、1979
4 届全明星：1977–1979、1983
2 届最佳阵容一阵：1976/1977、1977/1978

●常规赛场均数据
22.1 分 /3.8 个篮板 /3.2 次助攻
●季后赛场均数据
22.9 分 /4.3 个篮板 /3.7 次助攻

4 ♠

大卫·汤普森

DAVID THOMPSON

“天行者”——NBA 史上与球员最具契合度的绰号之一。三个字，足以让一位绝世天才以一种最完美的姿态在传说中永远睥睨千古。汤普森，演绎一个天才绽放和陨落的故事：他的天分和才华可以气凌九霄，踏天而行，决荡风云。但在灵魂上，他终究是个凡人。他没能踏着那个乌烟瘴气的时代前进，最后在最美好的年龄陨落。

天行者，逆天而行。汤普森是怎么飞起的？作为北卡莱罗纳州谢尔比一个农场主的儿子，只能把篮球场建在红土地上。汤普森回忆说：“在这样的球场上跳高相当困难，但是当我走进木地板球馆，这就突然变得很容易了。”

17 岁那年，他给了吉尼斯一个世界纪录：垂直弹跳 112cm。后来，这个纪录被他自己提升到了 122cm。你懂的，这是一个足以让人产生幻觉的高度。对于人类而言，这甚至已不仅仅是飞翔，而是踏天而行。

如今再平常不过的空接，在刚刚被发明出来时叫作“空接上篮”。发明者自然是汤普森和他的队友蒙特·托夫。因为那时候 NCAA 还不允许扣篮，所以主角只能推出改良版。在整个大学期间，汤普森只扣过一次篮，在最后一场大学比赛中。裁判的反应相当干脆果断——“卢·阿尔辛多规则”摆在那里，裁判们根本不需要思考，照本宣科即可——汤普森被判技术犯规，进球无效。但观众们全都疯了。

那一扣是荣誉等身的天才临别时答谢观众的。扣了就够了，大西洋联盟史上最让人兴奋的大学球员要毕业啦。这时候的汤普森：带着北卡州大击败加州，拿到 NCAA 年度冠军；对面的比尔·沃顿表示，这场失利他会记一辈子。

NBA 和 ABA 两大联盟同时把他尊为状元。但据他自己说，NBA 那边没什么诚意，初次见面，想要选他的亚特兰大居然只是请他吃了一次麦当劳。再加上 ABA 那边的合同长度优势，外加“J 博士”、“冰人”格文，詹姆斯·塞勒斯这些伟大的名字都在那里，还有他最好的朋友蒙塔·托夫。所以事情就这么决定下来：ABA，科罗拉多州，丹佛掘金。这一年他 21 岁。

第一个赛季，ABA 年度最佳新秀。他场均 26 分，命中率 51.5%。这一季他最出名的两件大事不包括这个：第一，史上第一次扣篮大赛，他和“J 博士”留下传世对决。他上演 360 度砸扣之后，冠军隐然已成定局。但之后我们知道，“J 博士”挥舞着一颗花球，来了一记罚球线滑翔；第二，身为一个新秀，他把丹佛带进了总决赛，大战六场后败北。对手还是“J 博士”。

接下来，ABA 和 NBA 合并。汤普森早就考虑过这事儿：合并早已有了苗头，他和 ABA 的合同签了三年，想去 NBA 最迟三年后就可以。现在无非是提前了。

那么，汤普森到底是怎么打球的？后来他为迈克尔·乔丹做名人堂引荐人，给他的介绍是“乔丹之前的乔丹”。这个称号其实有点泛滥：埃尔金·贝勒、朱利叶斯·欧文都得到过类似的称呼。若是以如今的眼光看，他应该是“韦德之前的韦德”。

他的官方身高报的数是 196cm，但他的大多数队友都说，他不过 191cm 左右。他会飞这事儿大家都知道，但更前卫的是，他还有一半的灵魂来自“手枪”马拉维奇。在如今已模糊不清的录像里，我们看汤普森打球，却基本上不会产生时代隔离感：凶悍的爆发力，摇曳生姿、简洁有效的曲棍式运球，利刃劈刺般的面框运球突破，然后在人群中起飞，将观众的注意力吸引到篮筐上方。

持球一步过人，底线拧身反扣，中距离急停滞空跳投；或是把 2m 身高的大中锋的勾手扇向看台：简而言之，看了他打球之后，你会觉得迈克尔·乔丹的出现不再那么突兀，会觉得科比招牌式的底线过桥三十年前就有人尝试，还会觉得，喜欢封盖比自己高 20cm 的人这种事，也并不仅仅是韦德这个赛场疯子的独特癖好。

便是如此，1978 年，他进入巅峰。连续两年最佳阵容一队不提，还有那次经典的单场 73 分，张伯伦之后第一人，直至科比在 2006 年一战封神：1977/1978 赛季常规赛最后一战，面对活塞——但真正的对手是乔治·格文，他们在争夺得分王。大卫·汤普森第一节单节 32 分，刷新张伯伦的纪录。他前 21 次投篮恐怖地进了 20 个，半场结束时，他 23 投 20 中，52 分。以他的身高和暴力型打法，下半场终于有些累了，最终 38 投 28 中，73 分。但命运似乎总是如此，这个“天之骄子”成为最佳新秀之后，每每因为对手的神迹屈居第二。仅仅在三个小时之后，“冰人”第一节 20 分，第二节 33 分——汤普森刚刚刷新张伯伦的纪录，瞬间被“冰人”刷新。最后，自然是“冰人”经典的三节 63 分纪录，在得分王之战中逆转取胜。

这并不影响汤普森如日中天的声望：入行以来，他每个赛季都能以 50% 以上的命中率，场均得到 25 分以上。丹佛给了他一份史上空前的合同，5 年 400 万美金，这在当时，可以理解为“魔术师”约翰逊的“百年合同”，迈克尔·乔丹的 3000 万年薪，是商业对天才的夸张、噱头型慷慨。

这是汤普森职业生涯的转折点。接下来的 1979/1980 赛季，他后脚跟韧带撕裂，只打了 39 场比赛。他是天才，单纯的肉体伤痛无法将他击倒，下一个赛季他便王者归来。但他随即越来越容易受伤，甚至在比赛中昏昏欲睡——他沾染了毒品。

20 世纪 70 年代的 NBA 有些乌烟瘴气，毒品横行，派对成风。那个放浪形骸、自我解放的时代，固然出了克莱德·弗雷泽这样的风流“盗帅”，但也不乏被糟粕毁掉的天才。汤普森便是最大的反面典型之一。

他的状态急剧下滑。当 1982 年丹佛交易他到西雅图时，他场均只有 12 分了。这时他 29 岁，本该是一个 NBA 球员惊天动地的年龄。他无力从毒品和糜烂的私生活里走出来，一年后，最后一根稻草压了下来：在纽约臭名昭著的迪斯科舞厅 Studio 54，他从楼梯上摔了下来，导致膝盖严重受伤，就此失去了上帝赐给他的所有才华。

再一年之后，他试图签约步行者未遂，宣布退役。当他终于在牧师的帮助下，从毒品和精神问题中走出来时，最美好的年华已经逝去多时了。他所能做的，只是在纪录片中现身说法，告诫年轻一代远离毒品。

但如果把视野延展，他似乎又是幸运的。他的才华幸运地绽放在 20 世纪 70 年代，和“J 博士”一道，成了划过洪荒大地的雷声和闪电，照亮了蒙昧的篮球世界。他的才华也因此得以永生。如果换一个时代，还会有这种庄严而又荒诞的北欧神话般的悲剧感吗？多半是不会了。

〈生涯高光闪回 / “神”的引荐人〉

高光之耀：汤普森要为有史以来最好的球员发表引荐词，他是乔丹在自己的童年最欣赏的球员。虽然汤普森甚至不是五十大巨星之一，但是他是 20 世纪 70 年代第一个为 NBA 带来令人难以置信的运动能力的球员，他起跳之后仿佛能在空中漫步。即使跟现今联盟中的所有运动怪胎相比，汤普森还是会脱颖而出，“篮球之神”的偶像非同一般。

2009 年，当迈克尔·乔丹被提名进入篮球名人堂时，很多人都期待着，看看他将选择谁来担任自己的引荐人。当年的公牛队主帅菲尔·杰克逊、北卡大学的恩师迪恩·史密斯或是查尔斯·巴克利和查尔斯·奥克利这些最好的朋友都很有机会。他的最终决定惊掉了不少人的眼镜，但是这一决定对于他自己来说意味着更多。

德隆·威廉姆斯常规赛数据表

赛季	球队	篮板	助攻	得分
2005/2006	爵士	2.4	4.5	10.8
2006/2007	爵士	3.3	9.3	16.2
2007/2008	爵士	3.0	10.5	18.8
2008/2009	爵士	2.9	10.7	19.4
2009/2010	爵士	4.0	10.5	18.7
2010/2011	爵士	3.9	9.7	21.3
2010/2011	篮网	4.6	12.8	15.0
2011/2012	篮网	3.3	8.7	21.0
2012/2013	篮网	3.0	7.7	18.9
2013/2014	篮网	2.6	6.1	14.3
2014/2015	篮网	3.5	6.6	13.0
2015/2016	独行侠	2.9	5.8	14.1
2016/2017	独行侠	2.6	6.9	13.1
2016/2017	骑士	1.9	3.6	7.5

档案

德隆・威廉姆斯 /Deron Williams

位置：控球后卫

出生日期：1984 年 6 月 26 日

身高：191cm 体重：91kg

效力球队：爵士、篮网、独行侠、骑士

球衣号码：8、31

荣耀

3 届全明星：2010–2012

2 届最佳阵容二阵：2007/2008、2009/2010

常规赛场均数据

16.3 分 /3.1 个篮板 /8.1 次助攻

季后赛场均数据

15.7 分 /3.2 个篮板 /7.0 次助攻

4♥

德隆·威廉姆斯

DERON WILLIAMS

“吃饭、睡觉、打保罗。”虽然没有克里斯·保罗那样持续稳定的巅峰期，但巅峰时期的德隆似乎是 CP3 的克星。

与保罗相比，德隆更为高大强壮，突破更具有杀伤力，在斯隆的爵士挡拆体系下，德隆将能力最大化，和布泽尔一起，几乎重现了铁血“犹他双煞”的荣光。在那个时候，德隆就是“学院派篮球”的代表。他没有保罗那样的随心所欲运球撕裂防守的天赋，但他能最稳妥地保护篮球，他也不追求那种一击致命的传球，会花更多的时间从容执行战术。

1984 年 6 月 26 日，德隆出生于西弗吉尼亚的帕克斯伯格，从小他跟妈妈丹妮斯·史密斯相依为命，他的父亲拜伦·威廉姆斯几乎没有尽到任何父亲的责任，1990 年之后他就从德隆的生活中彻底消失了。

缺乏父爱的环境给予了德隆不寻常的竞争意识，他将周遭的一切都视作挑战。8 岁和 12 岁，德隆拿过德州少年摔跤冠军。

10 岁时德隆一家移居达拉斯，在母亲的指导下他开始转向篮球，凭借出色的天赋，德隆加盟了克罗尼高中。高一赛季，德隆场均贡献 17 分 9.4 次助攻 2 次抢断。高二赛季，德隆展现了出众的控球技术和组织才能，场均贡献 17 分 6 个篮板 8.4 次助攻，率队打出 29 胜 2 负的战绩。

2002/2003 赛季，被北卡和乔治亚理工拒绝后，德隆加盟了伊利诺伊大学。效力伊大的第一年，德隆并不快乐，尽管在 32 场比赛中先发 30 场，在分区中助攻位列第三，但场均只得到 6 分，球迷们总是起哄嘘他。

2005 年，伊利诺伊大学打出荡气回肠的一季，在 NCAA 锦标赛中他们逆转亚利桑那大学，在加时赛赢得了胜利。德隆在最后几分钟接管比赛，关键时刻独自砍下 15 分，那几乎是他大学生涯最出色的一场比赛。

2005 年，德隆决定参加选秀，这一年史蒂夫·纳什刚刚当选常规赛 MVP，NBA 进入控卫当道的时代，而爵士跳过了克里斯·保罗，在第 3 顺位选中了德隆。很多爵士球迷对错失保罗耿耿于怀，但犹他对于德隆没有任何犹豫。

“菜鸟”赛季，德隆没有赢得斯隆的信任，在控卫的位置上，麦克劳德和帕拉西奥一直排在他前面。斯隆的理由很简单，斯托克顿第一年也是板凳球员，德隆对此十分不满。

2006/2007 赛季，德隆的大学队友迪·布朗在第二轮被爵士选中，德里克·费舍尔也加盟爵士，德隆下决心要争取到比“老鱼”更多的出场时间，“我知道我必须比他表现得更好。”德隆率领球队打出 12 胜 1 负的最佳开局，最终以 51 胜 31 负的战绩称雄西北赛区。

季后赛首轮击败火箭之后，德隆赢得了斯隆的称赞：“他拥有极高的天赋，我无法想象这支球队没有他会变成什么样子。”第二轮对阵勇士，德隆在首场比赛砍下 31 分、8 助攻，巴克利说道：“德隆在这次季后赛之后，将成为一个家喻户晓的名字。”

德隆在季后赛的出色表现让斯隆改变了注意，他开始将球队权杖交给这位当家控卫，由他自主发动进攻，这是连斯托克顿都不曾享受过的待遇。

2007/2008 赛季，德隆场均贡献 18.8 分 10.5 次助攻，成为 NBA 历史上第三位单季拿到 1500 分 800 次助攻并且命中率超过五成的球员，此前也只有“魔术师”约翰逊和凯文·约翰逊做到过。第三个赛季，德隆已经赢得了足够的尊重。

关于续约，德隆希望光明正大地拿到顶薪，但更重要的是他像乔丹一样拥有极强的求胜欲望。“如果我们能够竞争总冠军，我愿意把职业生涯都放在这儿。”盐湖城当然不会放弃“斯托克顿二代”，然而德隆与斯托克顿最大的区别并不是带队取得的成就，而是他无法与斯隆和平共处。

2011 年初，德隆与斯隆的矛盾公开化。更让德隆意外的是，斯隆退休后，格雷格·米勒的母亲盖尔·米勒替儿子做出决定，将这位明星控卫送往篮网，理由是不希望德隆在执行球员选项后一无所获，德隆在爵士的时代结束了。

在篮网总经理比利·金的计划里，德隆并不是首选，他曾经设想过上百种交易方案，只是为了得到安东尼。“我一直认为，一旦得到安东尼，控卫自然而然就会来。”金说，“除此之外，我一直倾向于威廉姆斯，而不是大家都在谈论的另一个人。”

2012 年自由球员市场，德隆成为最大牌的控卫，急需补强球队的小牛加入争夺战，众所周知他来自德州，达拉斯人对此充满希望。小牛老板库班在参加真人秀“鲨鱼坦克”时透露了一些与球员交流的信息，他认为小牛将赢得大牌自由球员的青睐，然而德隆最终还是选择了布鲁克林。

篮网描绘的前景让人无法拒绝，他们为德隆提供了一块空白的画布，从球员到新体育馆，都将听从他的意见。“当老板承诺会花钱给你找帮手，听起来真的很诱人。”一个篮网官员曾经指出续约德隆的关键：“他不是那种引人注目的球员，他不是‘甜瓜’，他非常低调，不喜欢走红地毯。他渴望胜利，为了胜利会亲力亲为，那才是他的首要目标。”

然而在布鲁克林，德隆距离胜利渐行渐远，即使他的身边出现皮尔斯和加内特这样的队友也无济于事。伤病是无法绕行的客观原因，另一方面他的下滑也跟性格有关。随着时间的推移，皮尔斯逐渐看清了德隆的真实面目。“他不希望承担这种责任。”皮尔斯说，“外界的压力对他的影响非常大，这对他造成了非常不利的影响。”

德隆承认自己学不来安东尼那种“纽约客”的派头，始终无法融入纽约，声称每年夏天逃离纽约回归犹他都让自己释然，他似乎越来越怀念以前的生活，甚至开始怀念斯隆的体系，然而一切再也回不去了。

“同级生”保罗始终稳居一线控卫的行列，而德隆已经日渐平庸，只有在谈论最差性价比球员排行榜时他的名字才会被提及。持续的低迷状态让篮网决定交易。

达拉斯的球迷依然对这个昔日的明星控卫抱有期待：万一他恢复往日的身手呢？德隆无力扮演救世主的角色，但他还有可能在自己的家乡，挽救濒临毁灭的职业生涯。

2015/2016 赛季德隆来到小牛（现独行侠），场均还能 13.1 分 2.5 个篮板 6.9 次助攻，虽然已经不是巨星了，但仍是可靠的老将，不过由于库班决心重建，2016/2017 赛季中期将德隆买断。最终德隆以 26 万美元的年薪加盟骑士，这是他认为最接近总冠军的地方！但谁也想不到，这是德隆噩梦的开始⋯⋯场均 4.3 分 2.1 次助攻，总决赛场均 1 分 1.2 次助攻，简直成为对手的“提款机”！进攻端的低迷，防守端的“无解”，根本没有成为骑士期待的冲冠拼图。最终，骑士丢冠了，德隆也镀金失败！

〈生涯高光闪回 / 既生瑜，何生亮？〉

高光之耀：时光一直在改变着人生的轨迹，现在的保罗和德隆早已不可同日而语，保罗用助攻王、MVP 一系列的荣誉将自己推上了时代的高峰，多年来一直是联盟控卫第一人，即便是如今，他还是西部豪强火箭的掌舵手和领袖。而德隆，自从离开爵士之后，就踏入了另外一条河流，是非对错无须说，但他的状态和斗志却是江河日下。谁又能想到，他在犹他的时候，曾经拥有过一切，如今却飘散如烟。

他们并肩杀入联盟，被称为“控卫双璧”、“绝代双骄”，人们把二十年的期望放在他们身上，希望他们能如基德和纳什那样，分庭抗礼，各领风骚，成一时佳话。故事的确是这么开始的，与保罗相比，德隆的个人进攻并不那么花样百出，但简单实用，三分和掩护后的突破更具威胁；他有很好的防守能力，身高、力量、移动、判断都很占优势，但却缺乏专注度和持续性。

在爵士的岁月里，挡拆战术和铁血纪律让他如虎添翼，乃至于在与保罗对阵的比赛中大占上风，保罗传球隐蔽刁钻，德隆传球则大开大阖；保罗进攻灵巧诡谲，德隆进攻则质朴刚健，一如降龙十八掌遇上百花错拳，棋逢对手，将遇良才。那时候，德隆还能靠着战术体系和身体优势占得上风，他们是一生的对手，而现在，此情此景，已成追忆。

档案

迪肯贝·穆托姆博 /Dikembe Mutombo
位置：中锋
出生日期：1966 年 6 月 25 日
身高：218cm 体重：111kg
效力球队：掘金、老鹰、76 人、篮网、尼克斯、火箭
球衣号码：55

荣耀

8 届全明星：1992、1995–1998、2000–2002
2 届篮板王：1999/2000、2000/2001
3 届盖帽王：1993/1994、1994/1995、1995/1996
4 届最佳防守球员：1994/1995、1996/1997、1997/1998、2000/2001
3 届最佳防守阵容一阵：1996/1997、1997/1998、2000/2001
1 届最佳阵容二阵：2000/2001
名人堂：2015

常规赛场均数据
9.8 分 /10.3 个篮板 /2.8 个盖帽

季后赛场均数据
9.1 分 /9.5 个篮板 /2.5 个盖帽

迪肯贝·穆托姆博常规赛数据表

赛季	球队	篮板	盖帽	得分
1991/1992	掘金	12.3	3.0	16.6
1992/1993	掘金	13.0	3.5	13.8
1993/1994	掘金	11.8	4.1	12.0
1994/1995	掘金	12.5	3.9	11.5
1995/1996	掘金	11.8	4.5	11.0
1996/1997	老鹰	11.6	3.3	13.3
1997/1998	老鹰	11.4	3.4	13.4
1998/1999	老鹰	12.2	2.9	10.8
1999/2000	老鹰	14.1	3.3	11.5
2000/2001	老鹰	14.1	2.8	9.1
2000/2001	76 人	12.4	2.5	11.7
2001/2002	76 人	10.8	2.4	11.5
2002/2003	篮网	6.4	1.5	5.8
2003/2004	尼克斯	6.7	1.9	5.6
2004/2005	火箭	5.3	1.3	4.0
2005/2006	火箭	4.8	0.9	2.6
2006/2007	火箭	6.5	1.0	3.1
2007/2008	火箭	5.1	1.2	3.0
2008/2009	火箭	3.7	1.2	1.8

4
♣

迪肯贝·穆托姆博

DIKEMBE MUTOMBO

回顾他 18 年的职业生涯，他就是联盟最老牌的防守精英。他的防守脚步、卡位、篮板球判断都十分完美，尤其在生涯的最后几年，他的防守愈发浓烈、老辣，比起今天动辄蹭蹭窜起的“跳跳男”们，他聪明、后发先至、精通这个游戏里的所有环节，就仿佛山城重庆里的“老汤火锅”，看似一抹深沉的色泽，个中味道却不足外人道哉！

穆托姆博，大多数人对他的印象大部分是他已经成为“穆大叔”的休斯敦岁月，最远的可能依旧是他辅助艾弗森杀入总决赛的2001年，事实上，他的NBA岁月远不止于此，他是1991年进入联盟的，到他2001年杀入总决赛时，他已经是在联盟里拼杀了十个赛季的老兵了，而彼时，他的官方年龄都已经35岁了——一个内线即将要退役的年龄。

1987年揣着扎伊尔给他的一笔奖学金，远渡重洋来到美利坚富饶土地上的乔治城大学，迎接他的是乔治城大学对传统中锋地狱一般的训练以及一个叫约翰·汤普森的老牌教头。对彼时的“穆大叔”而言，汤普森是个亦师亦父般的存在，他不仅将整套的篮球技术教给了这个当时对篮球还狗屁不懂的小孩，更逼着他努力完成学业。

除此之外，他在乔治城还拥有其他学校都无法拥有的“训练加餐”：那里的周末总有一个叫帕特里克·尤因的“猩猩”拉着他们在健身房待一上午，然后打一下午的训练赛。那里的每一次训练赛，总有一个叫阿朗佐·莫宁的肌肉男和他厮杀。

在经过四年地狱般的生活之后，“大叔”终于参加选秀，和乔治城大学拱手告别，而彼时，他已经25岁了。和其他少年得志，就被NBA一眼选中的天赋儿童不同，那些孩子都是进入NBA之后再重新雕琢自己身上的技艺，有的可能在沉浮一段时日之后便一飞冲天，譬如科比；但也有承受不住期待和压力，一蹶不振的，譬如夸梅·布朗；“大叔”没经历他们经历的，因为他是带着一副从“乔治城”千锤百炼而来的一副钢筋铁骨进入 NBA 的。

于是乎，第一个赛季，穆托姆博便场均砍下 16.6 分 12.3 个篮板，顺手送出 3 记“火锅”，顺理成章进入全明星。值得一提的是，“大叔”的“摇手指生涯”也拉开了帷幕，每一个被他狠狠将皮球扇出界外的对手，都将获得他的“火锅礼包套餐”：频繁向你摇动的手指 + 白向你的轻蔑眼神 + 微微翘起透露出无限讽刺的嘴角。

然后直到 1994 年，穆托姆博迎来个人职业生涯的首个巅峰，他所在的掘金以西部第八的身份挑战西部第一的超音速。主场作战的超音速率先连下两城，“雨人”肖恩·坎普在篮筐上飞天遁地、无所不能。回到自己的主场，但第三场、第四场，穆托姆博发威，13 个篮板 6 个盖帽和 16 个篮板 8 个盖帽让丹佛高原成为绝对禁飞区，让一向肆意妄为的“雨人”无计可施，将系列赛拖入最艰难决绝的一战（彼时赛制五局三胜）。

殊死的第五战，穆托姆博再展神威，“雨人”肖恩·坎普在他的防守下，这个联盟数一数二的砍分前锋半场只得六分，并在加时赛彻底统治内线。全场他砍下 16 个篮板，送出 8 记“火锅”，让自己双手抱着皮球躺倒在地板上哈哈大笑的画面成为 NBA 里永恒的经典——他率领球队完成了 NBA 历史上的首次“黑八奇迹”。

而那个赛季，除去这个大家耳熟能详的剧本之外，其实还有些故事：西部半决赛，他带着球队继续血战，0 比 3 落后爵士之后，他三场送出 18 个“火锅”，帮助球队连扳三城，但最后一场，他们还是惜败给了爵士。

那个赛季之后的事儿，其实有点儿搞笑，不知道从什么时候开始，丹佛的媒体觉得他有点老了，到了 1996 年，球队主力队员伤的伤、散的散，开始有人拿“大叔”的年纪作梗，认为他巅峰期已过，无法在挑起球队大梁。“大叔”也不含糊，看着丹佛续约时三心二意的架势，一狠心一跺脚 5 年 5600 万去了亚特兰大。

在亚特兰大那几年，穆托姆博的盖帽没登过顶，倒是拿了一年篮板王，场均数据依旧稳定的十多得分、十多个篮板外加三四个盖帽。可到了 2001 年，穆托姆博的得分刚跌过 10 分以下，亚特兰大就动了心思，于是用“大叔”交易来了盖帽王拉特利夫，“大叔”直接背包去了费城。之后又是一个大家熟悉的剧本：他拿下 1 次盖帽王，然后 2001 年辅助艾弗森一路杀入总决赛，在总决赛上传言被巅峰“鲨鱼”碾成碎末，将总冠军拱手让人。

其实这个传言有悖事实真相，或者过分夸大其词了。首先那年面对“鲨鱼”，联盟没什么人真能克制。就算是大家公认单防“鲨鱼”最棒的邓肯，也只是稍微加以限制，“鲨鱼”要真想卖命把球打进，也没什么做不到的。其次，“大叔”在对“鲨鱼”的防守上做得已经非常不错了，空位、已经要位到篮下的球，除了犯规谁都防不下来，干扰“鲨鱼”接球、制造麻烦、甚至干扰投篮，“大叔”完成得相当不错，而且“大叔”还要不停地去给前线漏人的队友协防，不然封盖福克斯、大帽科比的精彩镜头你以为是怎么出现的。最后，篮球是个团队运动，虽然老布朗为了让艾弗森的进攻本能发挥到最大，为他配置了四个防守尖兵，可对方除了奥尼尔还有科比犀利的进攻，整支球队很难在整场保持绝对的完美防守。再说，穆托姆博面对“鲨鱼”不是也砍下了 16 分 12 个篮板的傲人数据。

不管怎么说，穆托姆博带着总决赛的遗憾，步入了职业生涯的末期。2002 年 76 人将他送到了篮网，那个赛季他因伤只打了 24 场比赛，然后就被网队裁掉了。谁心里都有一个算盘，说是 36 或 37 了，没准都 40 了，大伤回来估计没什么指望了。

这时候“微笑刺客”找到了他，尼克斯和他签了两年合同，哪知道，他刚到纽约，托马斯就给了他当头一棒：“我说您老人家怎么还不退役呢？”

结局更有意思，尼克斯和他签合同只不过是为了和公牛完成交易。他在纽约屁股没坐稳，就被送到了芝加哥，本以为这就安生了。哪知道还没替芝加哥出战一场比赛，他就又被送到了休斯敦。

在休斯敦，被 NBA 商人们差点儿玩坏的“老人家”，居然“老骥伏枥”，让曾经抛弃他的人们把肠子都悔青了。穆托姆博第一次作为替补中锋出现在赛场上。他成为新生代球员姚明的替补。他在火箭队的第一个赛季表现相当出色，场均 15.2 分钟 5.3 篮板和 4 分，到 40 岁还能单场 19 个篮板和 5 次盖帽，顺便请拜纳姆吃个“火锅”，拿到历史第二的 3190 次盖帽。那是 2007 年，姚明缺阵。他虽然老矣，不但尚能饭，而且能把对面年轻人连皮带肉吞了，拿根骨头剔牙。对开拓者第一场，上场前 10 分钟抓了 9 个篮板，送出 2 次盖帽。罗伊多聪慧狡黠的人，游入内线终于放心起手，一抬头就是眼一黑。

有很多人说，如果不是 2007 年季后赛奥登惹得那祸害，“老人家”没准还能再战一年。

但事实就是事实，那一次之后，2007 年穆托姆博“老人家”退役了。

〈生涯高光闪回 / 黑八奇迹〉

高光之耀：这是 NBA 最经典的系列赛之一，其中在第五战“穆大叔”在抢下最后一球后倒在地上，仰天长啸的镜头跟“黑八奇迹”一起，成为 NBA 永恒的激情瞬间。

在 1993/1994 赛季的季后赛首轮中，“穆大叔”带领掘金在大比分 0 比 2 落后的情况下奋起直追，连赢三场，将当年的西部头名西雅图超音速挑落马下（当年季后赛首轮赛制为五战三胜），创造了 NBA 历史上的首个“黑八奇迹”。

档案

阿朗佐·莫宁 /Alonzo Mourning
位置：中锋
出生日期：1970 年 2 月 8 日
身高：208cm 体重：109kg
效力球队：黄蜂、热火、篮网
球衣号码：33

荣耀

1 届总冠军：2006
7 届全明星：1994–1997、2000–2002
2 届盖帽王：1998/1999、1999/2000
2 届最佳防守球员：1998/1999、1999/2000
2 届最佳防守阵容一阵：1998/1999、1999/2000
1 届最佳阵容一阵：1998/1999
名人堂：2014

常规赛场均数据

17.1 分 /8.5 个篮板 /2.8 个盖帽

季后赛场均数据

13.6 分 /7.0 个篮板 /2.3 个盖帽

“难道总冠军值得用生命去争取吗？是的，因为我是阿朗佐·莫宁！”
——阿朗佐·莫宁

阿朗佐·莫宁常规赛数据表

赛季	球队	篮板	盖帽	得分
1992/1993	黄蜂	10.3	3.5	21.0
1993/1994	黄蜂	10.2	3.1	21.5
1994/1995	黄蜂	9.9	2.9	21.3
1995/1996	热火	10.4	2.7	23.2
1996/1997	热火	9.9	2.9	19.8
1997/1998	热火	9.6	2.2	19.2
1998/1999	热火	11.0	3.9	20.1
1999/2000	热火	9.5	3.7	21.7
2000/2001	热火	7.8	2.4	13.6
2001/2002	热火	8.4	2.5	15.7
2003/2004	篮网	2.3	0.5	8.0
2004/2005	篮网	7.1	2.3	10.4
2004/2005	热火	3.7	1.7	5.0
2005/2006	热火	5.5	2.7	7.8
2006/2007	热火	4.5	2.3	8.6
2007/2008	热火	3.7	1.7	6.0

4♦

阿朗佐·莫宁

ALONZO MOURNING

莫宁是怎样的存在？也许他是四大中锋之外的最强中锋！他是两届盖帽王+两届最佳防守球员以及优秀的进攻内线，巅峰生涯场均砍下23.2分10.4个篮板2.7记盖帽。而他那性如烈火、顽强不屈的“肾斗士”精神更是载入史册。“没有人为比赛付出的鲜血和汗水能比莫宁更多。他把自己的一切都奉献给了比赛，但作为一名竞争者，他绝不向对手让步一寸。我们永远不会忘记。他是冠军，他是勇士，他是传奇。”帕特·莱利对于这名昔日爱徒评价可谓一语中的。

从跨进乔治城大学校门的那一刻起，上帝就决定了莫宁的命运，这所以盛产“铁血中锋”闻名的学校从来没出过孬种。在NBA莫宁从未给母校丢过脸，他是那个时代受人敬仰的硬汉代言人，宁可流血不流泪，这就是乔治城的宿命。

1973年约翰·汤普森就任乔治城大学主帅，在连续27年的执教生涯中他为这所院校注入了自己的灵魂。作为昔日凯尔特人的一员，拉塞尔的队友，汤普森无比崇尚防守和纪律，热衷于在防守端控制比赛。对乔治城的孩子而言，阻止对手得分甚至比自己得分更有快感，如莫宁所说：“我们对失败的痛恨超过对胜利的追求，前者才是我们赢得比赛的最大动力。”

1992年选秀大会，莫宁面前出现一个更高大的身影，奥尼尔第一个上台与总裁先生握手，当年状元和榜眼宛如年轻版的张伯伦和拉塞尔。奥尼尔身材高大，天赋异禀，是堪比“张北斗”的进攻杀器，而莫宁身高没有优势，却和拉塞尔一样醉心于防守。“菜鸟”赛季，奥尼尔数据更光鲜，场均贡献23.4分13.9个篮板，但魔术被挡在季后赛之外，而莫宁却在第一次季后赛之旅大放异彩，首轮最后一场比赛，他转身命中一记6m的跳投，绝杀凯尔特人，那张照片至今还挂在莫宁的家里。

职业生涯前三年莫宁几乎都是“20+10”俱乐部的成员，理应成为黄蜂重建的核心，然而老板辛恩不愿意支付年薪1300万的合同，在大学恩师桑普森和同门师兄尤因的建议下，莫宁来到了迈阿密，在南海岸莱利向他张开了怀抱。

在迈阿密，莱利复制了纽约模式，将粗暴篮球进行到底，他乐于将篮球场改造成角斗场。作为莱利麾下最得力的干将，莫宁顺理成章地成为热火铁血球风的最佳代言人。同门师兄尤因领衔的尼克斯犹如他们镜中的投影，迈阿密和纽约的恩怨情仇是那时候最畅销的戏码，莫宁说道：“如果制成DVD，我相信会比任何一部好莱坞电影都卖座。”

1997年东部半决赛，热火与尼克斯狭路相逢，这是一场硬汉之间的殊死搏斗。前四场热火以1比3落后，在第五场他们取得了大比分领先。终场前风云突变，尼克斯后卫查理・沃德与P.J・布朗发生争执，一语不合被后者抱摔，一场混战由此爆发。直接参与武斗的沃德、P.J・布朗、斯塔克斯三人被罚出场，由于冲突时离开替补席，尤因和阿兰・休斯顿停赛一场，拉里・约翰逊和斯塔克斯则停赛三场，尼克斯损失惨重。最终热火连扳三场，挺进东部决赛。

命运捉弄，前一年大打出手的两支球队在1998年季后赛再度相遇，不同的是此前莫宁还是个看客，而这一年他成为打架的主角。第四场终场前1.4秒，莫宁和昔日队友拉里・约翰逊摩擦升级，后者的胳膊肘彻底激怒了莫宁，他立刻还击，两人扭打在一起。“我当时知道这1秒钟的失控可能会葬送整个赛季的努力，我也知道这就是拉里的风格，他一直是这么打球，”莫宁说，“但我咽不下这口恶气，我绝对不能让对手看扁了我。”

莫宁怒不可遏地追打约翰逊，他并没有意识到尼克斯主帅杰夫・范甘迪像钥匙链一样挂在自己身上，《纽约时报》为此添油加醋：“有那么一会儿，杰夫甚至被莫宁带离了地板，活像一张吊床。”多年后莫宁调侃范甘迪：“我说我怎么感觉鞋底好像粘了块口香糖。”莫宁为自己的冲动付出了代价，被禁赛后热火输掉了第五场被淘汰出局。时光如果倒流，莫宁仍然会毫不犹豫地出手，因为面对挑衅无动于衷绝非硬汉的作风。

在球场上莫宁无所畏惧，但在生命中让他不寒而栗的挑战来自于场外。2000年莫宁被查出患有肾病，医生的诊断如五雷轰顶：这不是能不能打球的问题，而是能不能活下来的考验。除了换肾别无他法，幸运的是，莫宁很快找到了匹配的捐献者——他的表弟贾森・库珀。手术过程中主治医生安培尔安慰莫宁，让他尽量放松，“很容易，我闭着一只眼也能做。”莫宁则适时展现了自己的幽默感：“但是医生，我还是希望你能两眼都睁着。”

莫宁逃离了死神的召唤，寻求在篮球场上的第二次生命，宣布复出后他引起了广泛关注，篮网主席罗德・索恩立刻飞往迈阿密，考察他的状态，掘金、灰熊和小牛都表示了浓厚的兴趣。莫宁给基德打电话，商量两人携手奔赴达拉斯的可能性，基德回复：“要不你来篮网吧？”

在新泽西，莫宁不再是内线的第一主角，他并不在乎队内的地位，但绝不容忍队友将比赛和训练视为儿戏。莫宁指责肯扬·马丁出工不出力时，后者反唇相讥：“一个连篮板球都拿不稳的老家伙，居然想成为我们的先发中锋？”莫宁意识到自己并不属于这支球队，绝非队友对自己大不敬，而是对篮球的理解上处于南北两极，他开始无比怀念自己的篮球圣地——迈阿密。

2005/2006 赛季，莫宁如愿以偿，以老将底薪重返迈阿密，那支星光熠熠的热火队中，他证明自己的表现并不能用金钱衡量。在防守端莫宁仍然勇字当头，他不介意成为扣将们的背景帝。提及卡特在自己头上那记华丽的暴扣，莫宁毫不在乎：“很不幸，那个扣篮会被人记住很长很长时间。不过那是比赛的一部分，如果我在乎这个，盖帽会少一大半。顺便说一句，那场比赛我们赢了。”

2005/2006 赛季，莫宁场均出场 20 分钟，贡献 2.7 次盖帽，效率惊人，在热火的冠军之路上，他几乎榨干了自己最后一丝气力。总决赛第六场，莫宁完成第 5 次封盖后，倒地不起，莱利回忆：“当时，我真担心他再也站不起来了。”莫宁的执着终于等到了回报，14 年的打拼过后他最终成为总冠军球队的一员。2007 年 12 月 19 日，热火客场挑战老鹰，莫宁在试图封盖马里奥·韦斯特时，轰然倒地，面对队医的询问，莫宁平静地说：“一切都结束了，结束了。”当队医准备用担架将莫宁抬出场时，这位硬汉果断拒绝：“不，我决不能这样离开球场。”在队友韦德和厄尔·巴隆的搀扶下，莫宁在漫天的掌声中蹒跚离场，他用最男人的方式告别了舞台，职业生涯戛然而止。

2009 年 3 月 30 日，热火为莫宁举行了球衣退役仪式，33 号战袍是美航球馆穹顶升起的第一件球衣，当莱利回忆起往昔的峥嵘岁月，那些包含热情的话语终于攻陷了硬汉的泪腺。在迈阿密莫宁倾注了满腔热血，美航球馆忠实记录了他逝去的青春。一代硬汉最终归隐，但莫宁永远属于迈阿密，他的身影再度出现在 2013 年总决赛的看台上，作为制服组的一员，他像一个守望者，用另外一种方式见证热火的光辉岁月。

C.J · 麦科勒姆常规赛数据表

赛季	球队	篮板	助攻	得分
2013/2014	开拓者	1.3	0.7	5.3
2014/2015	开拓者	1.5	1.0	6.8
2015/2016	开拓者	3.2	4.3	20.8
2016/2017	开拓者	3.6	3.6	23.0
2017/2018	开拓者	4.0	3.4	21.4
2018/2019	开拓者	4.0	3.0	21.0

●档案

C.J · 麦科勒姆 /C.J. McCollum
位置：得分后卫
出生日期：1991 年 9 月 19 日
身高：191cm/ 体重：86kg
效力球队：开拓者 / 球衣号码：3

●荣耀

1 届进步最快球员：2015/2016

●常规赛场均数据：
17.8 分 3.1 个篮板 2.9 次助攻
●季后赛场均数据：
19.3 分 3.9 个篮板 2.3 次助攻

3
♠

C.J·麦科勒姆

C.J. MCCOLLUM

**“开拓者双枪”日臻醇熟，两人球风互补，宛如天作之合。
利拉德疾如风，C.J·麦科勒姆稳如山，前者炙热猛烈，后者绵里藏针。
顺境中有 0 号霸道的杀伐决断，逆境中则是 3 号迅疾的摧城拔寨。
利拉德是开拓者的生死判官，而麦科勒姆，则是那个优雅的杀手，他
冷静、柔韧、果决、轻灵、精准，一如既往的默默得分。**

2005 年就读 GlenOak High School 高一时的 C.J·麦科勒姆身高只有 157cm，体重不足 50 公斤重，然而身材上的劣势并没有阻挡他在篮球道路上前进的脚步。高一到高三的两年间，他的身高一下猛增 23cm，高三的第一场比赛，他就轰下了 54 分，创造了该校的单场得分纪录。而高四那年，他更是可以场均拿下 29.3 分，并在毕业时让自己的总得分来到了创校史记录的 1405 分。与此同时，他的身高也长到 1.89m，然而，那时的麦科勒姆依旧无法改变一众 NCAA 传统名校对他的看法。

无奈之下，以篮球为梦想的他只得选择理海大学（Lehigh University）。然而麦科勒姆的到来却给这所大学的篮球队带来了翻天覆地的变化。山鹰队（理海大学篮球队）的教练曾说：“麦科勒姆是上天赐予我们理海的礼物。”

2011 年大三赛季麦科勒姆率队杀入“疯狂三月”，并连续第三年入选分区联盟的最佳第一阵容。但不幸首轮他们就遇到了老 K 教练领衔杜克大学。

当时杜克阵容中的奥斯汀·里弗斯、塞斯·库里以及普拉姆利兄弟，其阵容可谓豪华。面对如此强大的对手，麦科勒姆再一次证明了自己，他全场砍下 30 分 6 个篮板 6 次助攻，带领理海大学获得 74 年来的第一场 NCAA 胜利，并创造了历史上第六次“黑十五奇迹”。

2012 年大四赛季赛季的麦科勒姆场均得到 23.9 分，投篮命中率 49.5%，三分命中率 51.6%，罚球命中率 84.9%。但麦科勒姆在大四赛季只打了 10 场比赛就因为左脚第五跖骨骨折赛季报销。这对其选秀行情产生了一定的影响。不过，开拓者还是在 2012 年选秀大会赌了一把，在第 10 顺位选走了麦科勒姆。

波特兰开拓者期待麦科勒姆是又一个利拉德，值得一提的是，其实利拉德早就和麦科勒姆建立联系。麦科勒姆上大四养伤期间，利拉德主动联系他。他们惺惺相惜，利拉德给麦科勒姆提供了一些养伤的经验。他们没想到的是，竟然很快成了队友。

利拉德与麦科勒姆球风相似，心思互通，配合天衣无缝。“开拓者双枪”如今逐渐成为现役最好的后场组合之一。不过他们之间的磨合并非一帆风顺，麦科勒姆在菜鸟赛季只打了 38 场比赛就因为左脚第五跖骨再次骨折报销。2014/2015 赛季他又遭遇了手指伤势休战了 1 个月，复出之后的上场时间不稳定。

虽然上场时间寥寥可数，但麦科勒姆还是抓住有限的时间证明了自己。 2015 年 4 月 26 日，开拓者与灰熊的季后赛，麦科勒姆替补上场 27 分钟，14 投 8 中得到 26 分，成为开拓者队史 30 年来首位在季后赛替补出场至少得到 26 分的球员。四天之后，开拓者客场 93 比 99 不敌灰熊，麦科勒姆三分球 11 投 7 中得到 33 分，刷新职业生涯单场得分纪录，并且成为开拓者队史上季后赛单场得分最高的替补。

2015 年夏天，合同到期的阿尔德里奇宣布离队，开拓者管理层意欲重建。6 月 25 日，他们将尼古拉斯・巴图姆交易至黄蜂；十天之后，一份 4 年 7000 万的合同，韦斯利・马修斯去往达拉斯；紧接着，罗宾・洛佩兹远赴大苹果城纽约……开拓者所有的操作只给出了一个讯号：他们放弃了下个赛季。

昔日的“波特兰五虎”就这样消散在光阴中，徒留利拉德一个人面对这片废墟。2015/2016 赛季开始前，所有人都为开拓者判了死刑，*ESPN* 甚至预测这支平均年龄不足 25 岁的鱼腩新赛季将排在联盟第 29 位。在被世界遗忘的背景下，麦科勒姆勇敢地站了出来。他上场时间从 15.7 升到了 34.8 分钟，场均砍下 20.8 分 3.2 个篮板 4.3 次助攻 1.2 次抢断，当之无愧的荣获最快进步球员。麦科勒姆的崛起分担了利拉德的压力。他和利拉德组成的后场双枪激发出无尽斗志，最终开拓者以 44 胜 38 负西部第五的战绩闯进季后赛。随着保罗、格里芬相继受伤，开拓者战胜快船闯进第二轮，力拼五场之后虽然倒在金州勇士铁蹄之下，但足以另人心生敬意。

2016 年夏天，开拓者以 4 年 1.06 亿提前续约了麦科勒姆，这个上赛季还场均只有 6.8 分的小伙子，此时竟然收获了亿元合同。

自 2015/2016 赛季以后，他连续四个赛季场均得分 20+，成为利拉德身边绝佳搭档，而且并没有活在利拉德的阴影之下，有时候甚至抢走利拉德的风头。比如在 2018 年 2 月 1 日的比赛，他只用了三节比赛就轰下 50 分，率领开拓者击败公牛。

2018/2019 赛季季后赛，开拓者在与掘金的系列赛中麦科勒姆大放异彩，他在第三战中出战 60 分钟，砍下 41 分，历经四加时战胜对手。第六场和第七场，他连续砍下 30+，在利拉德手感不佳的情况下为球队持续输出火力从而击败对手晋级西部决赛。

“前进的动力仍然来自于我的内心，因为我永远记得要努力奋斗。” 麦科勒姆说。开拓者“励志哥”的故事远没有结束，未来他必然带来更多的惊喜。

〈生涯高光闪回 / “抢七”发威〉

高光之耀：C.J · 麦科勒姆此战 29 投 17 中，砍下全场最高的 37 分，创造开拓者队史抢七战个人得分新高。在利拉德“哑火”的情况下，C.J 单枪独骑，率领开拓者击败掘金，成为这个系列赛七场鏖战的最终胜负手。苦战七局，第三场苦战 4 个加时，创造了 66 年用时最长比赛纪录，掘金与开拓者堪称棋逢对手的旷世之敌。

2019 年 5 月 13 日，西部半决赛开拓者 VS 掘金的抢七大战，主场作战的掘金一路“领跑”，一度领先开拓者 17 分之多。此役利拉德手感冰凉，17 投只有 3 中，仅得 13 分。好在利拉德身边还有麦科勒姆。

麦科勒姆始终都保持着火热手感，率队反超比分，还剩 29.7 秒，掘金追到只差 1 分。麦科勒姆外线运球，面对克雷格的贴身防守，变向启动，运求至罚球线附近，撤步跳投出手，稳稳命中这一球最终也成了制胜一击。最终开拓者 100 比 96 击败掘金，抢七大战中艰难胜出。

肯巴·沃克常规赛数据表

赛季	球队	篮板	助攻	得分
2011/2012	黄蜂	3.5	4.4	12.1
2012/2013	黄蜂	3.5	5.7	17.7
2013/2014	黄蜂	4.2	6.1	17.7
2014/2015	黄蜂	3.5	5.1	17.3
2015/2016	黄蜂	4.4	5.2	20.9
2016/2017	黄蜂	3.9	5.5	23.2
2017/2018	黄蜂	3.1	5.6	22.1
2018/2019	黄蜂	4.4	5.9	25.6

档案

肯巴 · 沃克 /Kemba Walker

位置：控球后卫

出生日期：1990 年 5 月 8 日

身高：185cm 体重 83kg

效力球队：黄蜂

球衣号码：1、15

荣耀

3 届全明星：2017–2019

常规赛场均数据

19.6 分 /3.8 个篮板 /5.4 次助攻

季后赛场均数据

21.5 分 /3.3 个篮板 /4.7 次助攻

3 ♥

肯巴·沃克
KEMBA WALKER

沃克在进攻端的能力相当全面，持球突破兼具速度和力量，外围投篮相当精准，关键时刻得分绝不手软。
作为一个技巧早熟但天赋并不出挑的高顺位新秀，经历了 2016 年季后赛的“淬火”之后，沃克正在打出职业生涯最好的时节，成了黄蜂在进攻端的第一创造者。他拥有灵巧的步伐，美妙的控球，精准的中投，以及令人愉悦的节奏感：沃克像是一个远射不够优秀、温润如玉但少了几分惊艳的凯里·欧文。

1990 年 5 月 8 日，沃克出生于纽约市布朗克斯区。和所有在“大苹果城”长大的前辈球员们一样，沃克从小就置身于纽约浓郁的街头篮球文化中，阿尔斯通、马布里、奥多姆、阿泰斯特，那些后来在 NBA 闪耀的球星的街头轶事，成为他童年生活中不可抹去的欢乐时光。“我住的那个街区，有很多男孩崇拜马布里，那时候家里的墙上张贴着很多纽约球员的海报。”沃克告诉记者。

高中时期，沃克已经是小有名气的明星球员，他当时就读于莱斯高中，并在高二那年进入了很多 NBA 球探的视野，在一场麦迪逊广场花园举办的全美高中联赛上，沃克率领球队以 53 比 51 击败了当时由德里克·罗斯领军的 *Simeon Career Academy*，从此名声大噪。高三时，沃克已经是场均贡献 18.2 分 5.3 个篮板的球队第一得分手，他还因此入选了麦当劳全美最佳阵容。

2008 年，沃克拒绝了北卡、肯塔基、UCLA 和杜克等名校的邀请，选择了康涅狄格大学，一座以出产了雷·阿伦、汉密尔顿、本·戈登等优质射手而闻名的学府。沃克表示，选择康大与球队的篮球文化有关，而他本人也是以投篮见长，他渴望比肩三大射手前辈，并带领“康大”重夺 NCAA 锦标。

大学的第一个赛季，沃克就展现出了强大的领导能力，他打满了赛季全部比赛，并率队以 NCAA 头号种子的身份打进了终极四强，而他本人也成为 2009 年《体育画报》的封面人物。2010 年 11 月 17 日，大二的沃克在主场对阵佛蒙特大学的比赛中，全场 24 投 15 中拿下 42 分，创造了个人大学生涯的单场得分纪录。

事实上，已经在两年大学赛季里锋芒毕露的沃克完全有实力参加 NBA 选秀，但为了兑现向父母的承诺以及强烈的冠军渴望，沃克选择了留下。2010/2011 赛季，沃克与“康大”迎来了大爆发，球队一路过关斩将进入 NCAA 总决赛，面对黑马巴特勒大学，“康大”笑到了最后，而沃克也最终当选四强赛 MOP。

这是康涅狄格大学继 2004 年后的第三座冠军奖杯，而沃克则是夺冠阵容中当之无愧的核心与领袖，最终他宣布参加 2011 年 NBA 选秀。

夏洛特山猫（彼时尚未改名）用手中的 9 号签选择了沃克，球队老板迈克尔・乔丹看中的是沃克在控卫位置上的活力、稳定输出能力和全明星潜质——而这些正是他的前辈菲尔顿和 D.J・奥古斯汀所缺乏的。

由于劳资纠纷，2011/2012 赛季缩水至 66 场，沃克在等待了长达 6 个月的时间后，终于迎来了自己的 NBA 首秀。面对密尔沃基雄鹿，沃克登场 20 分钟，拿下 13 分、7 个篮板、3 次助攻，这差不多也是他整个赛季的表现缩影。奥古斯汀占据着球队主力控卫的位置，年轻的沃克还需要耐心的等待机会。“菜鸟”赛季的沃克表现可圈可点，他打满了整个赛季，场均贡献 12.1 分 3.5 个篮板 4.4 次助攻，但投篮命中率只有 36.6%。2012 年 1 月 29 日，山猫对阵奇才的比赛中，沃克拿下 20 分 10 个篮板 10 次助攻，成为 2011 届新秀中第一位得到“三双”的球员。

2012 年夏天，决心扶正沃克的山猫管理层，送走了球队的当家控卫 D.J. 奥古斯汀，沃克顺理成章地成为球队的头号组织后卫。上场时间激增的沃克打出了漂亮的场均数据，17.7 分 3.5 个篮板 5.7 次助攻，投篮命中率提升到了 42.3%。

2013/2014 赛季，沃克的表现依旧维持在一个较高的水平线上，场均 17.7 分 4.2 个篮板 6.1 次助攻，他在赛季中拿到了生涯首个周最佳，并在 2014 年 4 月 5 日山猫击败魔术的比赛中，拿下了生涯第二次“三双”。

2013/2014 赛季赛季结束后，夏洛特山猫队改名夏洛特黄蜂队，沃克也从“猫王”一跃变身为“蜂王”。

此外，令沃克欣喜的是，乔丹决定与他续约，双方成功签署了一份 4 年 4800 万美元的合同。事后，沃克对媒体表示：“这将是一次全新的开始。”

尽管沃克的官方身高为 6 尺 1（约 1.85m），但 2011 年联合试训中他的裸足身高是 5 尺 11.5（约 1.80m）。身高的劣势非常明显，但沃克从未感到羞耻。“这一直都会激励我，”

他说，“说我太矮，不够强壮，投篮差。这些批评我听过很多年了，但我并不因此困扰。因为我知道如何打球：强硬、坚韧！我知道并且坚信这会助我前行。我一直都把批评当作前进的动力。”

续约后的沃克迸发出了更为强劲的动力，但大面积的伤病让他的2014/2015赛季支离破碎，他错过了20场比赛，而球队再一次无缘季后赛。不过，沃克并不觉得失落，他已经准备好在自己履行新合同的第一个赛季大展宏图，而乔丹此时也开始展现出自己成熟GM的风范，黄蜂在夏天的两笔漂亮引援颇值称赞——签下巴图姆和林书豪。与此同时，中锋科迪·泽勒进步明显，老将杰弗森愿意接受第六人的角色，黄蜂全队正处于一个良性化学反应的美妙阶段，而沃克将是带领黄蜂展翅高飞的绝对领袖。

最终，我们见证了黄蜂的崛起，见证了林书豪底薪加盟后的又一次闪耀，见证了沃克作为球队领袖的卓尔不群。2015年11月24日，黄蜂主场加时127比122战胜国王，沃克拿下39分6个篮板5次助攻，成为黄蜂队史自2008年1月15日杰拉德·华莱士之后，首位得到如此数据的球员。2016年1月19日，黄蜂主场双加时以124比119战胜爵士，沃克全场得到52分，刷新职业生涯单场得分纪录。

整个赛季，沃克都在持续不断的输送自己稳定的火力，他摆脱了伤病的困扰，整季出战81场，场均20.9分4.4个篮板5.2次助攻，各项投篮命中率都创下生涯新高。黄蜂最终以东部第五的排名进入季后赛，与热火的系列赛，他们在0比2落后的不利局面下连扳三场，率先取下赛点。当所有人都以为在夏洛特的第六场将是他们创造历史之时，沃克暴露出了季后赛经验不足的致命弱点。老辣的韦德终结了沃克的前进脚步，而后者在吞下一场33分的失利后沃克坚强地表示：“我们会变得更强。”

从纽约到夏洛特，26岁的沃克克服了社交、经济和身体等多方面的困难，将纽约精神发扬光大——强硬坚韧、不畏崎岖、勇于挑战、勤勉努力。他正处于生涯最美妙的时段，未来，一片光明。

〈生涯高光闪回 / 60分新高〉

高光之耀：沃克34投21中，三分球14投6中，罚球12罚12中，得到60分。打破个人职业生涯得分纪录以及创造2018/2019赛季新高（后被哈登61分打破）。

2018年11月18日，黄蜂主场119比122惜败76人，此役沃克犹如球队老板乔丹附体，内突外投，无人可挡，第四节最后关键时刻，沃克无视巴特勒的防守，命中关键打板三分，帮助球队扳平比分。加时赛中，沃克体力耗尽，仅命中一球，单场得分达到60分。决战时刻，巴特勒命中压哨绝杀三分，最终76人以122比119险胜黄蜂。

贾森·威廉姆斯常规赛数据表

赛季	球队	篮板	助攻	得分
1998/1999	国王	3.1	6.0	12.8
1999/2000	国王	2.8	7.3	12.3
2000/2001	国王	2.4	5.4	9.4
2001/2002	灰熊	3.0	8.0	14.8
2002/2003	灰熊	2.8	8.3	12.1
2003/2004	灰熊	2.0	6.8	10.9
2004/2005	灰熊	1.7	5.6	10.1
2005/2006	热火	2.4	4.9	12.3
2006/2007	热火	2.3	5.3	10.9
2007/2008	热火	1.9	4.6	8.8
2009/2010	魔术	1.5	3.6	6.0
2010/2011	魔术	1.4	1.5	2.1
2010/2011	灰熊	1.1	1.9	2.0

这位传球鬼才将许许多多匪夷所思的传球展现在球迷们的眼前，全明星赛上的那个后肘传球更是让巴克利惊呼在“2K”里都无法仿制出来。

●档案

贾森·威廉姆斯 /Jason Williams
位置：控球后卫
出生日期：1975 年 11 月 18 日
身高：185cm 体重：86kg
效力球队：国王、灰熊、热火、魔术、灰熊
球衣号码：2、3、44、55

●荣耀

1 届总冠军：2006

●常规赛场均数据

10.5 分 /5.9 次助攻 /1.2 次抢断

●季后赛场均数据

8.3 分 /3.3 次助攻 /0.8 次抢断

3 ♣

贾森·威廉姆斯
JASON WILLIAMS

他拥有白人的身体，却同时兼具黑人的爆发力。而且他每一次传球都堪称匪夷所思的神来之笔，玄妙莫测、永不雷同、无从琢磨。就像你永远猜不到下一颗巧克力的味道。
于是“白巧克力”成为威廉姆斯永远的标签。
他灵动、自由的打法被挖掘到了最大，每天晚上，他都肆意发挥着自己的灵感，创造出无数千奇百怪的传球和进攻，他成了十佳球的常客，而萨克拉门托也成了转播商的宠儿。

不受打磨的天性绽放，才是这块“白巧克力”最美味的时刻——关于威廉姆斯。

不敢想象，他如果出生这个时代，会拥有怎么样的职业生涯。

或者就和他最后在热火和魔术的时期没多大的区别吧，中规中矩地上班打卡，每天晚上在赛场上兢兢业业地扮演“勤劳员工”，混一枚冠军戒指，然后在场下规规矩矩地做社区服务，宣扬激昂慷慨、催人泪下的“正能量”。若果真如此，那么那个让人目眩神迷、被炫目球技带入天堂的“白巧克力”就不会存在了吧。

在他职业生涯的末期，为了在球场打球，他努力改变自己。2005/2006 赛季，他得到 12.3 分 4.9 次助攻，在热火对阵活塞的东部决赛，甚至上演单骑救主的戏码，11 投 10 中拿下 21 分，帮助球队顺利晋级总决赛。在总决赛以 0 比 2 落后小牛的时刻，他还是贡献 12 分 5 次助攻，给球队第三场胜利添砖加瓦。

在之后的两年，他也按部就班，成为球队、球迷乃至整个联盟的“合格控卫”，稳扎稳打组织进攻，给空位队友送去助攻。

然后，他真的受不了了，他无法忍受没有办法按着自己心意打球的痛苦，于是2009/2010 赛季开始之前，即便他已经和洛杉矶快船签下一年合约，他很快宣布退役，退役的原因发自内心：他已经找不到篮球的乐趣。

威廉姆斯的改造是从什么时候开始的呢？大概是从他离开萨克拉门托算起吧，大抵他在萨克拉门托最后一个赛季开始，庸俗不堪的人们就已经想要对他“动刀”修改了：人们觉得他华而不实的球风，不但失误高居不下，更无法给球队带来想要的胜利。而他似乎对这些批评视而不见，更让人们觉得他已经无可救药。

随着他们再次输掉季后赛，四周的喧嚣逐渐向他侵袭。就连他的铁哥们儿，国王队核心韦伯也受到了舆论的影响，一度也认为威廉姆斯应该改变，不然，他们就无法获得胜利。萨克拉门托很快不念旧情地将他送往了苦寒的孟菲斯，迎来他们的新欢“白魔鬼”毕比，而毕比在“萨城”的表现，也刺激到了威廉姆斯。于是他决定改变，并在孟菲斯主帅胡比·布朗的“帮助下”一步一步“尽洗铅华”。

2001/2002 赛季，他加盟灰熊开始，他就变得和之前的职业生涯完全不一样了，尽管这个赛季他拿下职业生涯最高的 14.8 分 8 次助攻，甚至还有对阵火箭时惊艳全场的 38 分表演，但整个改造的过程并不让他觉得享受——他初出茅庐时的背传和超远三分，随着时间的流逝，逐渐消失在人们的视野之中。

一个曾经自由自在、挥洒着天赋和激情的精灵，被世人按照自己的胜负观加以监禁和改造，无论如何，被改造的精灵都不会觉得愉悦。

是以，从一开始这种改造已经注定失败、并将伴随反抗与斗争，2002/2003 赛季中段开始，固执的“学院派”教头“布朗爷爷”，就开始在公开场合不停地批评他的球风华丽有余、沉稳不足。而老帅的儿子、球队的助理教练布兰德·布朗更是站在老爹的一边，也常常和威廉姆斯发生摩擦。待到 2003/2004 赛季，威廉姆斯已经被按在了板凳席上，郁积的愤懑终于爆发——一次电视直播中，镜头捕捉到他与布兰德·布朗的恶语相向，而接下来的 2004/2005 赛季，他与胡比·布朗的“继承者”迈克·弗拉特洛相处更加不愉快。

于是孟菲斯的“掌门人”华莱士意识到，他们已经无法留下这个在阵痛中变得中规中矩，但心灵依旧向往不羁飞扬的控卫了。很快他们将威廉姆斯送往迈阿密，将改造的适合联盟胜负观的他送往迈阿密。

从此飞檐走壁、随心所欲的剑客，陨落成一个兢兢业业、恪尽职守的“城管”，尽管拿下了引人钦羡的总冠军戒指，却被时光遗忘了最初那个紫衣翩翩的佳公子。那么，那个最初的“白巧克力”到底是什么味道呢？

是超远的一记传球，将魔术全队完全迷惑，助攻迪瓦茨拿下两分？还是一记漂亮的胯下运球，让“手套”佩顿完全迷失，然后抛射上篮，轻松取分？还是混不吝的自己带球过了半场，无视所有防守队员和己方球员的超远三分出手，射入篮圈？

或者都是，或者都不是。

因为，从他 1998 年被萨克拉门托在选秀大会上以第 7 顺位选中，他就开始了他独一无二的表演：揭幕战，他酣战马刺，上来就拿下 21 分 3 次助攻，这很正常，NBA 很多超级球星都能轻松做到。难得一见的是他水银泻地一般的攻势，打得自如，打得轻松，打得充满自信却不知自信何来。

他缔造了一个独一无二的传奇，新秀赛季，他的球衣销量就高居 NBA 球星销量榜第五，而他的场上贡献可能连 J.J・雷迪克都不如。而无论萨克拉门托胜负，球迷们都会热切地购买球票去观看比赛，而转播商更是将前一年礼节性的一次转播国王比赛，瞬间提升到了第二年的 20 次。

尽管，第二赛季，他还是只能贡献 9.4 分 5.4 次助攻的“菜鸟”，但每一次他对球的处理，都是一场天马行空的表演，球只要在他手里，他就能上演一场无与伦比的绚烂表演。

他是整个 NBA 球场上的异类，在强调纪律和执行力的篮球比赛中，他是唯一不按常理出牌的怪物。他带给 NBA 的是从未有过的新鲜感，有他，比赛变得充满吸引力，因为没人知道他会做出什么样的举动，人们只能睁着眼睛，目不转睛地看着他，生怕错过任何一个细节。无他，比赛似乎瞬间变得平庸，不论打得如何焦灼、激烈，也不过是有迹可循的对决，沿着战术安排和球星特点，总会有迹可循。

他仿佛武林最高境界的天外飞仙、一剑东来，充满变化，却无痕迹。

很难说是“普林斯顿”打法的国王成就了“白巧克力”，还是“白巧克力”成就了那支极具观赏性的国王，总之在阿德尔曼的战术体系之下，这位传球鬼才开始肆意挥洒自己的篮球天赋，于是许许多多匪夷所思的传球就这样出现在球迷们的眼前，全明星赛上的那个后肘传球更是让巴克利惊呼在“2K”里都无法仿制出来。这就是“白巧克力”威廉姆斯，一个靠传球就能让你爱上他的男人。

当整个 NBA 都变得那么规规矩矩、庸庸碌碌时，我们又何尝不怀念那个带给我们千般滋味的“白巧克力”呢？

〈生涯高光闪回 / 手肘梦幻传球〉

高光之耀：凭借一手鬼神莫测的传球技巧，“白巧克力”威廉姆斯曾被誉为史上传球最华丽的控卫。

初入 NBA 的他，在 2000 年 NBA 新秀赛上做出令人瞠目结舌的“手肘传球”，他先用左手假意背后要传给右边的队友，之后用右手手肘将球打向左面，创意性之强，难度之高，震撼了所有人，堪称传球中的经典之作。

档案

佩贾·斯托亚科维奇 /Peja Stojakovic
位置：小前锋
出生日期：1977 年 6 月 9 日
身高：206cm 体重：100kg
效力球队：国王、步行者、黄蜂、猛龙、独行侠
球衣号码：16

荣耀

1 届总冠军：2011
3 届全明星：2002–2004
1 届最佳阵容二阵：2003/2004

常规赛场均数据

17.0 分 /4.7 个篮板 /1.8 次助攻

季后赛场均数据

14.4 分 /4.9 个篮板 /1.0 次助攻

佩贾·斯托亚科维奇常规赛数据表

赛季	球队	篮板	助攻	得分
1998/1999	国王	3.0	1.5	8.4
1999/2000	国王	3.7	1.4	11.9
2000/2001	国王	5.8	2.2	20.4
2001/2002	国王	5.3	2.5	21.2
2002/2003	国王	5.5	2.0	19.2
2003/2004	国王	6.3	2.1	24.2
2004/2005	国王	4.3	2.1	20.1
2005/2006	国王	5.3	2.2	16.5
2005/2006	步行者	6.3	1.7	19.5
2006/2007	黄蜂	4.2	0.8	17.8
2007/2008	黄蜂	4.3	1.2	16.4
2008/2008	黄蜂	4.3	1.2	13.3
2009/2010	黄蜂	3.7	1.5	12.6
2010/2011	黄蜂	1.0	1.0	7.5
2010/2011	猛龙	1.5	0.5	10.0
2010/2011	独行侠	2.6	0.9	8.6

3

佩贾·斯托亚科维奇

PEJA STOJAKOVIC

作为东欧出产的顶级射手，佩贾成为“一招鲜，吃遍天”的代表，
在NBA，资质平平的他就凭借精良射术入选全明星。
作为联盟最好的射手之一，佩贾在投篮时机的选择、出手速度和准度
都很不错，但他心理素质不过硬，个人持球进攻能力平平。
关键投篮技术极其出色，尽管“歪把”投篮动作并不标准，但出手速
度快，命中率高，射程覆盖范围大，空切跑位能力强。

1977 年 6 月 9 日，佩贾生于南斯拉夫——如今叫作塞尔维亚。

少年的佩贾在炮火声中学会了远射。16 岁成为职业球员，然后去了希腊。1996 年被国王选中时他不过 19 岁，但和大多数欧洲新秀一样，并没有立刻到 NBA 报到。1998 年夏天他正式来到国王时，刚成为希腊联赛的 MVP。也就是同一个夏天，韦伯从华盛顿赶来，阿德尔曼执起国王帅印。

如你所知，那是个缩水赛季，国王队在韦伯和迪瓦茨、“白巧克力”的带领下，在一片死气沉沉的同行们的衬托下，国王的篮球打得花团锦簇分外妖娆，和年轻的湖人一起，成为西部新贵，一向被诟病球风偏软的韦伯加冕篮板王。佩贾在其中偶露峥嵘，显得有点儿不适应防守和扩大的三分线。第二年，国王打得更好看了，但防守端依然温良恭俭让任君摆布。国王队中邪似的在季末掉到第八，如愿以偿地碰湖人，2 比 3 光荣出局。他还是不温不火，经常显得过于文雅安静——不过小尼尔森已经开始惊叹：咦咦，这个白人射手似乎开始适应 NBA 了嘛。

作为一支新军，国王上下锐意进取。2000/2001 赛季，国王送走炫目迷离的“白巧克力”，佩贾进入首发；由此开始他作为一个神射手最风光的岁月。之后五个赛季里，他四个赛季场均得分超过 20 分——你要知道，他虽然有标准的 2.06m 前锋式身高，但作为一个欧洲白人，你完全不要指望他和同样尺寸的黑人大汉肉搏；顺便，因为他的身高，还连累了他的运球水平，如此一来，你就更要佩服他这场均 20 分了。独特的出手姿势，神奇的出手速度和惊人的准确度，再加上身高带来的超高出手点，足以让他成为一名超凡脱俗的射手。在他进入首发后的前五个赛季，他有四个赛季三分球命中率超过 40%。2001/2002 赛季，他蝉联了 NBA 全明星周末的三分王。

身为一个欧洲白人，他足够聪明顺滑，他精通一切为射手设置的战术和寻找出手机会的方法；在阿德尔曼的指挥下，紫色高位“双塔”领衔下的国王在“普林斯顿体系”中如鱼得水。球队高举进攻大旗，打得挥洒自如行云流水写意淡然，那些策应反跑背传击地，一传一射的心有灵犀妙手天成，简直不带烟火气息。他举手投足间散发的温文尔雅非常契合这打法这风范。球队是一具精巧的机器每个零件都严丝合缝运转无碍，就像史密斯维森手枪，他就是枪管，只需保持清洁，精确发射即可。

2001/2002 赛季初，国王头牌韦伯缺阵，佩贾在前 20 场比赛中场均 24 分，国王 15 胜 5 负跌破所有人眼镜。由此连续三年入选全明星。在他最巅峰的 2003/2004 赛季，全季出战 81 场，场均 24 分 6 个篮板，常规赛 MVP 排行第四。这让国王最终下定了决心送走伤病频发的韦伯。

但一如那时所有的白人射手，他那种依靠跑动、掩护、反向切入的无球打法，一旦在季后赛中遭遇高压防守，他就会变得极不稳定。最著名的一球自然是 2002 年大战湖人的西部决赛生死局那致命的一记三分球三不沾，间接导致那支紫色烟花般的国王再也没能抵达距离王冠更近的地方。评论家们垂涎他的射术和球感，同时也诟病他的绵软球风。随着韦伯离去，国王迅速衰落，佩贾打了一季好球但却独木难支。之后的 2005/2006 赛季，更是被伤病纠缠到场均只剩 16 分。至此，他终于在国王待不下去了——他和韦伯的恩怨情仇成了伴随国王衰落的“狗血剧”。

从 2006 年 1 月到 7 月，他从国王辗转到印第安纳，最后来到了新奥尔良。这里有联盟最聪慧灵秀的控卫，刚刚获得最佳新秀的“二年级生”克里斯·保罗。但伤病并没有打算放过他，之后四年里，伤病是新奥尔良的主题，而佩贾则是这一主题的重要组成部分。

2006 年 11 月 2 日，黄蜂输给快船 16 分，同时还折损了大卫·韦斯特，他们这个赛季的头号得分手。他这一缺席，就是足足 30 场。下一场对夏洛特山猫，保罗失常到 8 投 0 中仅靠罚球得到两分，但黄蜂凭借着钱德勒 42 分钟里高来高去的 15 个篮板球，以及佩贾神乎其技的 22 投 15 中 42 分，硬是从新军山猫手中夺下一场胜利。新奥尔良受此鼓舞，又是一波四连胜。但噩梦还没有结束，11 月 24 日他们不可理喻地输给早已没有战斗力可言的明尼苏达森林狼不说，佩贾更是提前结束了这个赛季，而这只是他在黄蜂的第 13 场比赛。失去了他场均 18 分的支持，黄蜂雪上加霜，以五连败结束了 11 月的比赛。

那个赛季他们没能进入季后赛。之后如童话般美好的 2007/2008 赛季，是佩贾在 NBA 最后的完整而优秀的赛季。他是那支童话般的小球队的第三得分点，每个夜晚像收到快递般接过克里斯·保罗的传球，然后稳稳命中一记三分球；每一次投中，都会有球迷在场边举着他的头像来回跑动：这是专为他设定的庆祝方式。他们大战湖人拿下西部第二，然后首轮屠戮小牛，在半决赛和马刺大战七场。55 场常规赛胜利，12 场季后赛 7 场胜利，全都是经典。

但也就是如此了。2008/2009 赛季，黄蜂再度被伤病席卷，佩贾缺阵 21 场，钱德勒缺阵 37 场，皮特森因为伤病退出了首发名单。整个球队只有巴特勒参加了全部的 82 场常规赛，只有波西没打过首发。过多的伤病和孱弱的替补让健康的主力更加疲劳，然后进入恶性循环。这一切最终以季后赛首轮第四场著名的 58 分惨败和崩溃作为结局。

新奥尔良试图在一片废墟上重整旗鼓，但重建计划中不包括佩贾。到了 2010 年 12 月底，佩贾和杰里·贝勒斯一起，被送到暗无天日的猛龙，后者在 2011 年 1 月 21 日买断了他的合同。四天之后，他签约达拉斯小牛。

众所周知，达拉斯在 2010/2011 赛季拿到总冠军。但佩贾只在总决赛第一场投了一球，就被卡莱尔提前宣布赛季结束：所以，对于此时 34 岁的佩贾而言，故事所有的高潮留在了那年的西部决赛第四场。他以 9 投 9 中的三分球让小牛狂砍 36 分完成横扫，就此弥补了 21 世纪初连续三年成为湖人王朝垫脚石，尤其是 2002 年西部决赛生死局那耻辱的一击不中的遗憾，那支华丽的国王可以从此含笑于泛黄的史书中了。

不过卡莱尔当时也许并不知道，他在 2011 年总决赛第一场后的决定，成了佩贾整个职业生涯的句点。

〈生涯高光闪回 / 球衣退役〉

高光之耀：2014 年 12 月 17 日，国王在主场迎战雷霆的比赛之前，为球队传奇射手佩贾举行了球衣退役仪式。

佩贾在国王拥有传奇般的地位。他是国王队史三分命中纪录保持者（1070 记三分），同时还是罚球命中率纪录保持者（89.3%），他为国王效力了 518 场比赛（排名队史第 8），场均贡献 18.3 分 5.0 个篮板 2.0 次助攻 1.0 次抢断，命中率 46.1%，三分命中率 39.8%。2001/2002 赛季，国王常规赛拿到 61 胜 21 负的战绩，季后赛西部决赛，他们与湖人大战七场，但还是无缘总决赛，当年也是国王的巅峰时期。

杰森·塔图姆常规赛数据表

赛季	球队	篮板	助攻	得分
2017/2018	凯尔特人	5.0	1.6	13.9
2018/2019	凯尔特人	6.0	2.1	15.7

档案

杰森·塔图姆 /Jayson Tatum

位置：小前锋

出生日期：1998 年 3 月 3 日

身高：203cm 体重：93kg

效力球队：凯尔特人

球衣号码：0

荣耀

最佳新秀阵容一阵：2017/2018

常规赛场均数据

14.9 分 /5.6 个篮板 /1.7 次助攻

季后赛场均数据

18.5 分 /4.4 个篮板 /2.7 次助攻

2♠

杰森·塔图姆

JAYSON TATUM

他是继贾巴尔之后，史上最具现象级的新秀“菜鸟”。一分之差即可打破“天勾”保持四十余年的新秀赛季季后赛总得分纪录，这个“菜鸟”不一般。塔图姆完全不像一个刚入行的新秀。

球迷们惊叹于这个刚刚年满 20 岁的孩子能够在三轮系列赛中稳如磐石，即使在抢七生死局，也能飞身隔扣，颜射三分，那种在场上来去自如，面无惧色的淡定从容，源自天分，与经验无关。

1997 年 7 月 5 日，一个名叫布兰迪·科尔的 18 岁女生，在高中毕业数周后，发现自己怀孕了。眼看大学开学季将至，科尔面临着两难的抉择：挺着肚子走进校园，还是无情地打掉腹中胎儿。年轻的姑娘不假思索，他选择生下这个孩子。

20 年后，38 岁的布兰迪站在北岸花园的看台上，目睹着儿子快乐地奔跑着，她无比庆幸自己当年的决定。是的，那个幸运的孩子就是塔图姆，凯尔特人的“菜鸟”，波士顿的英雄。

少年单亲妈妈的人生履历中，总是充满了各种坎坷与煎熬，布兰迪也不例外，在生下塔图姆后，她就开始了艰难的生活。游走于学校与家庭之间，还要利用课外时间打零工，偿付各种花销。布兰迪的生活压力之大，是很多同龄人难以企及的，有时候为了照顾小塔图姆，她不得不带着儿子一起走进课堂。

年幼的塔图姆，就是伴随着母亲不断地奔波忙碌而成长，经过 13 年的刻苦学习，布兰迪获得了语言学、政治学和法学的学位，最后成为一名优秀的律师。这段卓越的进阶经历，为年少的塔图姆树立了人生标杆，“妈妈告诉我，这个世界上就没有不可战胜的事儿，”塔图姆说，“她是我的榜样和偶像。”

出色的训练习惯，造就了塔图姆扎实的基本功，他在场上永远表现得比同龄人冷静且理性，就读于查米纳德学院预备高中的时候，塔图姆就成了球队的绝对核心，他娴熟的进攻技巧让很多球探感叹：这真的只是个 16 岁的孩子吗？高四那年，塔图姆的数据是惊人的场均 29 分 9.1 个篮板，是公认的全美最强的五个高中生之一。

2016 年，杜克大学力压众多 NCAA 名校，赢得了塔图姆的争夺战，老 K 教练最喜欢这类基本功扎实、场上作风强硬、头脑思维灵活的年轻人，所以大一赛季，塔图姆就稳进先发，并扮演了球队核心的角色，场均 16.8 分 7.3 个篮板 2.1 次助攻 1.3 次抢断 1.1 个盖帽，得分和篮板在队内排第二，数据之全面，在所有大一新生中，难得一见。

全面而实用的进攻才华，敏锐而专注的防守意识，以及在拼抢中毫不惜力的作风，让塔图姆早早就成为了 2017 年乐透区里的当红新星。众多球队 GM 和球探都对这个 19 岁的孩子兴趣浓厚，但花落谁家，尚看缘分。

丹尼・安吉第一次见到塔图姆时，就被这个孩子温文尔雅的性格所打动，在观看了塔图姆的试训后，他同史蒂文斯的意见一致：是的，这就是我们需要的新锐力量。

2017 年 6 月 23 日，安吉决定用探花签选择塔图姆。毫无疑问，在所有的同届新秀中，塔图姆是适应能力最强的球员，他的球路特点和技术习惯，决定了他会以最快的速度融入体系之中。何况，他加入的还是史蒂文斯教练的球队。

夏季联赛的初次亮相，就引来了一片惊呼，在拉斯维加斯的三场比赛中，塔图姆场均 17.7 分 8.0 个篮板，入选夏季联赛最佳阵容二队。在休赛期凯尔特人与骑士的大交易中，克里夫兰方面曾提议将塔图姆放入交易讨论，但遭到了安吉的果断拒绝。

2017 年 10 月 18 日，塔图姆迎来了职业生涯的常规赛首秀，我们试着忍住心痛去回忆那场支离破碎的比赛，戈登・海沃德的重伤令人惋惜不忍回首，但塔图姆的发挥却堪称惊艳不容抹杀。14 分 10 个篮板，1979 年伯德之后“绿衫军”队史第一位首秀即砍两双的球员。而这样的超越，贯穿了整个赛季。

海沃德的重伤报销，在一定程度上成全了塔图姆，他的轮换时间大增，承担的侧翼攻防任务也比赛季前预想得要重许多。但 19 岁的少年毫无惧色，他认真听着教练的每一次指导，然后上场展现自己出色的执行力和对比赛的判断能力。

2017/2018 赛季，塔图姆在史蒂文斯的悉心调教和保护下，成长迅速，他的火力输出维持在一个高效的维度。常规赛收官时，他的数据是场均 13.9 分 5 个篮板 1.6 次助攻 1 次抢断，投篮命中率 47.5%，三分命中率 43.4%。他还成为自库里之后，又一位单赛季总得分破千且三分命中率超过 40% 的新秀球员。而这仅仅是塔图姆创造历史的开始，凯尔特人以 55 胜 27 负的成绩位列东部第二，挺进季后赛。

由于戈登・海沃德和凯里・欧文先后赛季报销，凯尔特人两大核心全部伤缺，踏上季后赛征程的是一支残阵“绿军”，自然看衰他们的占大多数。但没有人会想到，就是这样一支凯尔特人，会连过两关，与骑士会师东决，并距离总决赛只差一场胜利。

而塔图姆本人，则在自己人生的首次季后赛之旅中，大放异彩，惊艳全美。从第一场比赛到最后的抢七失败，塔图姆一路超越了伯德、“魔术师”约翰逊、科比等传奇名宿，成为 48 年来，NBA 最不可思议的新秀球员。

19 场季后赛比赛，10 次“20+”，比肩贾巴尔，职业生涯首次季后赛总得分 351 分，只比贾巴尔少一分，位列历史第二。此外还有一连串的队史“菜鸟”纪录被塔图姆踩在了脚下，甚至连偶像科比保持的季后赛连续 4 场“40+”最年轻纪录，也被他独享。

保罗·皮尔斯在目睹了塔图姆的表现后发推特点赞：“这孩子太惊艳了。”而史蒂文斯则一针见血地表示:“有很多就要到 30 岁的球员也做不到他现在能做的事情。”是的，这绝不仅仅只是说塔图姆在“菜鸟”赛季就完成了杀进分区决赛的壮举，而是指这个 20 岁的孩子在场上成熟稳健的作风，以及无所畏惧的胆魄。

是啊，有几个新秀球员敢在勒布朗头上完成隔扣，并有胆量去挑衅他呢。赛后，詹姆斯主动走到场边，与塔图姆紧紧相拥，他有太多的话想跟这个年轻人一起分享。“塔图姆非常有前途，打球沉着冷静，”詹姆斯说，“我认为塔图姆迟早有一天会成为巨星，他会获得成功，无论是在场内还是场外。”

未来的路还很长，20 岁的塔图姆还不想将目光投向远方，他沮丧地走进花园球馆的走廊，却并不失望，毕竟“公子”举世无双，何须暗自彷徨?

〈生涯高光闪回 / 天王山一战退骑〉

高光之耀：值得一提的是，2018 年季后赛最终塔图姆总得分为 351，仅次于贾巴尔的 352 分，傲居 NBA 历史新秀季后赛得分榜的第二位。。

2018 年 5 月 24 日，季后赛东部决赛“天王山之战”，凯尔特人主场以 96 比 83 战胜骑士，赢下此役后大比分 3 比 2 领先。此战塔图姆多次打进强硬进球，提振“绿衫军”士气。最终他砍下 24 分 7 个篮板 4 次助攻 4 次抢断，堪称赢球功臣。

塔图姆不但为球队拿下了一场胜利，他也用优秀的数据在不断刷新联盟历史季后赛纪录。在塔图姆拿下 24 分后，他新秀赛季的季后赛总得分已经达到了 312 分，这也让他成为又一位在新秀赛季季后赛打破 300 分的球员。NBA 历史上只有 6 位新秀季后赛“300 分 +”俱乐部成员，其中包括了塔图姆。有意思的是，这 6 位球员里，有埃尔金·贝勒、乔治·麦肯、贾巴尔三位湖人名宿，而塔图姆也是第一位完成这项成就的凯尔特人球员。

安德烈·伊戈达拉常规赛数据表

赛季	球队	篮板	助攻	得分
2004/2005	76人	5.7	3.0	9.0
2005/2006	76人	5.9	3.1	12.3
2006/2007	76人	5.7	5.7	18.2
2007/2008	76人	5.4	4.8	19.9
2008/2009	76人	5.7	5.3	18.8
2009/2010	76人	6.5	5.8	17.1
2010/2011	76人	5.8	6.3	14.1
2011/2012	76人	6.1	5.5	12.4
2012/2013	掘金	5.3	5.4	13.0
2013/2014	勇士	4.7	4.2	9.3
2014/2015	勇士	3.3	3.0	7.8
2015/2016	勇士	4.0	3.4	7.0
2016/2017	勇士	4.0	3.4	7.6
2017/2018	勇士	3.8	3.3	6.0
2018/2019	勇士	3.7	3.2	5.7

●档案

安德烈 · 伊戈达拉 /Andre Iguodala
位置：小前锋
出生日期：1984 年 1 月 28 日
身高：198cm 体重：94kg
效力球队：76 人、掘金、勇士
球衣号码：4、9

●荣耀

3 届总冠军：2015、2017、2018
1 届总决赛 MVP：2015
1 届全明星：2012
1 届最佳防守阵容一阵：2013/2014

●常规赛场均数据
12.2 分 /5.1 个篮板 /4.4 次助攻

●季后赛场均数据
10.9 分 /4.9 个篮板 /3.9 次助攻

2

安德烈·伊戈达拉

ANDRE IGUODALA

草根中的巨星，巨星中的草根，也许这是对伊戈达拉最好的评价。在十几年职业生涯中，天赋异禀的伊戈达拉总是不温不火，似乎永远不是阵中那最璀璨夺目的“一哥”。但如果他以奇兵之势杀出，却是对手最无法摆脱的梦魇，我们将他称为库里身边的皮蓬，显然低估了他的能量，2015 总决赛，伊戈达拉抢镜成功，加冕 MVP。

1984 年 1 月 28 日，伊戈达拉出生于伊利诺伊州春田市，从小他就争强好胜，力争上游，无论是学习还是运动，他梦想着像迈克尔・乔丹和迈克尔・约翰逊（旧金山 49 人队传奇巨星）一样，成为城市英雄。

伊戈达拉高中时期就读于兰菲尔高中，棒球名人堂球员罗宾・罗伯茨和著名篮球后卫凯文·甘布尔都出自这所学校。刚刚进入篮菲尔高中时，伊戈达拉只有 1.75m，司职控卫，然而随着身高的疯长，他在高中最后一年已经成为队内海拔最高的球员，也因此把场上的 5 个位置打遍了。

2000 年夏天，伊戈达拉参加了全美 17 岁以下篮球锦标赛，决赛中命中压哨绝杀，帮助球队夺冠，荣膺 MVP，首次赢得了职业篮坛的关注。2002 年伊利洛伊州 AA 类高中联赛，伊戈达拉率队夺得亚军，贡献 23.5 分 7.8 个篮板 4.1 次助攻。

高中的篮球生涯，伊戈达拉赢得了四星级评价，美国媒体将他列为小前锋的第六位，当届球员的第二十六位。由于学业出色，伊戈达拉收到了多家大学的邀请，权衡再三他还是选择了伊利诺伊大学，与钱宁・弗莱、卢克・沃顿、穆斯塔法・沙库尔、萨利姆・斯塔德迈尔和哈桑・亚当斯成为队友。

亚利桑那大学众星云集，伊戈达拉在其中并不显眼，然而队友卢克·沃顿坚信他将成为校史最出色的球员之一，而伊戈达拉告诉主帅奥尔森，他想变得像沃顿一样。

为亚利桑那大学效力两个赛季之后，伊戈达拉决定参加 NBA 选秀。

2004 年选秀大会，费城 76 人在第 9 顺位选中了伊戈达拉。

彼时 76 人还是艾弗森的球队，伊戈达拉扮演副手，首个赛季两个“AI”率领球队杀入季后赛，他也入选最佳新秀第一队。然而随后两个赛季，76 人都没有达到 40 胜，艾弗森向管理层施压，随后被交易到掘金，伊戈达拉迎来了自己的时代。

2006/2007 赛季，伊戈达拉的场均得分升至 18.2 分，但始终无法摆脱“AI”的阴影，艾弗森离开的几个赛季里，伊戈达拉被迫增加出手，媒体比喻就像把一个方块硬往圆孔里塞，他充分证明自己并不适合出演男一号。

2012 年伦敦奥运会决赛之前，伊戈达拉收到自己被交易到丹佛掘今的消息。

在丹佛，伊戈达拉找回了自己的节奏，他不需要勉力客串主角，他的无私得到了全队的认可，总经理乌杰里非常希望留下。然而季后赛 2 比 4 负于勇士之后，伊戈达拉对金州心驰神往，勇士的管理层和球迷深深吸引了他，在卡尔的冷嘲热讽之中，伊戈达拉加盟了勇士，彼时他没有想到，这是自己职业生涯最重要的决定。

76 人不待见伊戈达拉，勇士却把他当成了宝贝。伊戈达拉明白，在这支以“水花兄弟”为主打的球队里，自己可以发挥出最大的价值。“我可以成为托尼·阿伦，与此同时，我还可以像斯科特·皮蓬一样去进攻。”伊戈达拉说，“我一直在说 76 人时期的间接助攻，有些时候，形成助攻之前的那次传球往往更加重要。我知道，如果我借助库里掩护，汤普森的防守人一定会提上来，因为大个此时正在换防我，球场另一侧就变成了 4 打 3。如果把球拆给库里，势必会有人跟上防守，此时汤普森会被放空。这样的战术不需要刻意演练，我知道防守人肯定会换防。不断地轮转之后，你每次都能获得得分机会。这是我从安德烈·米勒那儿学来的。”

伊戈达拉在金州找到了自己的位置，然而在加盟的而第二个赛季，他面临着职业生涯以来最严峻的挑战。史蒂夫·科尔走马上任，希望将巴恩斯拿上首发，让伊戈达拉引领替补，为此他给奥尔森打了电话。伊戈达拉的大学教练如此回复：“不用担心，和自己的数据表现相比，他更在乎球队获胜。”

让一个此前 808 场比赛全部首发的球员坐上替补席并不容易，况且伊戈达拉还拿着队内第三高的薪水，而顶替他的巴恩斯并没有想象中那么优秀。科尔与伊戈达拉的讨论贯穿了整个训练营：“我并不觉得他对此感到高兴，但他明白我的意思，我阐述了自己的观点，值得称赞的是，他很快就接受了。我觉得这为球队伊始就奠定了基调，一种牺牲精神。”

伊戈达拉并不在乎是否首发，更重要的是要找到自己的节奏和方法来影响比赛，但这种改变并不是无缝转换，如他所说："比看起来艰难得多。"当年亚利桑那大学的学长沃顿已经变身勇士助教："在某些比赛中，他总能不可思议地看到球队所需，及时补充上去。在 NBA 这是罕见的能力，在这个联盟中，每个人都想在数据方面有所表现——'我要数据，要得分，要助攻，要篮板球'。"

沃顿口中的"某些比赛"当然包括总决赛，首战詹姆斯得到 44 分，骑士败北。"如果说一个球员得到了 44 分，他的防守者又表现出色，那这就很搞笑。"科尔说，"但我认为伊戈达拉太出色了。"伊戈达拉防守詹姆斯时，总能收获比队友更好的效果，首战的 19 个回合中，詹姆斯 14 投 4 中，加时赛 7 投 2 中。伊戈达拉将表现归功于前队友阿龙·麦基。2004 年这位防守悍将曾经对伊戈达拉面授机宜："关键在于，尽可能让对手感到难受。"

总决赛第四场伊戈达拉站上了先发位置，他的稳定发挥成为勇士主打小个阵容的胜负手，那场关键战役他贡献 14 分 8 个篮板 7 次助攻 3 次抢断。"他是我们防守詹姆斯的最佳球员。"科尔说，"他是极棒的决策者。我是说，他有 7 次助攻却没有失误。他能抢篮板，能防守任何人。"

系列赛开始之前，詹姆斯已经发现了苗头："他是一个 X 因素，而且竭尽全力。"第五场比赛，当伊戈达拉站上罚球线，MVP 的呼声响彻甲骨文中心。"当我听到 MVP 的呼喊声，我还以为他们在喊库里。"伊戈达拉大笑说。

当勇士收获 40 年来的首个冠军，伊戈达拉当选总决赛 MVP，一切都在意料之外，情理之中。更让他高兴的是，他甩掉了此前所有的标签，成为非典型巨星。麦基说："身为球员，他从未动摇过，我想每个人都想变得伟大，每个人都想更成为超级巨星，但"一哥"很享受做他自己。"

〈生涯高光闪回 / 草根 FMVP〉

高光之耀：整个常规赛，伊戈达拉没有一次首发出场，场均只有 7.8 分 3.3 个篮板 3 次助攻。但总决赛伊戈达拉开启了神奇之旅，场均贡献 16.3 分 5.8 个篮板 4 次助攻，攻防两端都有抢眼表现。最终，伊戈达拉成为 NBA 史上首位常规赛 0 首发的 FMVP。

2015 年 6 月 17 日，NBA 总决赛第六战，勇士客场以 105 比 97 击败骑士，总比分以 4 比 2 如愿夺冠，拿下队史 40 年首个总冠军。而原本球队替补，总决赛后三场才被提入首发的伊戈达拉，力压库里詹姆斯，当选总决赛 MVP，堪称史上最草根的 FMVP。

档案

慈世平 /Metta World Peace
位置：小前锋
出生日期：1979 年 11 月 13 日
身高：201cm 体重：113kg
效力球队：公牛、步行者、国王、火箭、湖人、尼克斯
球衣号码：15、23、37、51、91、93、96

荣耀

1 届总冠军：2010
1 届全明星：2004
1 届最佳防守球员：2003/2004
2 届最佳防守阵容一阵：2003/2004、2005/2006
1 届最佳阵容三阵：2003/2004

常规赛场均数据
13.2 分 /4.5 个篮板 /1.7 次抢断
季后赛场均数据
13.9 分 /4.8 个篮板 /1.5 次抢断

慈世平常规赛数据表

赛季	球队	篮板	抢断	得分
1999/2000	公牛	4.3	1.7	12.0
2000/2001	公牛	3.9	2.0	11.9
2001/2002	公牛	4.9	2.8	15.6
2001/2002	步行者	5.0	2.4	10.9
2002/2003	步行者	5.2	2.3	15.5
2003/2004	步行者	5.3	2.1	18.3
2004/2005	步行者	6.4	1.7	24.6
2005/2006	步行者	4.9	2.6	19.4
2005/2006	国王	5.2	2.0	16.9
2006/2007	国王	6.5	2.1	18.8
2007/2008	国王	5.8	2.3	20.5
2008/2009	火箭	5.2	1.5	17.1
2009/2010	湖人	4.3	1.4	11.0
2010/2011	湖人	3.3	1.5	8.5
2011/2012	湖人	3.4	1.1	7.7
2012/2013	湖人	5.0	1.6	12.4
2013/2014	尼克斯	2.0	0.8	4.8
2015/2016	湖人	2.5	0.6	5.0
2016/2017	湖人	0.8	0.4	2.3

2 ♣

慈世平

METTA WORLD PEACE

联盟最出色的一对一防守专家，也是最让科比、麦迪、艾弗森等球星头疼的对手。斗志旺盛，拥有极为出众的力量、速度、抢断能力以及一流的防守技术。
“心有猛虎，细嗅蔷薇”总觉得慈世平有着张飞绣花般的灵巧心思，也有“天杀星”李逵般不可控制的暴力因子，总之目睹过“他野兽出没日子”的球迷们，对于如今格林的评价也只有“不过如此”。今后缺少慈世平的岁月，似乎缺少了肆意飞扬的狂野和残暴，一切变的云淡风轻，一切也索然无味……

2016年4月14日，斯台普斯中心万人空巷。科比·布莱恩特传奇谢幕，他用一种“科比”式的高调与这个世界告别。

2017年4月12日，斯台普斯中心，洛杉矶湖人本赛季的最后一次主场比赛，又迎来一次告别。老将“慈世平”（原名罗恩·阿泰斯特/Ron Artest），破例代替拉塞尔首发出战，这是他职业生涯最后一次以湖人球员的身份出现在斯台普斯中心了。

寥寥的24分钟，“慈世平”17投7中砍下18分4个篮板以及4次抢断，他放弃了最后时刻出手得分的机会，静默着让时间走完。

而这是“慈世平”选择的独有告别方式。

1979年2月13日，“慈世平”在纽约皇后区出生，那时他叫罗恩·阿泰斯特二世。他出生的皇后区是著名的“无主之地”，那里黑帮横行、毒品泛滥。而慈世平的童年也并不幸福，一家10口人挤在两居室的房子里，老阿泰斯特还有家庭暴力行为。最终导致婚姻破裂，童年的慈世平遭遇重创患上了狂躁症，年仅 8 岁就需要接受心理治疗。

因祸得福的是，医生的诊断方案是让慈世平去打篮球，转移注意力。结果慈世平的篮球天赋一下子迸发了出来，彼时的野球场上，慈世平经常奋战整天，无论什么比赛都有他的身影，这也为他日后进入 NBA 奠定了坚实的技术基础。

1997 年，慈世平进入了圣约翰大学，从此开始了他“恶名远扬”的防守悍将之路。大一赛季慈世平就搞定了 11.6 分和 6.3 个篮板，成为“大东赛区”的最佳新秀。而主队“红色风暴”取得了 22 胜 10 负的战绩，自 1993 年以来，首次打进 NCAA 锦标赛。接下来的大二，慈世平再进一步，场均 15 分 6 个篮板和 4 次助攻，一展全能小前锋的风采。

1999 年慈世平宣布正式进入 NBA 选秀，芝加哥人在第 16 顺位，将他拿下。

被公牛选中后慈世平心情也还不错，能和当时杜克大学的明星埃尔顿・布兰德同队，毕竟也不是什么坏事。慈世平的新秀赛季也还顺风顺水，虽然作为 16 顺位的球员，他并没有得到太多的上场时间，但他依旧能砍下 12 分 4.3 个篮板和 2.8 次助攻，外加位列 NBA 第十三位的 1.65 抢断，未来防守悍将的雏形已经清晰可见。

然而，好景不长，2001 年，慈世平干了一件让全世界疯狂的事情——在一场热身赛中，阿泰斯特“凶狠”地冲撞了自己的偶像迈克尔・乔丹，将“乔帮主”肋骨撞断了两根。

虽然时候慈世平一再说他只是全力以赴，而且出于对“乔帮主”的尊重。但是公牛还是将慈世平送走了，2002 年 2 月 19 日，他被送往印第安纳步行者，从此开始了更加奇葩诡异的职业生涯。

在步行者慈世平很快成为球队的重要一员。2003/2004 赛季慈世平获得了当年的联盟最佳防守球员的头衔。常规赛，慈世平每场抢断 2.08 个在全联盟排第三，每场将对手得分限制在 8.1 分之下。并交出场均 18.3 分 5.3 个篮板和 3.7 次助攻的出色技术统计，成功入选全明星。同时“体育在线”还把他评为 2004 年的最佳小前锋。然而季后赛，步行者却在和活塞的东部冠军争夺中惜败。

那一年，印第安纳豪取 61 胜 21 负的全联盟最佳战绩，彼时慈世平的队友杰梅因・奥尼尔在最后 MVP 的评选中仅次于凯文・加内特和蒂姆・邓肯。

2004/2005 赛季，原本一帆风顺的步行者，在 2004 年 11 月 19 日与宿敌底特律的比赛中，爆发了 NBA 历史上最为严重的一次赛场冲突，而其中的始作俑者就是慈世平。那场比赛已经进入最后的时间，慈世平和本・华莱士发生冲突，因为对裁判判罚不满，慈世平躺在技术台上，一名球迷向他泼洒啤酒，导致慈世平情绪失控。慈世平遂冲上观众席暴打球迷。史蒂芬・杰克逊也很快杀入战团援救慈世平。“小奥尼尔”等其他球员也紧随其后，战团一度无法控制。后来步行者全员在保安的保护之下，才得以脱身，就在走入球员通道的时候，他们还遭到了球迷投掷板凳的袭击。

这件事触犯了 NBA 的底线——球迷是他们的上帝，因此整个步行者几乎都被处以了禁赛处罚，球队也因此一蹶不振。而慈世平更是被禁赛 73 场，在禁赛期间他也不消停，录制唱片、口出狂言、要求转会，等等事件层出不穷。

2006 年 1 月 26 日，忍无可忍的步行者，毅然将他交易去了萨克拉门托。在国王，慈世平迎来了自己职业生涯的巅峰，也许是受了教训，慈世平也收敛了很多。场上贡献也日趋稳定，除了赖以成名的防守，连进攻都打磨得犀利起来，在国王的三个赛季，他的得分一路从 16.9 分飙升到 20.5 分，也因此引来休斯敦人的青睐，2008 年 7 月，他被火箭求购过去，成为“后姚麦时代”的外线防守悍将。

慈世平也没有辜负休斯敦人的期待，虽然他仅仅为休斯顿效力了 69 场比赛，却能够贡献场均 17.1 分 5.2 个篮板 3.3 次助攻和 1.52 次抢断。他的三分球命中率达到职业生涯最高的 39.9%（383 投 153 中）。整个赛季总共有 105 个抢断。

2008/2009 赛季结束后，一纸 5 年 3395 万的超值合同，慈世平投靠湖人，投靠科比，开始了自己的总冠军追求之路。而得到外线防守悍将的湖人，也终于插上了翅膀，就在慈世平加盟的第一个赛季，他就如愿以偿的捧得了总冠军奖杯。

2010 年再接再厉，湖人再夺总冠军，在与凯尔特人抢七大战，慈世平锁死对方外线的同时，砍下 20 分 5 个篮板，为“紫金军团”卫冕立下赫赫战功。

但之后随着年龄的增长，慈世平本就凭借身体和一股狠劲儿的打法，逐渐失去了威力，随着他技术统计的一路走低，2013 年 7 月 12 日，湖人一纸特赦，放逐了这位曾经构建洛杉矶钢铁防线的斗士。在 2011/2012 赛季开始前，阿泰斯特将名字改为（Metta World Peace）慈善·世界·和平，简称——“慈世平”。

改名“慈世平”的阿泰斯特，在 2013 年夏天和尼克斯签订了一份两年价值大约 300 万美元的合同，但因为膝盖等伤病原因，慈世平赛季只打了 29 场比赛，场均得到 4.8 分 2 篮板，投篮命中率只有 39.7%。2014 年 2 月 25 日，尼克斯买断了他剩下的合同。

2014 年 8 月 5 日，“慈世平”和四川男篮完成签约，他来到中国后，再次改名为“熊猫之友”（The Pandas Friend）。2014 年 12 月 8 日，慈世平由于受到膝伤困扰，休战 3 至 5 周，俱乐部确认将寻找新外援作为替代者，他的 CBA 之旅也正式终结。2015 年 9 月 25 日，自由球员慈世平已经与老东家湖人达成了一份 1 年期的非保障合同，而终于在现在这个职业生涯充满争议的慈世平给自己画下了一个句点。

结局之后，或者也是一种迷失。

他在球场上是个“恶棍”，是个“疯子”，狂妄自大，事实上虽然每个人都觉得他有些神经兮兮，但只要和他同队待过，都会认为他是个重情重义的真汉子。至于他那些出格的行为，或者，就是天性直率，我行我素罢了。

一个人能率性而活，我行我素，直到天荒地老，倒也真的令人艳羡！

● **档案**

德文・布克 /Devin Booker

位置：得分后卫

出生日期：1996 年 10 月 30 日

身高：198cm 体重：93kg

效力球队：太阳

球衣号码：1

● **荣耀**

最佳新秀阵容一阵

● 常规赛场均数据

20.7 分 /3.4 个篮板 /4.1 次助攻

德文・布克常规赛数据表

赛季	球队	篮板	助攻	得分
2015/2016	太阳	2.5	2.6	13.8
2016/2017	太阳	3.2	3.4	22.1
2017/2018	太阳	4.5	4.7	24.9
2018/2019	太阳	4.1	6.8	26.6

2

德文·布克

DEVIN BOOKER

作为最年轻的“70分先生”，布克的爆发力不算出色，但凭借出众的篮球智商、机敏的无球跑动、教科书般的出手姿势，以及迅疾的出手速度和柔和手感，还是令布克成为当今联盟年轻一代的佼佼者。他有着与年龄不相符的成熟度，成为菲尼克斯太阳队的领袖。

1996年10月30日，布克出生于美国密西西比州格兰维尔市，他的父亲梅尔文·布克是一个职业篮球运动员，一直在欧洲联赛效力。由于父亲常年在海外打球，小布克人生的大部分时间都是和母亲维罗妮卡·古铁雷斯一起度过的。尽管如此，小布克仍然受到了父亲很大的影响，他过人的运动天赋以及对老爹的崇拜，让他从小就萌生了“像父亲一样打球”的梦想。

2007年，11岁的布克去意大利探望父亲，在亚平宁他遇到了达尼罗·加里纳利，并获赠了后者的签名锐步球鞋。他怎么也没想到，八年之后，两人在NBA相遇了，加里纳斯是掘金的锋线王牌，而他是太阳的13号新秀。八年前接过锐步球鞋的那一刻，加里纳利还只是意甲联赛的少年神射手，布克则是个刚刚接受正规训练的篮球“菜鸟”。

高二那年，布克收到了人生最好的一条讯息，他的父亲梅尔文拒绝了一份海外的续约合同，决定回到密西西比州莫斯波因特的老家，这样，布克就可以离开密歇根并南下和他的父亲一同生活，全身心训练了。

凌晨五点的密西西比州的海滩上，每一天都有着布克和爸爸训练的身影。布克身上风格坚决、硬碰硬的篮球标签，就是从那时打上烙印的。很快，布克的名声逐渐响彻整个密西西比州，因此在球场上对他的双人、三人包夹也渐渐成为常态。他的身高长到了近 2m，练出了一手美如画的跳投，成为一块新时代的得分后卫璞玉，只待打磨。

2014 年，在 *ESPN* 2014 届高中生排行榜上，布克排名第十八位，他获得了肯塔基大学的奖学金，成为这所培育过拉简·隆多、约翰·沃尔、德马库斯·考辛斯、安东尼·戴维斯等知名球员的篮球名校的一员。2014/2015 赛季，布克代表肯塔基出战 NCAA 锦标赛，场均出战 21.5 分钟，得到 10 分 2 个篮板，两分球命中率为 47%，三分球命中率为 41.1%，当选东南联盟（SEC）最佳第六人，入选东南联盟最佳阵容二队和最佳新秀阵容。他已经做好了参加 NBA 选秀的准备。

2015 年太阳队用 13 号签摘走还不满 19 周岁的布克，三年前，一个身披 13 号战袍的英雄从“凤凰城”出走，结束了这座城市关于他的一切崇拜和迷恋。从此，这里的篮球荣光一如亚利桑那的沙漠，空旷而寂静。他们在等待新的英雄，拯救这座城市。

事实上，太阳队选择布克的初衷，源自他们敏锐地洞察到三分球在如今 NBA 比赛中扮演着越来越重要的角色，太阳队前一个赛季的三分球命中率仅为 34.1%，排名全联盟倒数第十。而 2015 年的两支总决赛球队则很好地说明了三分线外良好的表现是在季后赛中走得更远的关键要素。另一方面，2014/15 赛季的 NCAA 常规赛，布克在三分线外投出了 42.9% 的成绩，创造了历史第二好的纪录，他在一月份的连续五场比赛中投出了 21 投 16 中（76.2%）的三分命中率。

密歇根长大的布克自小便将理查德·汉密尔顿视作自己的偶像，后者在 2004 年帮助底特律活塞队夺得总冠军。“在我还小的时候，我并不是一个投手，但我看了很多汉密尔顿的比赛。他是我最喜欢的球员之一，我很喜欢他无球跑动的方式。”布克说。

经历了新秀赛季初段的磨合过后，进入 2016 年后布克开始发威，在 1 月 20 日对阵步行者的比赛中，他出场 39 分钟砍下 32 分，成为 2015 届新秀中第一个拿到“30+”的球员。而在两天后，他又在同马刺的比赛中得到 24 分，成为 NBA 历史上自 2008 年 4 月凯文·杜兰特之后，首位连续两场比赛至少合计得到 56 分的 20 岁以下球员。

2016 年 3 月 11 日， 在太阳客场对阵掘金的比赛中，布克出场 44 分钟，得到 35 分，刷新职业生涯单场得分纪录。整个新秀赛季，布克出战 76 场常规赛，其中 51 场先发，共得到 1048 分，场均贡献 13.8 分，成为位列勒布朗·詹姆斯、科比·布莱恩特和凯文·杜兰特之后，NBA 历史上拿到 1000 分第四年轻的球员。赛季结束后，布克入选了最佳新秀阵容第一阵容。

2016/2017 赛季，布克成为太阳二号位上的绝对主力，他在 78 场比赛中全部首发。2017 年 2 月 4 日，太阳客场以 105 比 103 战胜国王，布克砍下 33 分，并在比赛最后时刻命中职业生涯首次压哨绝杀，同时成为 NBA 历史上继勒布朗·詹姆斯之后第二位在 21 岁之前连续 15 场比赛至少得到 20 分的球员。

2017 年 3 月 25 日，太阳与凯尔特人的一场砍分大战上演，布克将自己的名字永远写在了 NBA 历史的荣誉簿上。他出场 45 分钟，40 投 21 中，三分球 11 中 4，罚球 26 中 24，疯狂的砍下 70 分 8 个篮板 6 次助攻，成为 NBA 历史上第六位单场得分“70+”的球员，20 岁的布克还成为 NBA 历史上单场得到 60 分最年轻的球员。此役布克仅用 40 次投篮就得到了 70 分，这是所有得到 70 分球员中出手次数最少的。只可惜，太阳败给“绿衫军”，这让布克史诗级的“70+”显得有些失色。

赛后，当被问到自己对砍下 70 分的看法时，布克表示宁愿得到 10 分让球队赢球，也不愿意输掉比赛。同样的身高，同样的位置，同样美如画的跳投，同样作为 13 号新秀的布克砍下 70 分，很多人开始将他与科比相提并论，而作为一代得分王，湖人名宿对于这个后生晚辈也是相当看好，他从布克身上看到了某种和自己暗合的气质。

2016/2017 赛季，“二年级”的布克已经是场均 22.1 分的优质侧翼，他的成长有目共睹。而在 2017/2018 赛季，布克在比赛中的表现更加游刃有余，并在全明星三分大赛中力挫克莱・汤普森和哈里斯，以决赛 28 分的成绩刷新纪录，并最终加冕三分王桂冠。

单赛季场均砍下 24.9 分 4.5 个篮板 4.7 次助攻，达到全能得分后卫的标准，太阳管理层也从这个 21 岁的少年身上看到无限美好的未来。2018 年 7 月，一份 5 年 1.58 亿美元的续约合同，21 岁的布克正式成为这座城市的未来基石。

2018/2019 赛季，随着状元秀艾顿的加盟，太阳队阵容爆表，他们拥有最具潜力的青年才俊，而布克则已经成长为顶尖得分手。迈入 22 岁大关的布克，在生日后的第一周就奉上绝杀，在太阳主场对阵灰熊的比赛中，在最后 1.7 秒，布克用标志性的跳投帮助球队以 102 比 100 击败灰熊，结束 7 连败。

不可否认，太阳依旧很难在短时间内重返西部前列，但时间会证明一切，布克正在用专属于自己的方式带领太阳走向光明。

拨云见日，未来可期。

〈生涯高光闪回 / 最年轻“70 分先生”〉

高光之耀：布克也成为 NBA 历史上最年轻的“70 分先生”，他只有 20 岁零 146 天。张伯伦职业生涯第一次得分达到 70 分是 1961 年 12 月 9 日，他在费城勇士以 147 比 151 输给湖人的比赛中，全场比赛得到 78 分，他当时 25 岁零 109 天。

2017 年 3 月 25 日，太阳以 120 比 130 输给凯尔特人的比赛中，布克全场 40 投 21 中，罚球 26 罚 24 中，得到 70 分 8 个篮板 6 次助攻。自此布克成为 NBA 历史上第六位“70 分先生”和最年轻的“70 分先生”。

Sun Life

LOS ANGELES
LAKERS

增补篇

紫金帝星 勒布朗·詹姆斯 / **魔鬼终结者** 科怀·伦纳德 / **玫瑰再放** 德里克·罗斯 / **闪电永恒** 德怀恩·韦德

LEBRON JAMES　KAWHI LEONARD　DERRICK ROSE　DWYANE WADE

LAKERS
23
HARDEN
17

紫金帝星

LEBRON JAMES

2018 年 7 月，4 年 1.53 亿美元合同达成，詹姆斯入主洛杉矶湖人，这意味着“联盟之皇”不仅要率领“紫金军团”王朝中兴，还要直面斯台普斯过往的那“几尊大神”。

普天之下莫非王土，率土之滨莫非王臣！以詹姆斯这位“皇帝”的视角来看，天下是用来征服的，即便是在狂野的西部、即使在星光最为璀璨的“紫金圣殿”，他也不会泯灭那颗皇者的雄心！

以前挑剔的人总喜欢以西强东弱来试图抹杀詹姆斯的成就。如今，他来了，以“东皇”只身西伐的姿态而来。近五个赛季无缘季后赛的湖人也急需一位真正的领袖。而詹姆斯将要挑战成为全美四大联盟中那个唯一率领三支球队拿到总冠军的人。

甚至，他想要挑战的还有更多……

2017/2018 赛季，湖人队以 35 胜 47 负，位列西部第十一位，战绩惨淡。但他们拥有鲍尔、库兹马、英格拉姆这样有潜力的青年才俊。而史蒂芬森、隆多、波普等悍将，都来到詹姆斯的身边，可以组成一支全新的湖人。

2018 年詹姆斯“驾临”天使之城，而此时即将 34 岁的他依然能够靠身体碾压任何对位者，他的经验、手感、技术、意志、心态，全都提升到了无懈可击的地步。于是我们终于看到了一个几乎不可理解的詹姆斯，34 岁的人生巅峰，2018 年季后赛 8 场“40+”，总决赛单场 51 分。近古以来，NBA 的季后赛历史上，没有任何人可以与之媲美。毫无疑问，刚刚过去的一年里，詹姆斯所做到的事情，将会成为一个永恒的标杆，清晰地标识出他在 NBA“万神殿”中的崇高地位。

既然来到西部，詹姆斯率领孱弱的湖人发起逆袭时恐怕早已预料残酷的竞争性，但现实来得显然更为猛烈！ 2018/2019 赛季湖人开局阶段一度胜少负多！

詹姆斯是篮球史上最恐怖的篮球机器，但他很少和对位者陷入一对一。他总是执着于破坏对手的整个防御体系，上篮，或者把球打到对手最脆弱的地方。只有万不得已时，他才会开启个人进攻模式：比如 2007 年的“天王山”、2008 年的“生死局”，2012 年的第六场以及 2018 年所有季后赛。

搴旗斩将，乃偏裨之任。当王者亲自下场搏斗时，必然是最危急的时刻到了。很不幸的是，在攻守两端都极其脆弱的湖人，詹姆斯不得不早早亮出白刃。

隆多与英格拉姆的斗殴停赛，一度打乱詹姆斯的计划，但库兹马的崛起令人激赏。

这赛季初的詹姆斯场均可以得到 27.6 分 9.1 个篮板 8.1 次助攻的准“三双”豪华数据。在他身边虽然也有隆多、麦基、史蒂芬森等老将，但更多的是青年军，沃顿的调配、阵容的磨合，至关重要。

对阵开拓者，詹姆斯砍下 44 分，总得分超越张伯伦，跻身历史第五。此后他开启“全力詹”模式，在虎狼环伺的西部，率领湖人杀入西部前八，堪称壮举。

2018 年 11 月 22 日，詹姆斯率领湖人客场对阵骑士，回到克利夫兰的他收到英雄般的礼遇，他拿下 32 分 14 个篮板，率湖人在客场以 109 比 105 击败骑士。

赛后詹姆斯与骑士前队友逐一拥抱，嘘寒问暖，默契亲密度一如从前。当那位熟悉的 23 号球员再次出现在速贷球馆，似乎一如昨天。而骑士那句“仿佛一切都没有变，只是你已不再属于我”，令人动容。

回到骑士的前一战，他面对曾经另一支效力的球队热火豪取 51 分，常规赛生涯第 12 次得分“50+”，超越艾弗森（11 次）。令迈阿密不禁慨叹：“我们也曾拥有他！”

詹姆斯像是一台行走的纪录刷新机器，即使在洛杉矶湖人也不例外，他在斯台普斯中心将自己的总得分超过了威尔特·张伯伦。除了这种水到渠成的总数据累积，他还是在湖人队史上前 25 场比赛中总得分最高（717 分）的球员。这支球队拥有过韦斯特、张伯伦、贾巴尔、奥尼尔和科比——这一串名字无疑是纪录含金量的最佳说明。

2018 年 12 月 11 日，湖人主场 108 比 105 战胜热火，詹姆斯砍下 28 分，职业生涯第 900 次常规赛得分上双，高居历史第一。

2018 年 12 月 16 日，湖人客场 128 比 100 战胜黄蜂，詹姆斯砍下 24 分 12 个篮板 11 次助攻的“三双”数据，同时鲍尔也砍下 16 分 10 个篮板 10 次助攻的“三双”数据，这是 NBA 历史上第 8 次同队队友双砍“三双”。

2018 年圣诞大战，湖人大比分击败勇士，但不幸的是詹姆斯受伤了。这位征战联盟 15 载的铮铮铁汉因为腹股沟的伤势，被迫休战了六周之久，生涯还是头一回。

更不幸的是在詹姆斯缺席的六周里，湖人从西部前四直接跌落到八名开外，无缘季后赛。即便是詹姆斯带伤上阵，也未能力挽狂澜，“紫金军团”早早告别这个赛季。

2018/2019 赛季詹姆斯代表湖人出战 55 场比赛，在场均 35.2 分钟的出场时间里贡献 27.4 分 8.5 个篮板 8.3 次助攻，是该赛季联盟中唯一打出“27+8+8”数据的球员。

对于出道即巅峰，连续八进总决赛的詹姆斯而言，未能率湖人进入季后赛是“危险”的！这必将激怒他那颗高傲的雄心，受伤、无缘季后赛、漫天的质疑……这些都是无形的动力，必将孕育着未来时刻联盟“皇者”最强的反击！

〈生涯高光闪回 / 超越乔丹〉

高光之耀：“当我还是 16 岁的小伙子时，第一次跟乔丹见面就好像看到了‘上帝’。”詹姆斯回想初见乔丹的情形，超越伟大，成为伟大，这就是 NBA 薪火相传的魅力。

2019 年 3 月 7 日，湖人主场迎战掘金，詹姆斯砍下 31 分，常规赛总得分来到 32311 分，从而超越乔丹（32292）上升至 NBA 历史得分榜第四位。而他的身前，是科比的 33643 分。赛前詹姆斯在社交平台上写道：“难以掩饰内心的激动，今晚的一切将会是做梦一样！哇哦！”

在比赛的第二节詹姆斯用一记“2+1”，詹姆斯正式完成了对乔丹的总得分超越。随后现场暂停，大屏幕播放致敬詹姆斯与乔丹的视频，一贯冷静的詹姆斯回到替补席掩面而泣。16 年前那个稚嫩少年成长为如今模样的画面一幕幕浮现，一路走来，历尽千辛万苦，终于比肩心中的传奇，他深知其中的不易。

Scotiabank
Arena
SPALDING
RAPTORS
MILWAUKEE

魔鬼终结者

KAWHI LEONARD

冷酷、犀利、面沉似水、无喜无悲，那看似空洞的眼神中却拥有摄人心魄的魔力。奔赴多伦多，独自为王的科怀·伦纳德，正以火箭般的速度蹿升，成为当今联盟炙手可热的超级巨星。

这位以“死亡缠绕”而威震江湖的总决赛 MVP 先生，在坐镇猛龙的第一个赛季，却展示出摧毁力十足的进攻技艺，尤其那抢七战的“生死一杀”，俨然成为人工智能机器终结者。两尊最佳防守球员奖项在手，同时连续两年包揽了攻防一阵。他正在以乔丹、科比的标准在攻防两端要求自己。

科怀·伦纳德曾被视为 GDP 接班人，他与马刺之间的故事已近乎于童话：他的个人气质，比赛态度，竞技方式都和这支球队无比契合。马刺给了他最好的成长环境，他回报给马刺 2014 年那个神话般的总冠军。七年的时间，他从一个勉强合格的新秀前锋，一步步将自己淬炼成球队的首席王牌，然而在 2017 年季后赛受到帕楚里亚的“踮脚”犯规以后，导致脚踝大伤的伦纳德，命运陡然扭转。

整个 2017/2018 赛季，伦纳德因为伤病只打了 9 场比赛，场均 16.2 分，而在之前一个赛季，他一步一个脚印，一年一次飞跃，已经将场均得分数字推到了 25 分以上。伤病之外，还有更严重的事件：因为他的肱二头肌问题，他和马刺管理层在续约问题上的分歧越来越大。马刺的球队文化再如何迷人，也无法弥合如此巨大的利益冲突。

双方各执一词，直至彻底翻脸交恶。最后，他被马刺流放到了极北之地多伦多。之前所有的动人故事，在这一刻被重新定义，全都成了反讽的注脚。

伦纳德一直是一个内敛的人，内敛到近乎与世隔绝：他不用任何社交工具，也极少和身边的人交流。在 2014 年的总决赛 MVP 颁奖礼上，他拘谨羞涩的举止，被记者形容为“看起来只想快点回家”。回到家里后，电视里在回放他在总决赛中的精彩表现。他的母亲、舅舅以及一些亲戚们看着电视欢欣鼓舞，而他却一眼也不瞧，一直在旁边安安静静地吃饭。

2018/2019 赛季的常规赛一开始，伦纳德就奠定了这样一种基调：即使离开了马刺，他的竞技实力依然可以向更高层次不断跃迁。2019 年新年第一场比赛对阵爵士：他在 35 分钟的上场时间里 22 投 16 中狂砍 45 分，刷新了职业生涯单场得分纪录，超越了在马刺留下的 41 分，并为猛龙带来新年开门红。这中间的提升，绝不仅仅是数字上的 4 分而已。而是他整个技术体系的进一步完善和质变。

初入联盟的伦纳德，有一双恐怖的大手，以及前锋中出类拔萃的篮板嗅觉。他可以在内线抓到篮板球，或者抄后路接球上篮。仅仅是第二个赛季，他已经成了一个靠谱的定点三分手，一个强悍的断球反击者，偶尔还能来几个背打翻身中投。

2013 年总决赛抢七败北之后，老迈的马刺急需新鲜血液。波波维奇决定进一步开发他的潜能：2013/2014 赛季，他在弧顶面框持球中投的次数开始增加。到了总决赛，这柄历经无数次淬火锤炼的名剑迸发出了第一道寒光，成了马刺复仇之战中最犀利的武器，成了“弑君者”，成了自“魔术师”约翰逊以来最年轻的总决赛 MVP。

伦纳德虽然有着恐怖的臂展和体格，却不以爆发力著称。这一切就导致一个结果：当球队需要一对一持球解决问题时，他经常在弧顶连续晃动十几秒却无法摆脱防守人，最后不得不强行在中距离出手。他的翻身跳投很精确，但步伐却不够精密扎实，只能欺负比他小一号的球员：正如他的绰号——“卡帧版乔丹”。之所以会卡帧，是因为他的步伐还不够娴熟稳健，无法流畅地完成一整套强靠、弹回、翻身、跳投动作。

然而，伦纳德再一次蜕变了！他的胯下运球开始充满节奏感，快慢如意，变换自如，急停急起间足以甩开大多数防守者。他的第一步干脆利落，虽然不够快，但重心压得极低。凭借近乎恐怖的肩膀宽度，他足以将任何防守者挡在身后。他的背身单打也俨然大成，将力量、步伐、手感完美地融合在了一起。有了这样一个绝对王牌坐镇，多伦多猛龙开始显露出前所未有的强队气质。2018/2019 赛季，在伦纳德只打了 60 场常规赛的情况下，猛龙狂揽 58 胜高居东部第二。

此时似乎还看不出他比猛龙前任头号球星德罗赞强多少。但随后的季后赛让两人顿时有了天壤之别。当德罗赞一如既往地低迷打铁，带着马刺首轮出局时，伦纳德却在半决赛第一场中 23 投 16 中狂砍 45 分。之后 76 人连扳两场，第四场悬崖边上，又是他用一场 20 投 13 中 39 分的演出带着猛龙扳平大比分。半决赛前四场，他场均 38 分，命中率是骇人听闻的 62%！很显然，德罗赞这辈子也不可能打出这样的季后赛表现。

76 人的外线明星们要么重心太高，要么身板太小，没有一个能和伦纳德对位。在天王山之战中，被他杀得风声鹤唳的 76 人，安排至少三个人对他严防死守。其他猛龙球员面前一片开阔，纷纷找回了准星，以 36 分之差大破费城。之后大比分被再次扳平，令人窒息的抢七大战中，又是伦纳德站了出来，最后 4 秒钟，他一记压哨三分终结比赛。这是继迈克尔·乔丹的“the shot”之后，NBA 历史上第二记生死局压哨绝杀。

毫无疑问，这是一个封神的系列赛。在此前的 NBA 历史上，生涯初期以防守著称的球星们，没有任何一个人能够后来居上，在进攻端打出如此有统治力的表现。是的，八年来一直如此，你一直无法想象，这个安静的刺客还能给你带来多少惊喜。

〈生涯高光闪回 / 世纪绝杀〉

高光之耀：独砍 41 分，奉献 NBA 史上第一次抢七大战生死局的压哨绝杀，28 岁的伦纳德强行逆天改命，写下传奇。面对“四星一射”阵容鼎盛的 76 人，鏖战七场，伦纳德 2 场得分超 40，以一己之力力压群雄，书写堪比乔丹的神迹。

2019 年 5 月 13 日，东部半决赛抢七大战，猛龙主场迎战 76 人。最后时刻巴特勒快攻上篮扳平比分。终场还剩 4.2 秒，伦纳德持球突破到底角，面对恩比德，在最后 0.2 秒漂移中投出手，球在篮筐上颠了 4 次之后，最终掉落网窝。凭借此记神奇进球，猛龙 92 比 90 险胜 76 人，挺进东部决赛。

传奇解码

50 **生涯新高：** 2018 年 11 月 1 日森林狼主场 128 比 125 战胜爵士，罗斯砍下 50 分，创个人生涯单场得分新高。

传奇解码

7 **三分纪录：** 2018 年 11 月 8 日森林狼客场以 110 比 114 不敌湖人，罗斯砍下 31 分 5 助攻，三分球 9 投 7 中，刷新个人生涯三分命中纪录。

玫瑰再放

DERRICK ROSE

当罗斯砍下 50 分时，我们以为那是一次绚丽的礼花绽放，是一次“80 后”与“90 后”球迷的青春欢宴，毕竟他是最年轻的 MVP 先生，是在东部唯一能硬“刚”詹姆斯的人……一次惊喜我们已经足矣，毕竟罗斯经历过太多伤病磨难、辗转漂泊。然而 2018/2019 赛季，罗斯给人的惊喜远非如此，他三分命中率高达 48.6%，投篮命中率连续 5 场超过 50%！现在的罗斯虽然不再像以前那样神勇突破如入无人之境，但是现在的他已经练得一手让人羡慕的投篮，效率还更高了。

伤、复伤、赛季报销……辗转反复、周而复始。曾天才绝艳的“风城玫瑰”，在岁月与伤病中徘徊往复、迷失自己。

而如今颠沛流离、在雪域寒境的明尼苏达，他绽放自我，重现 MVP 的风采！

作为曾经最年轻的 MVP，如今森林狼队的替补后卫，罗斯并没有慨叹命运的不公，他冲破岁月的关卡，撕碎重伤的阴霾，奋力奔跑只为追上年轻时光芒万丈的自己！他想告诉自己，那个 22 岁就捧起 MVP 奖杯的小伙子，没有放弃。梦想还在延续，这场 50 分的比赛，是饱受风霜侵袭的“玫瑰”在北寒之地明尼苏达的盛放，是体育折射到人生路上最纯粹的美好，当你没有放下希望梦想就不会离你而去。

2018/2019 赛季的森林狼队可谓多灾多难，不仅与全明星后卫吉米·巴特勒不欢而散，还饱受伤病的摧残，“枸杞哥”安德鲁·威金斯一度浑浑噩噩，“重金控卫”杰夫·蒂格又难堪大任，这支昔日天赋满满的森林狼可谓是支离破碎，危急时刻罗斯挺身而出，打出昔日 MVP 的风采与傲骨，成为明尼苏达最为骁勇锋利的“头狼”。

2017/2018 赛季，罗斯底薪加盟骑士，希望在詹姆斯的身旁重新打回身价，可惜因为与阵容的不搭配导致在赛季中期罗斯被骑士交易至爵士，随后被裁掉，那时候，罗斯几近陷入无球可打的境地，若不是昔日公牛时期的恩师锡伯杜伸来援手，恐怕他已经消失在了 NBA 的赛场上。

所有人都觉得，那个“天之骄子”回不来了，他会在森林狼堕入平庸，就像这支已经 14 年没有进过季后赛的球队一样，把斗志碾碎，撒在漫漫的时光长河之中任他自生自灭。可这个斗士，竟又缓缓挺直了脊背。

2018 年 11 月 1 日，森林狼主场 128 比 125 战胜爵士，罗斯全场 31 投 19 中，三分球 7 投 4 中，罚球 11 罚 8 中，末节 15 分，狂砍 50 分 4 个篮板 6 次助攻，30 岁的罗斯在这个夜晚主宰了这场比赛，他碾碎了爵士引以为傲的强硬防守，唤醒了唐斯的好胜心，并在比赛结束前的最后一秒，封盖掉了爵士的搏命三分，将比分定格在了 128 比 125。这场 50 分的比赛，是饱受风霜侵袭的“玫瑰”在北寒之地明尼苏达的盛放。

50 分也创造了罗斯职业生涯新高，在 MVP 赛季他得到的最高是 42 分，他知道自己终有一天能再度打破这个纪录，但没想到会在 8 年之后、时隔 2814 天以这种方式实现。这并不是关于罗斯得到命运的眷顾，而是他在漫长黑暗的地狱中艰难归来，这一切足以令人动容，时隔 7 年“玫瑰”再度绽放。联盟的“天之骄子”，却因为四次膝盖的手术变成了联盟底薪的存在，这几年罗斯经历了太多太多。

2018 年 11 月 8 日，虽然湖人坐镇主场以 114 比 110 战胜森林狼，但罗斯得到 31 分，其中三分球 9 投 7 中，7 记三分刷新个人生涯三分命中数纪录。

2019 年 1 月 16 日，森林狼队对阵费城 76 人，罗斯职业生涯常规赛总得分已经超越 10000 分，在经历过反复伤病之后，罗斯这个“万分先生”的头衔，得之不易。

2019 年 1 月 21 日，森林狼 116 比 114 险胜太阳，又是罗斯杀出，24 投 12 中得到 31 分 4 篮板 3 助攻，并在终场前 0.6 秒命中中投，绝杀对手。

此后罗斯表现一直表现一度强劲，一度险些入选 2019 全明星阵容。

2019 年 3 月 10 日，森林狼加时赛以 135 比 130 击败奇才。罗斯独得 29 分，并在加时赛命中制胜的一击。尽管罗斯表现抢眼，但在西部惨烈的竞争中，一度阵容动荡、群龙无首的森林狼依旧无法杀进季后赛。

2019 年 3 月 22 日罗斯因右肘骨折赛季报销，对于告别季后赛的森林狼来说，这是意料之中的决定，虽然罗斯的赛季征程提前结束，但这不妨碍该赛季他的精彩。

2018/2019 赛季赛季罗斯打出了非常精彩的表现，他为森林狼出场 51 次，场均 18 分 2.7

篮板 4.3 助攻，在万圣节打出了单场 50 分的神奇表现。虽然突破不如以往犀利，但罗斯的中远投已经有很大威胁，48.2% 的投篮命中率和 37% 的三分命中率都是职业生涯新高。

值得一提的是 2018/2019 赛季罗斯仅仅手握 1 年 210 万美元（森林狼队倒数第二）的合同，却打出全队顶级的表现，相比之下，森林狼（年薪超千万）五大主力不禁汗颜。

新的赛季，毫无疑问，罗斯的合同年薪必超千万，为此森林狼已有意向。更为关键的是玫瑰不再漂泊，他将尽情专注的绽放……

曾经最年轻的 MVP、联盟准新王、“公牛王朝”崛起的希望、芝加哥球迷心中的救世主，经过料峭的风雪之后，在寒意凛冽的明尼苏达，“玫瑰”再度绽放。

档案

德怀恩·韦德 /Dwyane Wade
绰号：闪电侠 / 位置：得分后卫
出生日期：1982 年 1 月 17 日
身高：193cm 体重：100kg
效力球队：热火、公牛、骑士
球衣号码：3、9

荣耀

3 届总冠军：2006、2012、2013
1 届总决赛 MVP：2006
1 届全明星 MVP：2010
13 届全明星：2005-2016、2019
1 届得分王：2008/2009
2 届最佳阵容一阵：2008/2009、2009/2010
1 届奥运会冠军：2008

2019 年 4 月 11 日，德怀恩·韦德职业生涯最后一战，热火虽然客场以 94 比 113 不敌篮网，但此役他 28 投 10 中拿到 25 分 11 个篮板 10 次助攻的“三双”数据，堪称完美谢幕。作为迈阿密的王者，韦德转身归隐，却留下诸多荣耀与传奇。他被公认为继乔丹、科比之后排在历史前三的得分后卫，囊括 1 届总决赛 MVP、1 届全明星 MVP，并 13 次入选全明星。韦德率热火 12 次挺进季后赛，

韦德职业生涯总得分

23165

排名热火队史第1位。

韦德职业生涯总篮板

4933

排名热火队史第4位。

韦德职业生涯总助攻

5701

排名热火队史第1位。

韦德职业生涯总抢断

1620

排名热火队史第1位。

韦德职业生涯总盖帽

885

排名历史后卫盖帽榜第2位。

闪电永恒

DWYANE WADE

德怀恩·韦德常规赛数据表

赛季	球队	篮板	助攻	得分
2003/2004	热火	4.0	4.5	16.2
2004/2005	热火	5.2	6.8	24.1
2005/2006	热火	5.7	6.7	27.2
2006/2007	热火	4.7	7.5	27.4
2007/2008	热火	4.2	6.9	24.6
2008/2009	热火	5.0	7.5	30.2
2009/2010	热火	4.8	6.5	26.6
2010/2011	热火	6.4	4.6	25.5
2011/2012	热火	4.8	4.6	22.1
2012/2013	热火	5.0	5.1	21.2
2013/2014	热火	4.5	4.7	19.0
2014/2015	热火	3.5	4.8	21.5
2015/2016	热火	4.1	4.6	19.0
2016/2017	公牛	4.5	3.8	18.3
2017/2018	骑士	3.9	3.5	11.2
2017/2018	热火	3.4	3.1	12.0
2018/2019	热火	4.0	4.2	15.0
总计		4.7	5.4	22.0

德怀恩·韦德季后赛数据表

赛季	球队	篮板	助攻	得分
2003/2004	热火	4.0	5.6	18.0
2004/2005	热火	5.7	6.6	27.4
2005/2006	热火	5.9	5.7	28.4
2006/2007	热火	4.8	6.3	23.5
2008/2009	热火	5.0	5.3	29.1
2009/2010	热火	5.6	6.8	33.2
2010/2011	热火	7.1	4.4	24.5
2011/2012	热火	5.2	4.3	22.8
2012/2013	热火	4.6	4.8	15.9
2013/2014	热火	3.9	3.9	17.8
2015/2016	热火	5.6	4.3	21.4
2016/2017	公牛	5.0	4.0	15.0
2017/2018	热火	4.2	3.6	16.6
总计		5.2	4.9	22.3

德怀恩·韦德全明星赛数据表

年份	所在地	篮板	助攻	得分
2005	丹佛	3	1	14
2006	休斯敦	4	3	20
2007	拉斯维加斯	0	3	10
2008	新奥尔良	4	3	14
2009	菲尼克斯	2	5	18
2010	达拉斯	6	11	28
2011	洛杉矶	4	2	14
2012	奥兰多	10	10	24
2013	休斯敦	3	7	21
2014	新奥尔良	1	3	10
2016	多伦多	4	6	8
2019	夏洛特	2	4	7
总计		3.6	4.8	15.7

并豪取过27连胜，5次杀入总决赛，3次问鼎总冠军，创造了个人率领热火的第一战绩。

从2003年到2019年，纵观韦德十六载职业生涯，配得起任何赞美！而让我们感动的是，即使是最后一舞，他依旧保持傲世凌空、卓尔不群的姿态。

记忆不泯，传奇永恒。如今韦德虽然归隐，但迈阿密的天空永远回旋着照彻天地的那道闪电。

NBA 历史得分榜

排名	球员	得分
1	卡里姆·阿布杜尔－贾巴尔	38387
2	卡尔·马龙	36928
3	科比·布莱恩特	33643
4	勒布朗·詹姆斯	32406
5	迈克尔·乔丹	32292
6	威尔特·张伯伦	31419
7	德克·诺维茨基	31402
8	沙奎尔·奥尼尔	28596
9	摩西·马龙	27409
10	埃尔文·海耶斯	27313

NBA 历史篮板榜

排名	球员	篮板
1	威尔特·张伯伦	23924
2	比尔·拉塞尔	21620
3	卡里姆·阿布杜尔－贾巴尔	17440
4	埃尔文·海耶斯	16279
5	摩西·马龙	16212
6	蒂姆·邓肯	15091
7	卡尔·马龙	14968
8	罗伯特·帕里什	14715
9	凯文·加内特	14662
10	内特·瑟蒙德	14464

NBA 历史盖帽榜

排名	球员	盖帽
1	哈基姆·奥拉朱旺	3830
2	迪肯贝·穆托姆博	3289
3	卡里姆·阿布杜尔－贾巴尔	3189
4	马克·伊顿	3064
5	蒂姆·邓肯	3020
6	大卫·罗宾逊	2954
7	帕特里克·尤因	2894
8	沙奎尔·奥尼尔	2732
9	特里·罗林斯	2542
10	罗伯特·帕里什	2361

NBA 历史助攻榜

排名	球员	助攻
1	约翰·斯托克顿	15806
2	贾森·基德	12091
3	史蒂夫·纳什	10335
4	马克·杰克逊	10334
5	埃尔文·约翰逊	10141
6	奥斯卡·罗伯特森	9887
7	克里斯·保罗	9074
8	伊塞亚·托马斯	9061
9	加里·佩顿	8966
10	勒布朗·詹姆斯	8606

NBA 历史抢断榜

排名	球员	抢断
1	约翰·斯托克顿	3265
2	贾森·基德	2684
3	迈克尔·乔丹	2514
4	加里·佩顿	2445
5	莫里斯·奇克斯	2310
6	斯科特·皮蓬	2307
7	克莱德·德雷克斯勒	2207
8	哈基姆·奥拉朱旺	2162
9	埃尔文·罗伯特森	2112
10	克里斯·保罗	2095

NBA 历史罚球榜

排名	球员	罚球
1	卡尔·马龙	9787
2	摩西·马龙	8531
3	科比·布莱恩特	8378
4	奥斯卡·罗伯特森	7694
5	迈克尔·乔丹	7327
6	德克·诺维茨基	7226
7	杰里·韦斯特	7160
8	勒布朗·詹姆斯	7112
9	保罗·皮尔斯	6918
10	阿德里安·丹特利	6832

NBA 三分命中榜

排名	球员	三分
1	雷·阿伦	2973
2	雷吉·米勒	2560
3	斯蒂芬·库里	2413
4	凯尔·科沃尔	2335
5	杰森·特里	2282
6	文斯·卡特	2204
7	贾马尔·克劳福德	2197
8	保罗·皮尔斯	2143
9	贾森·基德	1988
10	乔·约翰逊	1978

NBA 出场次数榜

排名	球员	出场次数
1	罗伯特·帕里什	1611
2	卡里姆·贾巴尔	1560
3	德克·诺维茨基	1508
4	约翰·斯托克顿	1504
5	卡尔·马龙	1476
6	文斯·卡特	1469
7	凯文·加内特	1462
8	凯文·威利斯	1424
9	杰森·特里	1401
10	蒂姆·邓肯	1392